Beiträge zur Wissenschaft
vom Alten und Neuen Testament
Sechste Folge

Herausgegeben von
Siegfried Herrmann und Karl Heinrich Rengstorf
Heft 20 · (Der ganzen Sammlung Heft 120)

Verlag W. Kohlhammer
Stuttgart Berlin Köln Mainz

Heinrich Baarlink

Die Eschatologie der synoptischen Evangelien

Verlag W. Kohlhammer
Stuttgart Berlin Köln Mainz

CIP-Kurztitelaufnahme der Deutschen Bibliothek

Baarlink, Heinrich:
Die Eschatologie der synoptischen Evangelien /
Heinrich Baarlink. – Stuttgart ; Berlin ; Köln ;
Mainz : Kohlhammer, 1986.
  (Beiträge zur Wissenschaft vom Alten und Neuen
  Testament ; H. 120 = Folge 6, H. 20)
  ISBN 3-17-009269-3

NE: GT

Titel der holländischen Originalausgabe:
Vervulling en voleinding, 1984
(Teilbeitrag: Die Eschatologie der synoptischen Evangelien)

Alle Rechte vorbehalten
© Uitgeversmaatschappij J.H. Kok – Kampen
Für die deutsche Ausgabe:
© 1986 Verlag W. Kohlhammer
Stuttgart Berlin Köln Mainz
Verlagsort: Stuttgart
Gesamtherstellung:
W. Kohlhammer Druckerei GmbH + Co. Stuttgart
Printed in Germany

Vorwort

Die Frage nach der Theologie der synoptischen Evangelien oder nach Teilaspekten davon war in den vergangenen Jahren wiederholt Gegenstand meiner Lehrtätigkeit an der Theologischen Hochschule in Kampen (Niederlande). Die hier angebotenen Studien über die Eschatologie wollen eine nach Möglichkeit allgemeinverständliche Zusammenfassung der wichtigsten Fragen auf diesem Gebiet und der markantesten Besonderheiten unserer ersten drei Evangelien bieten. Es zeigt sich, daß sie sich bemüht haben, so über Erfüllung und Vollendung, über Gegenwart und Zukunft zu handeln, wie das der ihnen überlieferten Tradition und Botschaft Jesu entsprach. Zugleich ist es erstaunlich, wie sehr das Eingehen auf Fragen, Gefahren und Herausforderungen ihrer je eigenen Zeit die Ausprägung dieser eschatologischen Botschaft mit geprägt hat. Wir sind in der glücklichen Lage, durch die Anwendung der redaktionskritischen Methode das kerygmatische oder theologische Profil der Evangelisten und ihrer Schriften schärfer nachzeichnen zu können.

Nachdem diese Studien vor gut einem Jahr im Rahmen eines größeren Sammelwerkes über 'Erfüllung und Vollendung' in den Niederlanden erschienen waren, ergab sich die Möglichkeit, die ich gern ergriffen habe, eine deutsche Ausgabe in Angriff zu nehmen. Besonders weiß ich es zu schätzen, daß mein verehrter Kollege, Herr Prof.D.Dr. Karl Heinrich Rengstorf, mich dazu schon anspornte, als die niederländische Fassung noch im Werden begriffen war. Ihm und dem Mitherausgeber, Herrn Prof. Dr. Siegfried Herrmann, spreche ich gern meinen Dank dafür aus, daß sie dieser Arbeit einen Platz in der Reihe "Beiträge zur Wissenschaft zum Alten und Neuen Testament" eingeräumt haben.

Die Mühe der Erstellung des Textregisters übernahm meine Frau; das Literaturverzeichnis stellte mein Assistent Bert de Lange zusammen. Beide haben sie ein herzliches Dankeschön mehr als verdient.

Nordhorn, im Februar 1986   Heinrich Baarlink

Inhaltsverzeichnis

Kap.1   Das eschatologische Auftreten Jesu   1

0.   Einleitung   1
1.   Die Frage nach dem historischen Jesus   1
2.   Das eschatologische Auftreten Jesu   8
3.   Das messianische Auftreten Jesu   10
4.   Motiv und Art der Erfüllung   17
5.   Das Volk des Messias   21
6.   Die Zukunftserwartung   23

Kap.2   Das Markusevangelium   30

0.   Einleitung   30
1.   Die Proklamation des Königreiches   33
1.1.   Ort und Funktion von Mk 1,14-15   33
1.2.   Die nähere Erläuterung dieser Proklamation   35
1.3.   Erfüllung, Auslieferung und Kreuz   37
2.   Das Auftreten in Vollmacht   38
2.1.   Die Bedeutung des Wortgebrauches   38
2.2.   Lehren in Vollmacht   39
2.3.   Vollmacht über die Dämonen   40
2.4.   Vollmacht und Vergebung   41
2.5.   Vollmacht und Gesetz   43
2.6.   Vollmacht und Genesung   44
3.   Die Schweigegebote   46
4.   Die Selbstandeutung Jesu als Sohn des Menschen   50
5.   Die christliche Existenz zwischen den Zeiten   53
6.   Die eschatologische Rede in Kapitel 13   55
6.1.   Keine eschatologische Information, sondern Paränese 55
6.2.   Die Struktur des paränetischen Abschnittes V.5-23   57
6.3.   Das Ende und die Vollendung   60
6.4.   Ist die Vollendung nahe?   64

Kap.2   Das Matthäusevangelium   67

0.   Einleitung   67
1.   Die Struktur des Evangeliums   68

2.	Die Erfüllung	76
2.1.	Das Kommen des Reiches	76
2.2.	Der Messias der Welt	77
2.3.	Das Reden über die Erfüllung	81
2.4.	Erfüllung ohne Verhüllung	85
3.	Das Volk Gottes in der Zeit der Erfüllung	87
3.1.	Ein partikularistischer Anfang	87
3.2.	Von Israel verworfen	89
3.3.	Das Gericht über Israel	93
3.4.	Das Problem der Mission unter Israel	96
3.5.	Das neue Gottesvolk	99
4.	Die Sicht auf die große Zukunft	107
4.1.	Das kommende Gericht	107
4.1.1.	Allgemeine Andeutung	107
4.1.2.	Das Endgericht umfaßt die ganze Welt	109
4.1.3.	Das Urteil über die Christgläubigen	110
4.2.	Gericht und Vollendung	114
4.3.	Die eschatologische Rede von Kapitel 23-25	118
Kap.4	Das Lukasevangelium	122
0.	Einleitung	122
1.	Die Gegenwart des Heils	124
1.1.	Einleitung	124
1.2.	Das Erfüllungsmotiv in der Geburtsgeschichte	124
1.3.	Das Erfüllungsmotiv in den einleitenden Kapiteln 3-4	127
1.4.	Das Erfüllungsmotiv in den Aussendungsperikopen	131
1.5.	"Heute" als Schlüsselwort bei Lukas	134
1.6.	"Das Reich Gottes ist mitten unter euch."	135
1.7.	Der Umfang des Heils	137
2.	Der Platz Israels im Heilshandeln Gottes	143
2.1.	Jerusalem, das Land und das Volk	143
2.2.	Die Leiter Israels	144
2.3.	Israel ist und bleibt der erste Adressat des Evangeliums	145
2.4.	Israel und der Heilsplan Gottes	146
3.	Die Zukunftserwartung	149
3.1.	Allgemeine Andeutung	149

3.2.   Aufschub und Wachsamkeit   152
3.3.   Wachsamkeit und Verantwortung   155
3.4.   Geschichte und Vollendung   158
4.   Exkurs über die Eschatologie in der Apostelgeschichte   163
4.1.   Einleitung   163
4.2.   In der Verlängerung des Evangeliums   164
4.3.   Das eschatologische Heute   167
4.4.   Die Frage nach der vertikalen Eschatologie   170
4.5.   Die Bedeutung Jerusalems   172
4.6.   Bleibende Priorität für Israel   174
4.7.   Das Heil für die Welt   178

Literaturverzeichnis   184

Stellenregister   192

Kapitel 1

Das eschatologische Auftreten Jesu

0 Einleitung

In diesem einleitenden Abschnitt wollen wir der Frage nachgehen, inwieweit die verschiedenen Zeugen des Neuen Testaments uns eine Antwort auf die Frage nach dem eschatologischen Auftreten Jesu ermöglichen. Wie man die Schwierigkeiten und Möglichkeiten mit Bezug auf diese Frage nach dem historischen Jesus auch meint veranschlagen zu müssen, auf jeden Fall steht fest, daß es zu ihm keinen anderen Zugang gibt als den über die Schriften des N.T.; und das bedeutet: über Schriften, die selbst weder eine stenographische Wiedergabe der Predigt Jesu noch ein Protokoll über seine Taten bilden. Damit ist das Problem schon anvisiert. Aber wir sollten diesen Tatbestand nicht vorschnell bedauern. Evangelien sind das aufgeschriebene Zeugnis von Menschen, denen der Mund überlief von dem, wovon ihr Herz voll war, von unschätzbarem Wert auch dann, wenn es schwierig ist, eine präzise Antwort zu bekommen auf die Frage, wie es denn nun eigentlich genau zugegangen ist und was Jesus denn nun wörtlich gesagt hat.

Andererseits verfügen wir über vier Evangelien, die je auf eigene Weise ausführlich über Jesu Auftreten berichten. Alle stimmen sie in der einen Frage völlig miteinander überein, daß das Auftreten Jesu in Wort und Tat in großem Umfang einen eschatologischen Charakter hatte; das heißt, daß es durch die Frage nach der Erfüllung des Heilsplanes Gottes für die Welt bestimmt wurde. Diese eschatologische Perspektive in Jesu Auftreten und Predigt hat, wie sich zeigt, die Evangelisten so sehr fasziniert, daß dadurch die Struktur und der Tenor ihrer Schriften bestimmt wurden, auch wenn es zwischen ihnen mit Bezug auf Strukturierung, Akzentuierung und literarische Formgebung nicht unerhebliche Unterschiede gibt.

1 Die Frage nach dem historischen Jesus

Wir sprechen in diesem Kapitel schlicht über das eschatologische Auftreten Jesu. Doch darf hier die vielschichtige Frage nach dem sog. historischen Jesus und nach den Kriterien, die in diesem

Zusammenhang hantiert werden, nicht unerwähnt bleiben. Wir gehen
davon aus, daß unterschieden werden muß zwischen dem Bild, das die
Evangelien entworfen haben, und der historischen Person Jesu, die
sich dahinter verbirgt und zugleich - was noch zutreffender ist -,
darin verkündigt wird und so vor uns tritt. Die Diskussionen über
diese Frage sind kaum noch zu überblicken. Und es herrscht nicht
nur Uneinigkeit darüber, welche Kriterien angewandt werden müssen;
selbst über die Frage, was unter dem historischen Jesus zu
verstehen sei, besteht keine Klarheit. L.E.Keck nennt in seiner
Studie über den historischen Jesus [1] fünf verschiedene Definiti-
onen. Auch wenn diese Auflistung nicht erschöpfend ist und vielleicht durch diesen oder jenen als zu schematisch und ein wenig
simplifizierend betrachtet wird, so deutet sie doch die wichtigsten Positionen an.

a. Jesus, wie er wirklich war. Da die Evangelisten im Zusammenhang
mit ihrer Zielsetzung eine Auswahl treffen, sich weitgehend auf
das letzte Jahr seines Lebens beschränken und sich insonderheit
auf seine Passion in der letzten Woche vor seinem Kreuzestod konzentrieren, wird es unmöglich bleiben, ein Bild von Jesu Leben zu
entwerfen.

b. Jesus im Gegensatz zu dem Bild, das die Jünger von ihm entworfen haben. Man kann dabei an Reimarus denken oder auch an viele
andere, die mehr oder weniger (in-)konsequent von einer Diskontinuität zwischen Jesus selbst und dem Bilde, das die Jünger von ihm
entworfen und das die Gemeinden übernommen haben, ausgehen.

c. Jesus als der Stifter der wahren Religion. Man könnte hier auf
viele liberale Versuche verweisen, einen "undogmatischen" Jesus zu
entdecken, der als Bote eines sittlich begründeten und menschlich
gestalteten Gottesreiches zu Liebe und Gottvertrauen aufgerufen
habe. In dieser Konzeption is für eine Christologie, wie diese im
einzelnen auch aussehen möge, kein Platz; weder seinem Leben noch
seinem Leiden und Sterben kommt in ihr irgendeine Heilsbedeutung
zu.

d. Jesus als Ausdruck und Offenbarung der menschlichen Existenz.Er
zeigt uns,wie der Mensch sich inmitten aller Unsicherheiten und
Ängste in Gottes Hände werfen kann, um durch diese Entscheidung so
viel Halt zu empfangen, daß er von allen irdischen Sicherheiten

---

1 L.E.Keck, A future for the historical Jesus, Nashville-New York 1971, 20.

absehen kann. Dann werden viele Einzelheiten, denen die Evangelisten einen großen Wert beimessen, irrelevant. Dann ist die Frage
nach seiner Messianität theologisch genau so bedeutungslos wie die
nach seiner eigenen Zukunftserwartung, wie sie ihren Niederschlag
in den Evangelien findet. Hier ist vor allem Bultmann gemeint. Wir
sollten dabei jedoch notieren, daß Bultmann auch bei dieser exi-
stentialen Interpretation nicht ohne weiteres den historischen
Jesus im Auge hat. Auch auf diesem Niveau des Aufrufes Jesu zum
"eigentlichen Existieren" in Übereinstimmung mit Gottes gnädigem
Willen befinden wir uns noch immer inmitten der ältesten Gemeinde
und ihrer Predigt. Der historische Jesus, den Bultmann - ähnlich
wie Troeltsch und die auf ihn folgende religionsgeschichtliche
Schule - als einen Exorzisten mit prophetischem Berufungsbewußtsein
definiert, ist allenfalls für den Historiker, nicht jedoch für den
Glauben und für die Theologie von Bedeutung.
e. Jesus, wie er auf dem Wege der historisch-kritischen Forschung
rekonstruiert werden kann. Nun besagt dieser Satz so lange recht
wenig wie nicht deutlich ist, wie man den Ausdruck "historisch-
kritisch" hantiert und welche Maßstäbe man dabei anlegt. Jeder,
der die Verfasser der neutestamentlichen Schriften ernstnimmt als
Zeugen, die in Gebundenheit und Freiheit die Botschaft von Jesus
Christus in ihrer eigenen Zeit und für sie durchgaben, denkt damit
historisch; der geht davon aus, daß es in der Auswahl, Anordnung
und Akzentuierung, aber auch in der redaktionellen Verarbeitung
einschließlich deutender Erweiterungen Unterschiede geben kann und
gibt. Und wer nicht unkritisch über diese Unterschiede hinweggeht
oder gar versucht, sie zu leugnen oder zu minimalisieren, der geht
kritisch vor, abwägend und unterscheidend, tastend und abklopfend
und fragend, einerseits behutsam und ehrfurchtsvoll, weil er es
mit dem Evangelium zu tun hat, das ihm Grundlage seines Lebens und
seiner Hoffnung geworden ist, andererseits jedoch auch offen für
die Einsichten, die dem oberflächlichen Leser verborgen bleiben.

Vieles wird hier jedoch von den Voraussetzungen abhängen, von
denen sich jemand bei seinen Untersuchungen leiten läßt. Es gibt
eine eher geistlich als wissenschaftlich bedingte Skepsis, die von
vornherein davon ausgeht, daß Jesus nichts anderes und nichts mehr
gewesen sein kann als ein gewöhnlicher Mensch, vielleicht ein
Rabbi, vielleicht ein Gerechter, ein Exorzist oder gar ein Prophet

mit einem ausgeprägten Berufungsbewußtsein, eventuell sogar Stifter einer neuen Religion oder Erneuerer einer bestehenden. Er kann
auf seine Umgebung einen außergewöhnlichen Eindruck gemacht haben,
so daß man ihn auf irgend eine Weise mit Gott in Zusammenhang
brachte und auf Dauer ein einzigartiges und übermenschliches Bild
von ihm erstand. Aber die Grenze dessen, was historisch genannt
werden kann, nicht nur im Sinne der Kontrollierbarkeit sondern
auch im Hinblick auf das wirklich Geschehene oder die Möglichkeit
des Geschehen-sein-könnens, wird von vielen angegeben durch das
axiomatisch verstandene Gesetz der Analogie, der grundsätzlichen
Gleichartigkeit allen Geschehens [2]. Damit wird a priori alles als
unhistorisch und sekundär ausgesiebt, was im strikten Sinn des Wortes übermenschlich und einzigartig ist.

Abgesehen hiervon wird die Frage nach dem historischen Jesus
entscheidend durch die Kriterien bestimmt, die man benutzt, um
festzustellen, was als authentisch betrachtet werden kann. An erster Stelle besteht ein fortwährender Streit über die Frage, bei
wem die Beweislast liegt, bei dem, der Berichte aus den Evangelien
als nicht-authentisch betrachtet [3], oder bei dem, der die Authentizität handhabt [4]. Die Wahl zwischen diesen beiden Möglichkeiten
ist jedoch schwerer als man im ersten Augenblick vermuten sollte [5]. Wenn historisch-kritische Forschung mit allen Faktoren rechnet, die einen neutestamentlichen Zeugen mitbestimmt haben, als er
in verantwortlicher Gebundenheit und Freiheit das Christuszeugnis
weitergab, dann wird damit grundsätzlich die Offenheit gepaart gehen müssen, im einen Fall auf historische Authentizität zu schlies-
sen, im andern Fall jedoch sekundäre Einflüsse anzunehmen. Daß die

---

2 So die These von E.Troeltsch, Über historische und dogmatische Methode in der
Theologie, in: Gesammelte Schriften II, Tübingen 1913, 732.
3 R.Riesner, Der Ursprung der Jesusüberlieferung, ThZ 38, 1982, 493-513; J.Jere-
mias, Neutestamentliche Theologie I, Gütersloh 1964, 45.
4 So z.B. E.Käsemann, Das Problem des historischen Jesus, in: Exegetische Versuche und Besinnungen 1, Göttingen 1964, 203; N.Perrin, Was lehrte Jesus wirklich?
Göttingen 1972, 32.
5. Vgl. F.Hahn, Methodische Überlegungen zur Rückfrage nach Jesus, in: K.Kertel-
ge (Hrsg.), Rückfrage nach Jesus, Freiburg 1974, 28. Ausgehend von den ipsissima
verba et facta, die von den Jüngern bewahrend und deutend weitergegeben wurden,
ist Hahn der Meinung, daß auf Grund dieses Transformationsprozesses die Alternative, daß entweder die Echtheit oder die Unechtheit einer Aussage oder eines berich-
teten Ereignisses bewiesen werden müsse, ungeeignet ist. Ich möchte jedoch nicht
den Eindruck erwecken, alsob nun keinerlei Entscheidungen über die Authentizität

Kennzeichnung als sekundär sich einstweilen auf die literarische Ebene einer Aussage oder Perikope bezieht und nicht im gleichen Zug den Inhalt als von sekundärem Wert abstuft, wird, so hoffen wir, in diesen Studien zur Genüge deutlich werden. Autorität hat nicht nur, wie J.Jeremias voraussetzt [6], das ipsissimum verbum Jesu, sondern auch das im weitesten und kanonischen Sinn des Wortes apostolische Zeugnis.

Andererseits darf die Frage nach der Authentizität und in sofern auch nach dem historischen Jesus nicht erschwert werden durch ein untaugliches Kriterium wie das der Ungleichheit. Damit ist gemeint, daß das über Jesus Berichtete nur dann Anspruch auf Authentizität erheben kann, wenn es nicht übereinstimmt einerseits mit vergleichbaren Lehren, Berichten oder Gedanken im Judentum bzw. im A.T., andererseits mit Tendenzen in der ältesten Kirche. [7] Dieses Kriterium ist deshalb untauglich, weil es von einer These ausgeht, die erst noch bewiesen werden muß. Es darf doch nach allem, was wir wissen können, nicht für wahrscheinlich gehalten werden, daß Jesus sich im allgemeinen nicht den Vorstellungen des A.T. und den Erwartungen und Formulierungen seiner Zeit angeschlossen hat, war er doch selbst ein Jude. Die These einer grundgrundsätzlichen Abgrenzung Jesu vom Judentum hat selbst etwas Verdächtiges. Trotz aller Konflikte mit gewissen Gruppen seiner Zeitgenossen und trotz aller Souveränität und Unabhängigkeit, mit der er die Schrift auslegte und auf sich bezog, ist es irreführend, wenn man sich bei der Frage nach dem Verhältnis zwischen Jesus und seinen jüdischen Zeitgenossen eines Konfliktmodells bedient. Nicht weniger unwahrscheinlich ist es auch, daß eine weitgehende Divergenz bestanden hat zwischen Jesus und der alten Kirche, so daß eine Übereinstimmung zwischen beiden die Tradition über ihn verdächtig machen könnte [8]. Es ist von verschiedenen Seiten mit Recht darauf hinge-

---

einer Aussage oder eines Berichtes mehr möglich seien. In vielen Fällen dürfte selbst die These, daß nichts gegen die Authentizität plädiert, als ein redliches Argument für ihre Echtheit gelten und sollte nicht gleich als ein billiger Ausweg aus dem Problem betrachtet werden.

6 J.Jeremias, Der gegenwärtige Stand der Debatte um das Problem des historischen Jesus, in: H.Ristow und K.Matthiae (Hrsg.), Der historische Jesus und der kerygmatische Christus, Berlin ²1962, 12-25; vor allem 19f.

7 Vgl. E.Käsemann, o.c. (Anm.4), 205.

8 Für die Diskussion über die Kriterien verweisen wir auf folgende Veröffentlichungen: N.Perrin, o.c. (Anm.4); F.Lentzen-Deis, Kriterien für die historische Beurteilung der Jesusüberlieferung in den Evangelien, in: K.Kertelge, o.c. (Anm.5),

wiesen worden, daß diese negativen Kriterien am Ende zu einem
nichtjüdischen und zugleich nichtchristlichen Jesus geführt haben.
Wer auf diese Weise Jesus von vornherein isoliert gegenüber dem Judentum und gegenüber der apostolischen Zeit, ist nicht imstande,
ihn überhaupt zu verstehen [9]. Etwas anderes ist es, daß in der Tat
ein starkes Argument für die Authentizität darin liegen kann, daß
irgendeine Aussage Jesu von seinem jüdischen Hintergrund her nicht
erhellt werden kann oder wenn ein bestimmter Zug nicht übereinstimmt mit einer Entwicklung oder Tendenz in der alten Kirche.

Wenn wir nach Maßstäben suchen, die uns helfen können, hinter
die Textgestalt der neutestamentlichen Schriften zurück zu Jesu
eigenem Auftreten durchzustoßen und dies schärfer in den Blick zu
bekommen, müssen wir diese Kriterien aus den Schriften des N.T.
selbst ableiten. Durch ein sorgfältiges Studium können wir erfahren, wie ihre Verfasser mit der ihnen anvertrauten Tradition umgegangen sind. So können wir auch die Frage stellen, ob das ihnen
Überlieferte immer übereinstimmt mit ihren eigenen Motiven und Gedanken bzw. mit denen der Gemeinde. Zumindest an einigen nicht un-
wichtigen Stellen war das offenbar nicht der Fall [10]. Die Gemeinde
ging beispielsweise nicht von der Unwissenheit Jesu aus, die er
sich nach Mk 13,32 selbst zuschreibt. In ihr hatte auch Petrus
eine so ehrenvolle Stellung inne, daß man an dem Satanswort von
Mk 8,33 eher Anstoß nehmen mußte, als daß man diese Worte selbst
hätte bedenken können. Und wenn in demselben Textzusammenhang in
8,31 von der Auferstehung nach drei Tagen gesprochen wird, dann
wußte doch Markus genauso gut wie alle anderen, daß überall von
der Auferstehung Jesu am dritten Tage, also nach zwei Tagen, gesprochen wurde. Wir nennen diese Beispiele gewiß nicht, um zu be-
haupten, das Bild, das die Evangelisten entwerfen, stimme bis in
alle Einzelheiten mit dem überein, was sich ereignet hat und was
durch Jesus selbst gesagt worden ist. Wohl jedoch gibt uns ein in-
tensives Studium der Evanglien alle Freimütigkeit, uns einer weit-
verbreiteten Skepsis zu widersetzen. Übrigens ist selbst Bultmann
der Meinung, daß die Predigt oder Unterweisung Jesu, wie sie uns

78-117; L.E.Keck, o.c. (Anm.1),33f; P.Stuhlmacher, Schriftauslegung auf dem Wege
zur biblischen Theologie, Göttingen 1975, vor allem 36,100; F.Hahn, o.c. (Anm.5),
11-77; R.Riesner, Jesus der Lehrer, Tübingen 1981.

9 Vgl. E.Schillebeeckx, Jezus, het verhaal van een levende, Bloemendal [2]1974,
72f; L.E.Keck, o.c. (Anm.1), 33f.

10 Vgl. E.Schillebeeckx, o.c., 73.

in den synoptischen Evangelien überliefert ist, global gesehen,
Anspruch auf Authentizität hat und daß wir sehr wohl imstande
sind, uns zumindest von diesem Aspekt seines Auftretens ein zusam
menhängendes Bild zu machen [11]. Es besteht kein triftiger Grund
[12], mit Bezug auf die überlieferten Taten Jesu eine völlig andere
Haltung einzunehmen und einseitig von Motiven der Gemeinde auszu
gehen, die diese Dinge ohne historische Basis über Jesus erzählt
haben sollte. Denn auch dann, wenn die Gemeinde die Berichte über
Jesu Auftreten weitererzählte, tat sie das doch in dem Bewußtsein,
über Geschehnisse zu sprechen, die einige Jahre zuvor geschehen
waren. Was die Wunder Jesu betrifft, so wird in allen Schichten
der Evangelientradition und in den verschiedenen in ihnen verwerte
ten Quellen über sie erzählt. Hinzu kommt in diesem Fall, daß die
Logientradition hiermit völlig übereinstimmt. Als Beispiel erwähne
ich Mt 11,21-24 par Lk 10,12-15, wo vorausgesetzt wird, daß Jesus
in Chorazim, Bethsaida und Kapernaum viele Wundertaten verrichtet
hat. Man vergleiche auch Mk 3,22 parr Mt 12,24 (9,34); Lk 11,15,
den Vorwurf der Gegner, Jesus treibe die bösen Geister aus durch
Beelzebul, den Obersten der Teufel.

Die Frage nach dem historischen Jesus ist folglich nicht al
lein zwingend und legitim; sie ist auch verheißungsvoll, weil die
verfügbaren Quellen so beschaffen sind, daß sie über die Weise,
wie Jesus aufgetreten ist, ein Bild entwerfen, das, wenn auch
nicht in allen Einzelheiten gestochen scharf, so doch zur Genüge
deutlich ist und eine eindeutige Sprache spricht. Da nun aber, wie
wir oben sahen, der Ausdruck "historischer Jesus" verschieden ausgelegt wird und zu Mißverständnissen Anlaß geben kann, ziehen wir
es vor, schlicht über das eschatologische Auftreten Jesu zu sprechen. Der Leser sollte indes wissen, daß wir uns der methodischen
Probleme, die mit dieser Frage verbunden sind, sehr wohl bewußt
sind und sie nicht außer Acht lassen wollen. Es ist nun einmal so,
daß wir nur auf dem Wege über die Zeugen des N.T. Zugang zu Jesus
und zu seinem Auftreten in der Zeit vor seinem Kreuzestod haben.

---

11 Vgl. R.Bultmann, Jesus, Tübingen 1951, 14-16. Dabei muß jedoch bedacht werden, daß Bultmann bereits alle Aussagen Jesu als sekundär ausgesiebt hat, in denen
er über sich selbst als den bevollmächtigten, leidenden und in Herrlichkeit kommenden Sohn des Menschen spricht, sein Leiden ankündigt und damit irgendwie eine
Heilsbedeutung verbindet.
12 wie Bultmann das tut; siehe seine Geschichte der synoptischen Tradition,
(1921), Göttingen [8]1970, passim.

Diese Zeugen hatten ein anderes und höheres Ziel vor Augen und hatten eine größere Aufgabe, als lediglich genau über Geschehnisse
der Vergangenheit zu berichten. Auch wenn sie die Berichte und Erzählungen über das Auftreten Jesu in der Zeit vor Ostern in ihre
Evangelien aufnahmen, so war er doch inzwischen für sie der erhöhte
Herr. Sowohl das heilsgeschichtliche Heute als auch die hiermit zusammenhängende Zukunft hatten ihr eigenes Gewicht neben der heilsgeschichtlichen Vergangenheit, über die sie schrieben. Daß dieses
Bekenntnis zu Jesus Christus als ihrem Herrn und ihre lebendige
Hoffnung auf seine Wiederkunft auch auf die Art Einfluß hatten,
wie sie von dieser Perspektive aus über den vorösterlichen Jesus
schreiben würden, liegt auf der Hand. Nur so konnten sie seine Zeugen sein.

2   Das eschatologische Auftreten Jesu

Eine der folgenreichsten Einsichten in der neutestamentlichen
Forschung der letzten Jahrzehnte bestand ohne Zweifel darin, daß
der Eschatologie im Auftreten Jesu ein erstrangiger Platz und eine
zentrale Funktion beigemessen wurden. Im Jahre 1778 hatte Lessing,
ohne den Namen des Verfassers zu verraten, eine Schrift des zehn
Jahre vorher gestorbenen Hermann Samuel Reimarus herausgegeben [13].
Diese Schrift hatte sowohl in rechtgläubigen als auch in aufkläre-
rischen Kreisen eine Schockwirkung gehabt. Jedermann war entsetzt;
hatte doch dieser Ungenannte es gewagt, die gesamte apostolische
Christusbotschaft als Betrug hinzustellen: Die Jünger hätten den
Leichnam Jesu gestohlen und die Erzählung über seine Auferstehung
selbst erfunden. Aber dieser selbe Reimarus hat zugleich eine ver-
dienstvolle Entdeckung gemacht: Er hat darauf hingewiesen, daß man
Jesus nur dann begreifen kann, wenn man seine eschatologische Botschaft als Zentrum seiner Predigt erkennt [14]. Auch hat er eine an
sich wichtige Unterscheidung gemacht zwischen verschiedenen eschatologischen Konzeptionen innerhalb des Judentums der Zeit Jesu,
wenn auch hinzugefügt werden muß, daß der heutige Forschungsstand
uns eine viel genauere Erkenntnis der verschiedenen Strömungen er-

---

13 "Von dem Zwecke Jesu und seiner Jünger." Noch ein Fragment des Wolfenbütteler
Ungenannten. Herausgegeben von Gottfried Ephraim Lessing, Braunschweig 1778.
14 L.E.Keck, o.c. (Anm.1), 18, schreibt: "... all historical study of Jesus is
a critical appropriation of this view or a debate with it." Keck zitiert in diesem
Zusammenhang eine Aussage von R.Eisler, die Geschichte der Leben-Jesu-Forschung
sei "a story from Reimarus to Reimarus".

laubt. Er unterschied zwischen einer vornehmlich partikularistischen Betrachtung, bei der das Auftreten des Messias primär auf
Israel bezogen wurde, und einer anderen Sicht, nach der der Messias zweimal erscheinen würde, wobei erst sein zweites Kommen in der
himmlischen Herrlichkeit mit den Wolken des Himmels stattfinden
würde. Jesus habe sich gänzlich die partikularistische Erwartung
eines gesalbten Sohnes Davids zu eigen gemacht; er habe in der gewissen Überzeugung gelebt, daß mit ihm das messianische Reich des
Heils und des Friedens für Israel anbrechen würde. Diese Hoffnung
sei dann aber an seiner Verurteilung und Kreuzigung zerschellt.
Die Jünger jedoch hätten mit Hilfe des zweiten Erwartungsmusters
und mittels eines schändlichen 'frommen Betruges' die Erwartung
Jesu durch diese völlig andersartige Eschatologie ersetzt. Mit
dieser neu konzipierten Erwartung hätten sie zwar einen Weg
eingeschlagen, der kaum noch etwas mit der eschatologischen Erwartung Jesu selbst zu tun hatte; andererseits seien sie damit jedoch
über alle Fragen erhaben gewesen, die aus dem Mißlingen und dem
Tode Jesu aufkommen mußten.

Die ablehnenden Reaktionen auf diese Schrift haben dazu beigetragen, daß in weiten Kreisen der Theologie auf lange Zeit die
Einsicht verlorenging, daß das Auftreten Jesu eschatologisch bestimmt war. Man konzentrierte sich so sehr auf das Leben Jesu, auf
seine sittliche Botschaft und auf seine menschliche Persönlichkeit,
daß Fragen eschatologischer Art zwar nicht geleugnet, dafür aber
als unwesentlich zur Seite geschoben wurden. Erst zu Anfang unseres
Jahrhunderts sollte sich das ändern. J.Weiß und A.Schweitzer haben
in dieser Hinsicht an Reimarus angeknüpft [15]; auch sie legten dar,
daß Jesus in seinem Denken auf konsequente Weise durch die Eschatologie bestimmt gewesen war. Sie meinten damit, daß für ihn die Erfüllung und die Vollendung noch in der Zukunft lagen, auch wenn es
sich bei dieser Zukunft nur um eine Zeitspanne von Monaten handelte. Auch darin bestand Übereinstimmung zwischen ihnen und Reimarus, daß Jesu Erwartungen sich nicht erfüllt hätten. Alles zer-
schlug sich, und am Ende stand das Scheitern, die Enttäuschung,
das eschatologische Debakel. Folglich könne Jesu Eschatologie auch

---

15 Vgl.A.Schweitzer, Geschichte der Leben-Jesu-Forschung, Tübingen [2]1913, jetzt
von J.M.Robinson herausgegeben in der Siebenstern-Taschenbuchreihe, München-Hamburg 1966, 65: "An der elementaren Erkenntnis des Reimarus gemessen, ist die ganze
Theologie bis Johannes Weiss Rückschritt ..."

nicht mehr Bestandteil des christlichen Redens über Erfüllung und Vollendung sein.

Auch wenn es im Rahmen dieser Studien nicht unser Ziel sein kann, eine vollständige Übersicht über die Forschung zu dieser Frage zu geben, so sind die genannten Namen doch insofern von besonderer Bedeutung, als Weiß und Schweitzer den zentralen Ort der Eschatologie im Auftreten Jesu so eindringlich und überzeugend dargetan haben, daß seitdem nur noch sporadisch versucht worden ist, diesen Aspekt aus dem Werk und der Predigt Jesu zu streichen, als unwesentlich hinzustellen oder als sekundäre Einfügung zu interpretieren. Als Beispiel für solche seltsamen Versuche sei Geza Vermes genannt, der in einer breit angelegten Studie [16] die These verteidigt, Jesus stehe als frommer und gerechter Jude in einer Reihe mit anderen Charismatikern wie z.B. Honi (1.Jhd.v.Chr.) und Hanina Ben Dosa (1.Jhd.n.Chr.), die wie er aus Galiläa stammten und als Exorzisten, Ärzte und Lehrer bekannt wurden. Die diesbezüglichen Berichte der Evangelien sind Vermes zufolge genauso authentisch wie die bekannte Passage bei Josephus, wo Jesus ein weiser Mann genannt wird, Vollbringer unglaublicher Taten und Lehrer aller Menschen [17]. Vermes nimmt an, daß Jesus sich selbst auch Prophet genannt und aus seinem prophetischen Selbstbewußtsein heraus gehandelt und gesprochen habe. Später aber habe man dieses prophetische Selbstbewußtsein eschatologisch interpretiert, wobei die jüdische Erwartung eines wiederkommenden Elia oder eines Propheten wie Moses diese Entwicklung begünstigt habe. Die Traditionsgeschichte entwickelt sich auch nach Vermes also von dem Prophetischen und Weisheitlichen zur Eschatologie hin, während davon bei Jesus selbst noch keine Spur zu finden sei [18].

3   Das messianische Auftreten Jesu

Von E.Käsemann stammt die Aussage, die Apokalyptik sei die Mutter aller christlichen Theologie gewesen, und diese Apokalyp-

---

16 G.Vermes, Jesus and the Jews, Fontana [2]1977; vgl. auch A.Nolan, Jesus before christianity. The gospel of liberation, London [2]1980, der den Prophetismus Jesu in Kategorien des politischen Idealismus interpretiert.

17 Antiquitates 18,63.

18 o.c. (Anm.16) 90; dort behauptet der Verfasser: "the correct historical question is not whether such an undogmatic Galilean concept (of the charismatic prophet, H.B.) was ever in vogue, but rather how, and under what influence, it was ever given an eschatological twist."

tik habe die Kirche nach Ostern motiviert und befähigt, christolo-
gisch über Jesus zu reden [19]. In einem anderen Zusammenhang verteidigt Käsemann die These, von ihrer Eschatologie aus seien die Evangelisten an Jesu Wundern interessiert, und ihre Initiative, Evangelien zu schreiben, müsse von der Eschatologie her erklärt werden.
Diese These [20] ist äußerst anfechtbar. Auf Grund der Evangelien
möchte ich eher umgekehrt sagen, daß die Eschatologie in den Evangelien und im ganzen N.T. mit der Christologie zusammenhängt und
von ihr abhängig ist. Auch wenn Apostel und Evangelisten in ihren
verschiedenen Schriften das Zeugnis über Jesus als den Christus
auf eine Weise explizieren, wie es für Jesu eigenes Auftreten und
Sprechen naturgemäß noch nicht vorausgesetzt werden kann, so wird
man doch den Hintergrund und Ursprung des christologischen Zeugnisses jener Tage im messianischen Auftreten Jesu suchen müssen.

Daß das Auftreten Jesu einige Kennzeichen zeigt, die ohne weiteres messianisch genannt werden können, auch wenn dabei noch keinerlei messianische Titel benutzt werden, gilt für die meisten Forscher als unzweifelhaft feststehend. So schreibt auch Käsemann,
die einzige Kategorie, die mit seinem Anspruch übereinstimme, sei
die des Messias, ganz gleich, ob er diesen Titel beansprucht habe
oder nicht [21]. Auch Bultmann ist der Meinung, daß die Predigt Jesu
implizit eine Christologie enthalte [22].

Das messianische Auftreten Jesu wird vor allem bestimmt durch
seinen Anspruch auf Vollmacht, durch seine kritische Interpretation der Tora und durch die von ihm in Wort und Tat geschenkte
Vergebung.

Was die Vollmacht anbelangt, so sei hingewiesen auf verschiedene Wunder, bei denen seine Vollmacht zum Ausdruck kommt, sei es,
über die Dämonen (Mk 1,23-28), sei es über Krankheiten (Mt 8,9;
9,8), über Wind und Wellen (Mk 4,41 parr) oder auch über den Tempel und das, was daringeschieht (Mk 11,28-33 parr). Das grie-

---

19 o.c. (Anm.4) II,100, vgl. die Antwort Bultmanns darauf: Ist die Apokalyptik
die Mutter der christlichen Theologie? in: Exegetica, Tübingen 1967,467-482.
20 o.c. I 197-203.
21 o.c. 206.
22 R.Bultmann, o.c. (Anm.19) 478; derselbe, Das Verhältnis der urchristlichen
Christusbotschaft zum historischen Jesus (1960), Heidelberg ⁴1965, 16. Von denselben Voraussetzungen, jedoch mit mehr Nachdruck auf die Bedeutung des historischen
Jesus für die Explikation des christlichen Glaubens, spricht auch G.Ebeling, Theologie und Verkündigung, Tübingen ²1963, 51-82, vor allem 72-75, über eine impli-
zite Christologie.

chische Wort "exousia" ist sowohl bei den Synoptikern als auch bei
Johannes (5,27; 10,18; 17,2) eine bezeichnende Andeutung des tätigen Auftretens Jesu. Es drückt die Unvergleichlichkeit und Einzig-
artigkeit aus, die nach den verschiedenen Schichten der Evangelientradition das Auftreten Jesu gänzlich beherrschte und den Reaktionen der dabei anwesenden Menschen zufolge auch so erfahren wurde.

Wie sehr Jesus mit einer von Gott gegebenen, unvergleichli-
chen Vollmacht aufgetreten ist, zeigt sich vor allem in seiner Predigt. Seine Autorität übertrifft auch die des Moses (Joh 1,17);
und deshalb kann er seine Gesetzesauslegung der jüdischen Halacha
und in einigen Fällen selbst dem Wortlaut mosaischer Gebote gegen-
überstellen. Jedesmal leitet er seine vollmächtige Auslegung ein
mit den Worten: "Ich aber sage euch" (Mt 5,22ff). Die absolute Bedeutung für das Leben der Menschen, von der Jesus ausgeht, bekommt
dann bei Johannes die Form von Aussagen, die gekennzeichnet werden
durch die Anfangsworte: "Ich bin ..." Wenn man sich ihm gegenüber
auf Moses beruft, weist Jesus hin auf den Anfang, auf die ursprüngliche und bleibende Bedeutung beispielsweise des Verbots der Ehe-
scheidung (Mk 10,4-6) oder der Sabbatfeier (Mk 2,27). So wie seine
Stellung und Autorität über der des Moses erhaben sind, ist er
auch mehr als Salomo (Mt 12,42 par Lk 11,31) und Jona (Mt 12,41).
Johannes der Täufer wird in allen Evangelien als der niedrige
Vorläufer Jesu beschrieben, während er nach Jesu Worten nicht nur
der wiederkehrende Elia der Endzeit ist (Mt 11,14; vgl. Mal 3,23),
sondern auch mehr als einer der Propheten. Wenn Jesus seine
Jünger in Cäsaräa-Philippi fragt, für wen die Leute ihn halten,
dann weisen die verschiedenen Antworten (Johannes der Täufer,
Elia, Jeremia, einer der Propheten) darauf, daß man Jesus in
weiten Kreisen große Autorität beimißt. Jeremia galt im Judentum
als ein besonders hingegebener Prophet, der sich durch sein Leiden
und Martyrium Gott geopfert hatte. Er war anscheinend einer der
beliebtesten Propheten [23]. Obwohl für eine besondere eschatologische Bedeutung des Jeremia keine Beweise angeführt werden können,
zeigen doch die beiden Erfüllungszitate von Mt 2,17 und 27,9, daß
zumindest Matthäus die Prophetien des Jeremia sehr eng mit dem
Erscheinen Christi verbunden hat. Einen besonders hervorragenden

---

23 Vgl. J.Jeremias, ThWNT III 218-221, s.v. Ἰερεμίας; siehe weiter 2 Makk
15, 12-16; 5 Esra 2,17-19.

Platz im Zusammenhang mit der eschatologischen Erwartung im Judentum nahm ohne Zweifel Elia ein. Maleachi spricht davon, daß Elia
wiederkehren wird, ehe der große und schreckliche Tag, das Gericht
des Herrn, kommt. Elia hat dort nicht die Funktion eines Vorläufers
des Messias, sondern wird vorgestellt als Vorläufer Gottes selbst.
Er gilt hier wie auch später in Sir 48,10 als Mittler, der die Menschen bekehrt und den Zorn Gottes stillt. Es besteht Grund für die
Annahme, daß diese Prophetien eine Variante der messianischen Ankündigungen darstellten. Später wurden sie mit der Erwartung des
Messias kombiniert (nicht identifiziert), und das hatte zur Folge,
daß dem Elia die Rolle des Vorläufers des Messias zufiel [24]. Wenn
Menschen einen Zusammenhang zwischen Jesus und Elia sahen, dann
liegt darin zumindest ein Hinweis, daß ihre Gedanken über ihn
direkt oder indirekt in die Richtung der Messianität gingen.

Die Vollmacht Jesu zeigt sich nach den Berichten der Evangelisten schließlich in der von ihm geschenkten Vergebung. Daß er ein
Freund von Zöllnern und Sündern war, gehört zu den unzweifelhaften
Aussagen in allen Schichten der Evangelientradition. So wird über
ihn erzählt, und das wird ihm vorgeworfen (Mk 2,13-17 parr; Mt
11,19; Lk 19,1-10). Wenn er einem zu ihm gebrachten Lahmen Vergebung der Sünden schenkt, wird das als Gotteslästerung aufgefaßt
(Mk 2,7). Dieser Vorwurf hängt zuallererst damit zusammen, daß das
Schenken der Vergebung nur Gott zukommt, an zweiter Stelle aber
auch damit, daß es sich dabei um ein Urteil handelt, das erst am
Jüngsten Tage gesprochen werden wird. Darauf bezieht sich denn
auch die Antwort Jesu: daß er Vollmacht hat, auf Erde - und das bedeutet: hier und jetzt - Sünde zu vergeben. Damit ist das Auftreten Jesu einschließlich seiner Tischgemeinschaft, seiner Vergebung
und seiner vielen Gleichnisse über verlorene, schuldig gewordene
und von der Gemeinschaft verachtete Menschen entweder als das Betragen eines Gotteslästerers oder aber als das des eschatologischen
Heilbringers qualifiziert. Bei der Frage nach der Eschatologie im
Auftreten Jesu müssen wir nicht an erster Stelle nach Aussagen
über die große Zukunft oder über das eschatologische Heute der
messianischen Zeit suchen. Die Eschatologie ist auch nicht von bestimmten Hoheitstitels abhängig. Das ganze Auftreten Jesu ist
eschatologisch qualifiziert, und zwar deshalb, weil es durch und

---

24 Vgl. J.Jeremias, ThWNT II 933-936, s.v.'Ηλίας; G.Vermes, o.c. (Anm.16),94f.

durch messianisch geprägt ist. Was hier und jetzt geschieht, kann nur erklärt werden anhand von Erwartungen, die man messianisch nennen kann oder die auf jeden Fall mit dem Letzten zusammenhängen, wovon das AT spricht: mit dem kommenden Gericht und Heil Gottes.

Bei der Frage nach einer eventuellen messianischen Selbstandeutung Jesu spitzt sich die Diskussion immer wieder zu auf den Hoheitstitel 'Sohn des Menschen'. Das zeigt allein schon die lawinenhafte Fülle der Literatur zu dieser Frage [25]. Nach unserer Meinung dürfen wir von zwei wichtigen Tatsachen ausgehen. Erstens kommt diese Benennung Jesu in allen Schichten der Tradition vor: bei Markus (14 mal), in Q (10 mal), im Sondergut des Matthäus (7 mal), im Sondergut des Lukas (7 mal) und bei Johannes (13 mal) [26]. Zweitens kommt dieser Ausdruck ohne jede Ausnahme lediglich als Selbstandeutung Jesu vor [27]. Versuche, alle genannten Aussagen auf das Konto der Gemeinde zu setzen [28], sind unserer Überzeugung nach von den Texten selbst her nicht zu handhaben. Es gibt keine befriedigende Erklärung dafür, daß die Gemeinde, ohne über irgendeine derartige authentische Aussage Jesu zu verfügen und auch ohne die Spur einer christologischen Benennung Jesu als Sohn des Menschen zurückzulassen, doch auf vielfältige Weise diesen Hoheitstitel Jesus als Selbstprädikation in den Mund gelegt haben sollte.

Die These Bultmanns und anderer, daß Jesus zwar über einen Sohn des Menschen gesprochen, dabei jedoch nie sich selbst, sondern eine noch zu erwartende messianische Gestalt gemeint habe [29], ist mehr als unwahrscheinlich. An erster Stelle ist es äußerst problematisch, alle Texte von dieser Vermutung her zu erklären. Es kommt jedoch hinzu, daß Jesus sich in dem Falle nicht selbst als eschatologischen Bringer des Heils und des Gerichts betrachtet haben könn-

25 Siehe G.Sevenster, De Christologie van het Nieuwe Testament, Amsterdam [2]1948, 78-96; A.Vögtle (Hrsg.), Jesus der Menschensohn, Freiburg 1975; C.Colpe, ThWNT VIII, 403-482 s.v. υἱὸς τοῦ ἀνθρώπου, sowie die Bibliographie zu dieser Frage von 1964-1978 im ThWNT X2, 1282f; J.Coppens, Les Logia du Fils de l'homme dans l'évangile de Marc, in: M.Sabbe (Hrsg.), L'Évangile selon Marc, Tradition et rédaction, Gembloux 1974, 487-528; idem, La relève apocalyptique du messianisme royal III, in: Le Fils de l'homme Néotestamentaire, Leuven 1981.

26 Vgl. J.Jeremias, Die älteste Schicht der Menschensohnlogien, ZNW 58,1967, 159-172.

27 Für den Gebrauch dieser Benennung im Munde des Stephanus in Apg 7,56 siehe den Aufsatz über Lukas, 4.3. In Offb 1,13 und 14,14 haben wir Zitate aus Dan 7,13 vor uns; in Hebr 2,6 wird Ps 8,5 zitiert.

28 So z.B. W.Wrede, Ph.Vielhauer, H.Conzelmann und E.Käsemann; vgl .H.Baarlink, Anfängliches Evangelium, Kampen 1977, 182f, vor allem Anm.287.

29 Siehe für eine weitere Auswertung H.Baarlink, o.c. 174-202.

te, sondern als Vorläufer eines anderen Mandatars Gottes. Dem widersetzt sich jedoch die gesamte Evangelientradition, wie wir bereits früher gesehen haben und später noch näher zu verdeutlichen
hoffen. Neben diesen ziemlich radikalen Erklärungsversuchen haben
andere die These vertreten, daß nur eine bestimmte Kategorie von
Menschensohnworten von Jesus selbst stamme. Doch auch in dem Falle
gehen die Meinungen auseinander, welche von diesen drei Arten Aussagen als authentisch zu gelten hat: Menschensohnworte über den
gegenwärtigen Sohn des Menschen, der auf Erden mit göttlicher Vollmacht sein Werk vollführt (so z.B. Mk 2,10.28), über den leidenden
Menschensohn (z.B. Mk 8,31; 9,12.31; 10,33.45) oder über den kommenden Sohn des Menschen in göttlicher Macht und Herrlichkeit
(z.B. Mk 8,38; 13,26; 14,62) [30]. Wenn man gehalten wäre, aus
diesen drei verschiedenen Kategorien eine als authentisch auszu-
wählen, dann würde es in der Tat naheliegen, die Aussagen über den
kommenden Menschensohn für ursprünglich zu halten, da der Hintergrund des apokalyptischen Sprachfeldes von Dan 7 ohne jeglichen
Zweifel diese Ausdrucksweise bestimmt, wie das auch in kontempo-
rären Schriften wie dem Äth. Henoch und 4.Esra der Fall ist.
Diesen sogenannten apokalyptischen Sprachgebrauch finden wir sehr
deutlich in Mk 13,26 und 14,62 vor [31]. Jedoch ist es schwer ein-
sichtig zu machen, warum die Jünger und die Kirche der ersten,
nachösterlichen Zeit über den irdischen Jesus in seinem Auftreten
und in seinem Leiden als Menschensohn gesprochen haben sollten,
wenn Jesus selbst in Übereinstimmung mit dem apokalypltischen
Sprachgebrauch diesen Ausdruck einzig und allein im Zusammenhang
mit der Endzeit benutzt haben würde. Schließlich war inzwischen
noch ein neuer Faktor hinzugekommen, der einem solchen Sprachgebrauch abträglich war: der Faktor der - heilsgeschichtlich gesehen
- neuen Zeit nach Ostern, wodurch die Zeit Jesu auf Erden und das
Ende der Zeiten weniger eng und direkt miteinander verbunden
waren als das für die mehr prophetische Sprache Jesu gelten konnte.
Demgegenüber ist es nach der gesamten Evangelientradition für Jesu

---

30 R.Bultmann, o.c. (Anm.12) 117,128 und 163 Anm.2. Ihm schließen sich H.E.Tödt,
Der Menschensohn in der synoptischen Überlieferung, Gütersloh ²1963, sowie H.Braun,
Jesus, Stuttgart 1969, 56 an.
31 So z.B. A.J.B.Higgins, The Son of Man concept and the historical Jesus, in:
Studia Evangelica V, Berlin 1968, 14-20; derselbe, Is the Son of Man problem insolluble? in: Neotestamentica et Semitica, Studies in honour of M.Black,Edinburgh
1969, 70-87.

Auftreten und Predigt selbst bezeichnend gewesen, daß das, was für das Ende oder 'die letzten Tage' angekündigt war, in seinem Wirken zum Durchbruch kam. Das gilt auch für die Aussagen über den leidenden Menschensohn. Wenn wir einerseits von dem in manch einer Hinsicht messianischen Auftreten Jesu ausgehen und wenn sich zugleich zeigt, daß er sich von Anfang an (Mt 4,8-10) [32] bis zum Ende (Mt 26,39.42.44.53f; 27,40) der Verführung widersetzt hat, die die damals gängige messianische Erwartung des erhabenen Königs und Sohnes Davids bedeutete, dann ist auch Jesu Reaktion in Cäsaräa-Philippi auf das Christusbekenntnis des Petrus einleuchtender: Der Sohn des Menschen muß leiden (Mk 8,27-33). Dies ist keine Leugnung der Messianität [33] und der damit verbundenen Verheißungen Gottes, wohl jedoch eine Umbiegung der auch in Dan 7,13ff vorausgesagten Erwartung eines in Herrlichkeit erscheinenden Beauftragten Gottes [34] in die Richtung der Prophetie des leidenden Gottesknechtes (Mk 10,45).

Wenn wir von der Tatsache ausgehen, daß Jesus selbst auf diese Weise über sich selbst als Sohn des Menschen gesprochen hat, bedeutet dies nicht, daß nun auch jede diesbezügliche Aussage ursprünglich den Ausdruck 'Sohn des Menschen' als apokalyptisch-messianische Umschreibung für 'ich' enthalten haben muß. Es ist im Gegenteil sehr wahrscheinlich, daß im Laufe des Traditionsprozesses, ausgehend vom überlieferten Sprachgebrauch Jesu, in einigen Herrenworten das 'ich' ersetzt wurde durch 'Sohn des Menschen'. In die Richtung weisen z.B. die parallelen Texte, in denen bei dem einen Evangelisten "um meinetwillen" (Mt 5,11), bei dem anderen jedoch "um des Menschensohnes willen" steht (Lk 6,22). Erinnert sei auch an die Zusage in Mt 10,32, wo dem, der ihn vor den Menschen bekennt, verheißen wird: "den will ich auch bekennen vor meinem himmlischen Vater", während Lukas auch in diesem Falle schreibt: "den wird auch des Menschen Sohn bekennen vor den Engeln Gottes

---

32 Die Formgebung verrät einen späteren Sitz im Leben, widerspiegelt jedoch deutlich die Haltung, die Jesus gegenüber dem politischen Messianismus seiner Zeit eingenommen hat. Vgl. P.Hoffmann, Die Versuchungsgeschichte in der Logienquelle. Zur Auseinandersetzung der Judenchristen mit dem politischen Messianismus, BZ NF 19, 1969, 207-223.

33 So z.B. E.Dinkler, Petrusbekenntnis und Satanswort, in: Zeit und Geschichte, FS R.Bultmann, Tübingen 1964, 127-153.

34 Vgl. P.Stuhlmacher, Existenzstellvertretung für die vielen: Mk 10,45 (Mt 20, 28), in: Versöhnung, Gesetz und Gerechtigkeit, Aufsätze zur biblischen Theologie, Göttingen 1981, 27-42.

(Lk 12,8) [35]. Wenn Jesus zwar irgendwie geheimnisvoll, aber trotzdem nicht weniger messianisch über sich als Sohn des Menschen gesprochen hat, dann ist es von da her verständlich, wenn später diese Selbstbenennung auch an anderen Stellen übernommen ist. Man hatte sich inzwischen an diese Redewendung gewöhnt, auch wenn man in den eigenen kerygmatischen Formulierungen diesen Sprachgebrauch nicht übernahm und wenn dieser für das eigene Sprachempfinden selbst etwas Fremdes hatte. Schließlich stimmte diese Selbstandeutung Jesu als bevollmächtigter, leidender und einst in Herrlichkeit wiederkommender Menschensohn [36] mit ihrem Christusbekenntnis überein, in dem die nachösterliche Kirche diese verschiedenen Gesichtspunkte zusammenzufassen pflegte.

4 Motiv und Art der Erfüllung

Einer der auffälligsten Züge in der Predigt Jesu wie auch im apostolischen Christuszeugnis ist das Reden über die Erfüllung. Dabei geht es nicht nur und nicht zuallererst um die Tatsache, daß bestimmte Ankündigungen oder Prophezeiungen, seien es Verheißungen oder auch Gerichtsandrohungen, in Erfüllung gehen. Vielmehr wird auf eine sehr globale und entscheidende Weise über Erfüllung gesprochen. Diese kann angedeutet werden als eine Erfüllung der Zeit(en) (Mk 1,15; Gal 4,4; Eph 1,10), als Erfüllung der Schriften (Mk 14,49; Mt 26,54) oder von verschiedenen Aussagen der Schrift (so an einigen Stellen bei Mt und Joh), als Erfüllung des Gesetzes (Mt 5,17) oder der Gerechtigkeit (Mt 3,15; vgl. auch Röm 3,21-26, auch wenn dort das Verb 'offenbaren' und nicht 'erfüllen' gebraucht wird). Insofern von der Erfüllung bestimmter, wohl umschriebener und oft regelrecht zitierter Worte aus dem A.T. die Rede ist, lassen sich zwei Gruppen von Aussagen unterscheiden. Erstens deutet Jesus sein eigenes Auftreten einige Male explizit (z.B. Lk 4,18-21) oder implizit (z.B. Mt 11,5 par Lk 7,22) an, indem er auf Prophetien aus dem A.T. hinweist oder diese anklingen läßt. Da-

---

35 Siehe J.Jeremias, o.c. (Anm.26), der alle Parallelen analysiert. Ihm gegenüber verteidigen andere in einigen Fällen die Authentizität der Version, in der über den Sohn des Menschen gesprochen wird, so z.B. A.J.B.Higgins, "Menschensohn" oder "Ich" in Q, Lk 12,8-9/Mt 10,32-33? in: A.Vögtle (Hrsg.), o.c. (Anm.25), 117-123; W.G.Kümmel, Das Verhalten Jesu gegenüber und das Verhalten des Menschensohnes, ebenda, 210-224.

36 Für die Authentizität aller drei Kategorien plädieren z.B. M.D.Hooker, The Son of Man in Mark, London 1967; L.Goppelt, Theologie des Neuen Testaments I, Göttingen 1975, 226-241.

neben gibt es eine Reihe von Stellen, an denen die Evangelien über
das Auftreten Jesu reflektieren und dabei frappante Übereinstimmungen zwischen dem prophetischen Zeugnis und Ereignissen aus dem
Leben Jesu feststellen. Man denke in diesem Zusammenhang an die
sog. Erfüllungs- oder Reflexionszitate bei Matthäus und an den
Nachdruck, den Johannes auf die Übereinstimmung zwischen bestimmten Einzelheiten aus dem Leiden Jesu und Passagen aus dem A.T.
legt.

Es ist im Rahmen dieser Übersicht nicht möglich, der Frage
nachzugehen, wie dies alles in den verschiedenen Schriften des
N.T. näher ausgeführt wird. Eins dürfte jedoch feststehen: wenn
wir in allen möglichen Traditionsschichten und Schriften des N.T.
dem Motiv der Erfüllung begegnen und wenn Markus eine stereotype
Formel an den Anfang seines Evangeliums setzt, in der auf globale
Weise über die entscheidende Erfüllung gesprochen wird, dann kann
dies alles nicht nur aus dem Verlangen der Gemeinde erklärt werden,
ihr Glaubenszeugnis soweit wie nur möglich auf die Schrift zu
gründen. Es besteht genügender Grund, davon auszugehen, daß Jesus
selbst die Ausübung seines Auftrags näher erläutert hat, indem er
auf die Botschaft der Propheten hinwies.

Das Motiv der Erfüllung kommt auch nicht allein an den Stellen vor, wo das entsprechende Verb benutzt wird oder wo bestimmte
Texte zitiert werden. Vielmehr hat das Auftreten Jesu selbst Erfül-
lungscharakter. Und die schon früher genannte Aussage aus Mt 11,5
ist nicht nur darum von so großer Bedeutung, weil dort prophetische Worte wie die von Jes 29,18; 35,5f und 61,1 anklingen, sondern vor allem deshalb, weil mit diesen Worten eine Zusammenfassung der Taten Jesu geboten wird, die unter dem Volk ein solch
großes Aufsehen erregt hatten.

Das Motiv der Erfüllung bedeutet zugleich, daß an verschiedenen Stellen auf eine neue Weise über die Gegenwart gesprochen
wird [37]. Das Heute wird durch das Auftreten Jesu und durch das für
die Endzeit angekündigte Heil bestimmt. Wir können in diesem Zusammenhang an Worte wie die in Mt 12,28 par Lk 11,20 denken, wo Jesus

---

37 Vgl. z.B. H.N.Ridderbos, De komst van het Koninkrijk, Kampen 1950, 60-68;
R.H.Stein, The method and message of Jesus' teaching, Philadelphia 1978, 68-72.
Für eine Übersicht über diese Kontroverse siehe W.G.Kümmel, Futuristische und prä-
sentische Eschatologie im ältesten Urchristentum, NTS 5,1958-59, 113-126; weiter
L.Goppelt, o.c., 101-104 und 111-18.

das Austreiben der bösen Geister durch ihn als Zeichen dafür nennt, daß das Reich Gottes gekommen ist [38]. Im selben Sinn wird man auch Lk 17,21 auslegen müssen, wo Jesus sagt, das Reich Gottes sei in ihrer Mitte, in ihrem Bereich [39]. Wir können auch auf eine Vielzahl Gleichnisse weisen, die ohne den Gedanken an die Erfüllung und Gegenwart des Reiches Gottes ihren Sinn verlieren würden. Einige von ihnen werden auch ausdrücklich als Gleichnisse vom Himmelreich angedeutet. Um nur einige Beispiele zu nennen: Mit welchem Recht könnten die Gleichnisse vom Unkraut unter dem Weizen (Mt 13, 24-30), vom Senfkorn (V.31f), vom Sauerteig (V.33), vom Schatz im Acker (V.44), von der kostbaren Perle (V.45f) und vom Fischnetz (V.47-50) als Gleichnisse vom Reich Gottes gelten, wenn das Element der Erfüllung und der Gegenwart des Reiches geleugnet werden müßte?

Wie sehr diese Vorstellung von dem neuen Heute, das durch die Erfüllung näher qualifiziert ist, die ganze Predigt Jesu beherrschte, erhellt schließlich auch aus einer Aussage, deren Authentizität über jeglichen Zweifel erhaben ist [40], nämlich Lk 16,16 par Mt 11,12f, wo die Zeit der Prophetie und damit der Erwartung bis zu Johannes dem Täufer reicht; danach kommt die neue Zeit, in der das Reich Gottes als Evangelium verkündigt wird.

Nun muß auffallen, daß der verhältnismäßig starke Nachdruck in der Predigt Jesu auf die Gegenwart des Reiches nirgends zu Illusionen führt, als ob damit das Eschaton und folglich die Vollendung bereits erreicht sei. Die Erfüllung kann auch nirgendwo sonst gefunden werden als in Jesus Christus selbst. Sie kann nicht verselbständigt werden zu einem geschichtsimmanenten Faktum. Was Jesus selbst betrifft, die Evangelien erzählen seinen Weg zum Kreuz; und immer wieder zeigt sich, daß er sich auch selbst von der Überzeugung hat leiten lassen, daß der Weg seines Leidens und sein Tod unlöslich mit dem kommenden Reich verbunden waren. Damit gehen denn auch verschiedene Aussagen gepaart, in denen Jesus seinen Jüngern Leiden und Kreuz in Aussicht stellt und sie aufruft, dazu bereit zu sein (Mk 8,34 parr; 10,39 par Mt; Mt 10,24f; Mk 13,4-23 parr). Man denke in diesem Zusammenhang auch an das Bild

---

38 Selbst ein kritischer Exeget wie E.Käsemann schreibt, daß wir hier mit einem "kaum in seiner Authentie bezweifelten Spruch" zu tun haben, o.c. (Anm.4), 208.
39 Siehe weiter das Kapitel über Lukas, Abschnitt 1.5.
40 Siehe weiter den Aufsatz von E.Käsemann, o.c., 210.

von dem Bräutigam und den Hochzeitsgästen in Mk 2,19f. Ausgangspunkt ist, daß der Bräutigam von ihnen hinweggenommen werden wird
und daß damit das Element des Fastens und der Traurigkeit wieder
in ihr Leben eindringen wird. Aber auch abgesehen von solchen Bildern läßt die Predigt Jesu namentlich in ihrem paränetischen Teil
deutlich erkennen, daß die vor ihm und vor seinen Jüngern liegenden Zeiten voller Mühsal und Kampf sein werden und Beharrlich-
keit erfordern. Einerseits ist der Böse durch ihn besiegt (Mt 12,
28f) und sieht Jesus den Satan wie einen Blitz vom Himmel fallen
(Lk 10,18), andererseits aber sind die Dämonen auch nach ihrer Austreibung rachsüchtig und gefährlich (Mk 5,13 parr); sie verlangen
danach, in ihr früheres Haus zurückzukehren, so daß es hernach mit
demselben Menschen ärger wird als es zuvor war (Mt 12,45). Auch
von Jesus selbst weicht der Teufel nur für eine bestimmte Zeit
(Lk 4,13; vgl. 22,53). Verführerische Geister (Mk 13,6), falsche
Christusprätendenten (Mk 13,22) oder Antichristen (1 Joh 2,18.22;
4,3; 2 Joh 7) werden in Zukunft eine große Bedrohung bilden für
die Jünger. Dergleichen Aussagen finden sich in den verschieden-
sten Teilen des N.T., von den ältesten Quellen der Evangelien bis
zu den späten Briefen des Johannes und dem Buch der Offenbarung
mit seiner ganz eigenen Bildersprache.

Ohne in jedem Falle nach der Authentizität des Wortlauts zu
fragen, dringt doch zumindest eine Erkenntnis zu uns durch, nämlich diese, daß die Gegenwart des Heils zugleich bestimmt wird von
seiner Vorläufigkeit. Erfüllung bedeutet noch längst nicht Vollendung, und Jesus hat anscheinend alles getan, seine Jünger vor dieser Illusion zu bewahren. Andererseits jedoch liegt in der Erfüllung zugleich auch die Gewähr für die kommende Vollendung. Es geht
um das eine Reich, dessen Geheimnis die Jünger empfangen haben
bzw. kennen (Mk 4,11; Mt 13,11; Lk 8,10). Es ist auch eine und dieselbe Senfstaude, deren Same jetzt zu wachsen anfängt; es ist ein
und derselbe Schatz, dieselbe Perle, die jetzt entdeckt ist und
die man jetzt erwerben kann; es ist dieselbe Hochzeit, die jetzt
schon Freude bereitet (Mk 2,19) und zu der alle, böse wie gute Menschen, jetzt eingeladen werden und auf die hin ihr Leben sich
jetzt ausrichtet (Mt 22,9f). Die Uhr der Zeit Gottes (Mk 1,15; Lk
16,16) kann nicht zurückgestellt noch gestoppt werden. Weil Gott
selbst die Erfüllung kommen ließ, gibt es eine Kontinuität durch
die Zeiten hindurch und kann diese Erfüllung auch als eschatolo-

gisch bezeichnet werden. Sie läßt sich nicht mehr ungeschehen machen und bestimmt fortan die Zukunft. Mit Jesu Kommen ist der Anfang der Endzeit, des Eschaton, gegeben, eine Erfüllung, in deren
Verlängerung unausweichlich die Vollendung liegt.

5   Das Volk des Messias

Wiederholt ist die Frage gestellt worden, ob Jesus selbst
auch über die Kirche bzw. über die Gemeinde gesprochen hat. Die
Diskussion hierüber geht oft von falschen Voraussetzungen aus. Dabei wird der Faktor der "kerygmatischen Transformation" [41] verwahrlost, der gerade im Zusammenhang mit den Ekklesia-Aussagen von
Mt 16,18 und 18,17 von entscheidender Bedeutung ist. So wurde oft
der Eindruck erweckt, das Problem könne auf der Ebene des Wortgebrauchs entschieden werden. Die Frage nach dem Volk des Messias
kann und muß auf eine weit breitere Grundlage gestellt werden. Es
zeigt sich dann, daß es abgesehen von dem Gebrauch der Vokabel
"ekklesia" eine ganze Anzahl von implizit ekklesiologischen Handlungen und Aussagen Jesu gibt [42], die alle in dieselbe Richtung
weisen. Jesus ruft zwölf Jünger in seine Nachfolge, wobei ihre
Zahl symbolhaft mit der der Stämme des Gottesvolkes Israel übereinstimmt. Aber auch abgesehen von diesem Kreis ruft Jesus immer wieder Menschen auf, ihm zu folgen. Während die Rabbiner seiner Zeit
junge Menschen auf deren Ersuchen als Schüler oder Jünger annahmen, ruft Jesus zielbewußt Menschen, die er erwählt (Mk 3,13). In
seiner Unterweisung geht Jesus dann auch näher auf die Frage ein,
nach welchem Maßstab diese neue Gemeinschaft seiner Jünger ihr Leben gestalten soll (vgl. vor allem die Redekomposition in Mt 5-7
und 18). Über diese neue Gemeinschaft spricht Jesus auch an Hand
von bestimmten einprägsamen Bildern, wie z.B. von dem Fischnetz
(Mt 13,47-50; Lk 5,10), von dem Acker mit dem Unkraut unter dem
Weizen (Mt 13,24-30.36-43), von der Herde (Mk 6,34; Mt 9,36; Lk
15,4-7; 12,32; Mt 26,31; Joh 10,3.11.14.16) oder von der Henne und
den Küken, um nur diese zu nennen. Wir machen darauf aufmerksam,
daß namentlich das Bild vom Hirten und der Herde durch und durch
messianischen Charakter hat, vgl. z.B. Ez 34,23, wo der Messias,
der Sohn Davids, der eine Hirte genannt wird, der die Schafe, näm

---

41 Der Ausdruck stammt von F.Mußner; vgl. H Leroy, Jesus, Darmstadt 1978, 43.
42 Vgl. dazu H.Frankemölle, Jesus - Jüngerschaft - Kirche, in: Friede und
Schwert, Frieden schaffen nach dem Neuen Testament, Mainz 1983, 82f.

lich Israel, weiden wird. In 37,24 wird dann näher angegeben, wie der Messias seine Aufgabe als Hirte erfüllen wird; er wird dafür sorgen, daß sie in seinen Rechten wandeln, um sie zu halten. Von diesem sehr bekannten Bild her ist es auch zu verstehen, daß Matthäus (2,6) in seinem Zitat aus Micha 5,1 den Vers beschließt mit den Worten: "der mein Volk Israel weiden soll", obwohl das Element des Weidens in Micha 5 erst später (V.3) vorkam.

Es ist über jeglichen Zweifel erhaben, daß Jesus selbst auf verschiedene Weise über das neue Volk, das Volk des Messias, gesprochen hat. Daß er dabei von Israel als dem Volk Gottes ausgegangen ist, liegt in jeder Hinsicht nahe und wird auch in den verschiedenen Schichten der Evangelienüberlieferung bezeugt [43]. Einerseits geht Jesus davon aus, daß Israel als Volk des Bundes Gottes die erste Adresse seiner Predigten und Bemühungen ist. Die Zwölfzahl der Jünger weist in die Richtung, nicht weniger aber auch seine Worte über "die verlorenen Schafe des Hauses Israel" (Mt 10,5f; 15,24) und über die Kindschaft Abrahams (z.B. Lk 13,16; 16,22; 19,9). Andererseits jedoch hat schon Johannes der Täufer den Wert dieser Abstammung und Kindschaft relativiert und gegen eine leichtfertige Berufung auf sie gewarnt (Mt 3,9; Lk 3,8). Es mag Meinungsverschiedenheiten geben über die Frage, ob Jesus schon ausdrücklich über die heidnischen Völker als zukünftige Glieder des messianischen Volkes gesprochen hat; auf jeden Fall aber liegen Andeutungen in die Richtung so vielfältig vor, daß man diesen Gesichtspunkt schwerlich leugnen kann. Schon der Täufer hatte darauf hingewiesen, daß Gott imstande sein würde, dem Abraham aus diesen Steinen Kinder zu erwecken (Mt 3,9; Lk 3,8); von Jesus selbst wird das Wort überliefert, daß Völker vom Osten und vom Westen zu Tische sitzen werden im Reich Gottes (Lk 13,29) und daß sie den Platz der Kinder des Reiches aus dem Volk Israel einnehmen werden (Mt 8,12) [44]. Im Gleichnis von den bösen Weingärtnern wird am Ende angekündigt, der Herr des Weinbergs werde den Weinberg anderen geben (Mk 12,9 parr). Wenn wir bedenken, daß das Volk Israel schon im A.T.

---

43 So auch F.Hahn, Die Nachfolge Jesu in vorösterlicher Zeit, in: Anfänge der Kirche, Evang. Forum, Göttingen 1967, 32f.

44 Die Satzelemente "mit Abraham, Isaak und Jakob" sowie "aber die Kinder des Reiches werden ausgestoßen werden in die Finsternis" sind so typisch für Matthäus, daß sie hier als eine Hinzufügung von ihm betrachtet werden können, um die Bedeutung und Tragweite der aus Q stammenden Aussage näher zu erläutern. Ursprünglich gehörten sie wohl nicht zu dem Abschnitt über den Hauptmann, vgl. Lk 13,28f.

Weinberg Gottes genannt wurde (Jes 5,1-7) und daß bereits dort von einem Gericht über das Volk Israel gesprochen wird, dann liegt es völlig in der Verlängerung dieses Bildes, wenn Matthäus diese Aussage verdeutlicht, indem er Worte aufnimmt von einem anderen Volk, das seine Früchte zur rechten Zeit bringt (Mt 21.41.43). Auch dem Gleichnis vom großen Hochzeitsmahl (Lk 14,15-24; Mt 22,1-14) liegt der Gedanke zugrunde, daß sie, die zuerst eingeladen waren, ausgeschlossen werden, während andere an dem Fest teilnehmen. Auch wenn hier nicht andere Völker genannt werden, so gibt doch die Tatsache den Ausschlag, daß es für die Einladung keinerlei Vorbedingungen und Einschränkungen mehr gibt; zweimal nacheinander wird dem Knecht befohlen: "Geh (schnell) hinaus ..." (Lk 14,21-23).

Von der Messianität Jesu her ist die Frage nach dem Volk des Messias von selbst gegeben; und da der Messias bzw. der Knecht des Herrn schon durch die Propheten des A.T. als Heilbringer für Israel und für die Völker vorgestellt wird (vgl. Jes 11,1.10; 42,1-4), muß die Frage nach dem messianischen Volk und damit zugleich auch die nach dem Platz Israels und seinem Verhältnis zu den Völkern, die dann ebenfalls berufen werden, auf irgend eine Weise zur Sprache kommen. Die Art, wie in den verschiedenen Evangelien hierüber gesprochen wird, ist zwar sehr unterschiedlich; gleichwohl besteht über e i n e Frage keine Meinungsverschiedenheit: Von Jesus als dem Messias her kann anscheinend nur auf eine neue Weise über das Volk Gottes und somit auch über Israel gesprochen werden. An keiner einzigen Stelle wenden sich Worte Jesu gegen das Volk Israel, wohl jedoch wird dieses Volk der ersten Liebe Gottes daran gemessen, ob es bereit ist, in der nun anbrechenden Zeit gemeinsam mit denen, die nach ihrem Empfinden dafür nicht oder schwerlich in Betracht kamen, das Volk des in Jesus gekommenen Messias zu sein.

6 Die Zukunftserwartung

Die Predigt Jesu war weitgehend auf das nahe Ende gerichtet, auf den zu erwartenden Durchbruch des Reiches Gottes im Sinne seiner Vollendung. Indem Jesus die Predigt vom Reich Gottes in den Mittelpunkt seiner Unterweisung stellte, hat er diesen beiden Gesichtspunkten von Gegenwart und Zukunft, von Erfüllung und Vollendung einen wichtigen und gleichrangigen Platz gegeben. Daß Jesus über das Reich Gottes sprach und dabei an die Zukunft dachte, zeigt sich schon in aller Deutlichkeit an der zweiten Bitte des

Unser-Vaters sowie an der eschatologischen Aussage bei der Einsetzung des Abendmahls: "Wahrlich, ich sage euch, daß ich hinfort
nicht trinken werde vom Gewächs des Weinstocks bis auf den Tag, da
ich's neu trinken werde im Reich Gottes"(Mk 14,25 parr) [45]. Auch
in einer Anzahl von Gleichnissen stehen diese beiden Gesichtspunkte nebeneinander. Wenn Weizen und Unkraut vorläufig noch zusammen
heranwachsen, sind sie dabei ein Hinweis auf die Vorläufigkeit des
Reiches. Aber inzwischen geht die Geschichte weiter; die Aufmerksamkeit wird auf den Tag der Ernte gelenkt, an dem das Unkraut verbrannt und das Korn in die Scheune gebracht wird (Mt 13,26-30). In
den Versen 41-43 wird der Ausdruck 'Reich Gottes' sehr deutlich sowohl auf die Gegenwart als auch auf die Zukunft bezogen. Dasselbe
gilt für das Fischnetz (V.47-50). Jetzt ist die Zeit da, in der
das Volk des Messias gesammelt wird. Wenn danach das Boot das Ufer
erreicht, erfolgt die letzte Aufgabe der Fischer: wegwerfen und
einsammeln. "Also wird es auch am Ende der Welt gehen" (V.49).

Die eschatologischen Reden Jesu, die in allen synoptischen
Evangelien einen breiten Platz einnehmen, nicht weniger jedoch
auch verschiedene Aussagen bei Johannes, zeigen deutlich, wie sehr
die Predigt Jesu auf diese große und endgültige Zukunft ausgerich-
tet ist.

Viele Forscher haben diese Spannung als ein Problem betrachtet, für das eine Lösung gesucht werden müsse. Verschiedenartige
Versuche in die Richtung sind unternommen worden. W.Bousset hat
die Spannung aus verschiedenen Umständen und Stimmungen im Leben
Jesus erklären wollen. P.Feine suchte die Lösung in der Psyche des
Propheten, der das eine Mal in eine ferne Zukunft schaut, ein anderes Mal jedoch so spricht, als ob die ferne Zukunft schon gegenwärtig ist. Andere haben den Unterschied erklären wollen aus verschiedenen Perioden im Auftreten Jesu; P.Wernle vermutete, Jesus
habe gegen Ende seines Lebens über die Nähe oder Gegenwart des Reiches gesprochen; J.Weiß ist demgegenüber der Meinung, die Aussagen
über die Zukunft seien das Ergebnis seiner inzwischen erfahrenen
Enttäuschungen; C.H.Dodd erklärt alles von der Traditionsgeschichte her. Jesus hat seiner Meinung nach ausschließlich über die Gegenwart des Reichs gesprochen; die spätere Gemeinde jedoch habe
unter dem Einfluß der jüdischen Apokalyptik diese Sicht Jesu ver-

---

45 So mit F.Hahn, EvTh 27, 1967, 340f, und E.Schillebeeckx, o.c. (Anm.9), 253.

wischt durch Aussagen über die Zukunft [46]. Alle diese Versuche gehen von der unbegründeten Voraussetzung aus, daß wir vor einer notwendigen Entscheidung stehen und annehmen müssen, Jesus sei entweder der Prediger einer realisierten Eschatologie gewesen oder aber
ein Apokalyptiker, der ausschließlich über die zukünftige Welt
Wottes sprach und damit eine sogenannte konsequente Eschatologie
vertrat.

Wichtig in diesem Zusammenhang ist die Einsicht, daß Jesus
über das Gottesreich sprach und damit einen Ausdruck gebrauchte,
der auf die Offenbarung Gottes innerhalb der Geschichte abhob, daß
er darüber zugleich aber so sprach, wie in der jüdischen Apokalyptik über den 'kommenden Aeon' gesprochen wurde [47]. Jesus sprach
davon, daß man in das Reich Gottes eingehen konnte (z.B. Mk 9,47;
10,23-25), so wie man in apokalyptischen Schriften sagte, daß man
einging in die kommende Welt [48]. Damit wird einerseits das Geschehen der Endzeit auf eine Weise mit der innerweltlichen Geschichte
verbunden, wie das für apokalyptisches Denken unmöglich geworden
war; andererseits aber wird das Sprechen über das Reich Gottes so
vor der Mißdeutung geschützt, als ob es sich dabei um eine Entwicklung handelt, die sich hier abspielt und die eventuell auch durch
menschlichen Einsatz verwirklicht und vollendet werden kann.
Konsequente Historisierung (Diesseitserwartung) ist deshalb genauso ausgeschlossen wie konsequente Eschatologisierung (Jenseitser-
wartung). Die Kontinuität des Handelns Gottes kommt so zu ihrem
Recht, nicht weniger jedoch auch die Diskontinuität auf der menschlichen und geschichtlichen Ebene.

Die Vollendung wird durch die Parousie, das Kommen des Menschensohnes in Herrlichkeit mit den Wolken des Himmels, bestimmt.

---

[46] Vgl.für diese Übersicht G.Bornkamm, Jesus von Nazareth, Stuttgart [3]1959,
83f.

[47] Das hat Ph.Vielhauer deutlich gemacht in seinem Aufsatz: Gottesreich und Menschensohn in der Verkündigung Jesu, in: Aufsätze zum N.T., München 1965, 87f.
Siehe auch G.Dalman, Die Worte Jesu, Leipzig [2]1930, 110. Nur muß seine Meinung zurückgewiesen werden, es könne über das Reich als eschatologische Größe nur deshalb
in Termen der Gegenwart gesprochen werden, weil das Ende bereits nahe sei. Eher
besteht das Spezifische der Naherwartung darin, daß sie der Realität der Erfüllung
entspringt und durch sie genährt wird.. So auch O.Cullmann Parusieverzögerung und
Urchristentum, in: Aufsätze 1925 - 1962, Tübingen-Zürich 1966, 441; siehe auch den
Aufsatz: Ausgebliebenes Reich Gottes als theologisches Problem, in demselben Band,
445-455, vor allem 450.

[48] Vgl. Strack-Billerbeck, I 252. Siehe auch P.Volz, Die Eschatologie der jüdischen Gemeinde, Tübingen [2]1934, 167: "Die Rabbinen sagen 'olam ha-ba', wo die Evangelisten βασιλεία τοῦ θεοῦ sagen.

Indem Jesus diese Prophetie aus Dan 7,13f auf sich selbst bezog,
deutete er sich als den Vollender im Dienst Gottes an. In Mk 13,
26f wird diese Redeweise gebraucht, um den heilbringenden Gesichtspunkt seines Kommens zu unterstreichen: um die Auserwählten von
den vier Himmelsrichtungen zu sammeln. In anderen Texten scheint
Jesus mit dieser Selbstbezeichnung jedoch seine richterliche Funktion andeuten zu wollen, auf Grund derer er zumindest auch rich-
tend und verurteilend auftreten wird, so z.B. in Mk 14,62 als
Antwort auf die Frage des Hohenpriesters. Noch nachdrücklicher
gilt das für die Parallele in Mt 26,64; vgl. auch Lk 21,25-27;
9,26; 17,26-30. An anderen Stellen wie Mt 13,41; 19,28; 24,37-41
und 25,31ff stehen Gericht und Rettung nebeneinander.

Wenn wir nach dem Maßstab seines richterlichen Handelns fragen, müssen wir uns davor hüten, leichtfertig Texte gegeneinander
auszuspielen. Aus Stellen wie Lk 18,8 könnte man folgern, daß er
"lediglich" nach dem Glauben fragen wird; andere Worte jedoch
legen den Nachdruck auf die Frucht des Glaubens (z.B. Mt 7,18;
21,41), auf den neuen Gehorsam (Mt 7,21) oder auf gute Werke (Mt
25,35f). Wir dürfen jedoch für die Beurteilung der verschiedenen
Aussagen keine fremden Unterscheidungen heranziehen, etwa von Paulus oder aus der Kirchengeschichte. Die Evangelien kennen nicht im
paulinischen Sinne des Wortes eine Spannung zwischen Glauben und
Werken, wohl jedoch zwischen "Herr Herr sagen" und ungehorsam sein
(Mt 7,21; vgl. 21,28f). Die authentische Antwort der Evangelien,
die gänzlich übereinstimmt mit der Predigt und dem weiteren Auftreten Jesu, lautet: "Dann wird er seine Engel senden und wird versammeln seine Auserwählten von den vier Windrichtungen ..." (Mk
13,27). Zum semantischen Umfeld von "auserwählt" gehören Wörter
wie: suchen, rufen, einladen, zu Tisch sitzen, aber auch: Nachfolge, Umkehr, in Liebe leben, barmherzig sein, das Kreuz tragen, ausharren u.s.w. Einerseits legt Jesus immer wieder vollen Nachdruck
darauf, daß er der Richter der ganzen Welt ist; andererseits lenkt
er die Aufmerksamkeit der Zuhörer nicht in die Richtung einer Spe-
kulation über die Frage nach dem Wie seines Gerichtes über Menschen, die ihn nie gekannt haben. Wo es um seine Funktion als Menschensohn geht, wendet sich seine Predigt und Unterweisung mit allem Nachdruck an diejenigen, die er mit seiner Botschaft erreicht
hat. Das Eigentliche und Zentrale in den Aussagen Jesu über sein
Kommen als Menschensohn ist in der Vollendung dessen gelegen, was

mit seinem Auftreten hier und jetzt wirklich geworden ist. Darin
kommt auch zum Ausdruck, daß Jesus sich stets der besonderen Bedeutung des Bildwortes über den Menschensohn in Dan 7 bewußt geblieben
ist. Denn dort war nicht nur von dem Sohn des Menschen die Rede,
der auf den Wolken des Himmels vor Gott erschien und dem von dem
Uralten Macht, Ehre und Reich über alle Völker gegeben wurde, wie
wir das in V.13f lesen; unlöslich mit ihm verbunden waren "die
Heiligen des Höchsten"; und von ihnen wird in V.18 gesagt: "sie
werden das Reich [49] empfangen und werden es immer und ewig besit-
zen", vgl. auch V.27.

Diese Zukunftserwartung in der Predigt Jesu ist in der Forschung immer wieder Gegenstand heftiger Diskussionen gewesen, weil
einige Aussagen darauf zu weisen scheinen, daß Jesus nur mit einer
sehr kurzen Zeit gerechnet hat. Im Zusammenhang mit seinen Worten
über den kommenden Sohn des Menschen als Richter aller Menschen
überliefert Markus den folgenden Satz als Wort Jesu: "Wahrlich,
ich sage euch: Es stehen etliche hier, die werden den Tod nicht
schmecken, bis daß sie sehen das Reich Gottes kommen mit Kraft"
(Mk 9,1). In der eschatologischen Rede von Mk 13 lesen wir: "Dieses Geschlecht wird nicht vergehen, bis daß dies alles geschehe"
(V.30). Und in dem Bericht über die Aussendung der zwölf Jünger in
die umliegenden Orte, der bei Matthäus angereichert ist um einige
Aussagen Jesu über die Mission unter dem Volk Israel, finden wir
die Ankündigung: "Ihr werdet mit den Städten Israels nicht zu Ende
kommen, bis des Menschen Sohn kommt" (Mt 10,23). Nun kann man demgegenüber zwar darauf verweisen, daß Jesus andererseits wiederholt
auch darüber gesprochen hat, der Zeitpunkt der Vollendung sei unbekannt, und selbst er, der Sohn des Menschen, kenne weder Tag noch
Stunde (Mk 13,32). Man kann auch daran erinnern, daß Jesus gerade
im Zusammenhang mit der Verborgenheit der Zeit immer wieder zur
Wachsamkeit aufgerufen hat (Mk 13,35-37) und diesen Aufruf durch
verschiedene Gleichnisse erläutert und betont hat (vgl. Mt 25,1-13;
Lk 12,35-40.45). Es fehlt auch nicht an Versuchen, die oben zitierten sogenannten Terminaussagen nacheinander so zu erklären, daß
nicht mehr zwingend von einer stringenten Naherwartung gesprochen
werden muß. Die dafür angeführten Argumente sind auch nicht ganz

---

[49] Das aramäische Wort 'malka', in der LXX mit βασιλεία wiedergegeben, umfaßt die Bedeutung unserer Begriffe 'Königtum' und 'Königreich'.

von der Hand zu weisen. So ist es z.B. die Frage, ob mit 'Geschlecht' primär eine bestimmte, nämlich die zum Zeitpunkt der
Rede lebende, Generation gemeint sein muß. Doch hat der unbefan-
gene Leser den Eindruck, daß dort, wo über die zukünftige Vollendung des Gottesreiches und der Welt gesprochen wird, wiederholt
Ausdrücke gebraucht werden, die auf eine verhältnismäßig kurze
Zeit schließen lassen.

Weiter führt jedoch die Erkenntnis, daß Jesus in seiner Predigt über die Zukunft die Sprache der Propheten spricht. In der
Prophetie geht es nicht um detaillierte Vorhersagen, um eine
verläßliche Übersicht über aufeinander folgende Geschehnisse nach
dem Terminkalender Gottes. Die prophetische Verkündigung zieht die
Linien von Heil und Gericht von der Gegenwart aus weiter durch zur
Zukunft. Die Gegenwart wird nicht primär durch die Zukunft bestimmt und durch das, was über die Zukunft ausgesagt wird, sondern
umgekehrt: die Zukunft ist die Vollendung dessen, was jetzt bereits
wirklich ist. Die Gewißheit, daß Gott in der Zukunft und auf seine
Weise das Heil vollends herbeiführen wird, findet seine sprachliche
Gestalt in der Schilderung der Heilszukunft als zumeist nahe Zukunft. Namentlich die apokalyptisch geprägten Schriften werden
durch diese Nähe bestimmt. Weiter ist uns sowohl aus dem N.T. als
auch aus außerbiblischen jüdischen Quellen bekannt, daß die Nähe
des messianischen Reiches das Denken und Handeln des Volkes damals
weitgehend beherrschte. Das Besondere in der Predigt Jesu bestand
nicht in der Frage, ob seiner Meinung nach das Reich Gottes in seiner vollendeten Offenbarung weniger nahe oder näher war als seine
Zeitgenossen das annahmen. Vielmehr unterschied Jesus sich darin
grundsätzlich von den Menschen seines Volkes in seiner Zeit, daß
die zu erwartende Vollendung auf sein Auftreten gegründet war. Wo
er auftritt, wird die Herrschaft der Dämonen besiegt; der Satan
stürzt vom Himmel wie ein Blitz; das Heil Gottes bricht durch, das
neue Gottesvolk wird versammelt; und Jesus weiß, daß sein Leiden
heilbringend sein wird und daß dies der Weg zum großen Sieg ist.
Er vollführt sein Werk mit einer Vollmacht, die nur in messianischen Termen angedeutet werden kann. Daß der Durchbruch des Reiches
Gottes schon gegenwärtige Wirklichkeit ist, das ist es, was die
Intensität der Erwartung als Naherwartung begründet [50].

---

50 Vgl. O.Cullmann, o.c. (Anm.47), 441; sowie W.G.Kümmel, o.c. (Anm.37), 123.

Nur von hier aus ist es zu erklären, daß die Zukunftserwartung in den darauf folgenden Jahrzehnten so wenig Probleme gehabt hat mit diesen Aussagen Jesu. Von einer ernsten Krise in der sich dehnenden Zeit verraten die Quellen viel weniger als manche Forscher aus ihnen heraushören. Allerdings finden namentlich bei Lukas nicht unwichtige Verschiebungen statt, einerseits von der Nähe zum Plötzlichen, andererseits durch einen größeren Nachdruck auf die heilsgeschichtliche Bedeutung der Zeit nach Pfingsten. Doch ließ die Erwartung der Nähe der Parousie, genährt durch die Predigt Jesu selbst, die Kirche nicht nur in den ersten Jahren und Jahrzehnten nach Ostern (1 Kor 16,22), sondern noch gegen Ende des ersten Jahrhunderts (Offb 22,20) beten: Marana-tha, Herr, komm! Die apostolische Paränese kann selbst unterstrichen werden durch die Gewißheit: "Der Herr ist nahe" (Phil 4,5); und die christliche Gemeinde kann sich inmitten der Verfolgungen trösten mit den Worten des erhöhten Herrn, der sein eschatologisches Auftreten und aus seiner Erdenzeit bestätigt und wiederholt, wenn er ihnen versichert: "Ja, ich komme bald" (Offb 22,20).

Kapitel 2

Das Markusevangelium

0 Einleitung

Wenn wir uns eine Übersicht verschaffen wollen über die
Weise, worauf die Fragen um Erfüllung und Vollendung in den verschiedenen Evangelien zur Sprache gebracht werden, dann müssen wir
unsere Untersuchung bei Markus anfangen, und zwar aus zwei Gründen. An erster Stelle, weil wir ruhig davon ausgehen dürfen, daß
dies das älteste Evangelium ist, das wir kennen. Und zweitens,
weil Matthäus und Lukas diese erste Evangelienschrift gekannt und
benutzt haben, als sie ihr je eigenes Evangelium schrieben. Natürlich wissen wir nicht mit Sicherheit, ob Markus der erste gewesen
ist, der einen zusammenhängenden Bericht geschrieben hat, der
später die Bezeichnung 'Evangelium' bekommen würde. Die Theorien
hierüber sind bis heute kontrovers. Man hat zwar immer wieder -
übrigens ohne überzeugende Ergebnisse - versucht, hinter Markus
einen sog. Urmarkus zu rekonstruieren, um von dort aus schrittweise
weiterzugehen in die Richtung eines dahinter liegenden Urevangeli-
ums. Man hat viel Mühe darauf verwandt, doch hat sich dieser Weg
inzwischen als unbegehbar erwiesen. Danach hat man eine Zeitlang
gemeint, hinter unserem Evangelium lediglich eine größere Menge
disparaten Stoffes annehmen zu dürfen: längere oder kürzere Erzählungen, Zusammenfassungen von Gesprächen oder Polemiken, Gleichnisse, Apophthegmen und dergleichen mehr. Markus hätte dann den
Versuch unternommen, diese verschiedenartigen Einheiten der
Tradition so gut wie ihm das möglich war aneinanderzureihen und
daraus ein Ganzes zu machen. All unser Fragen nach den größeren
Zusammenhängen und nach dem Sinn der Evangelientradition als
ganzer sei deshalb fehl am Platze. Nur die kleinsten Traditions-
einheiten seien für unsere Frage nach der darin enthaltenen
Botschaft von Bedeutung. Auch diese Sicht darf inzwischen als
mehr oder weniger überholt betrachtet werden [1].

Mehr und mehr gewinnt in unserer Zeit die Meinung an Anhang,
daß auch bereits Markus von größeren Zusammenhängen im Traditions-

---

1 Vgl. H.Baarlink, Anfängliches Evangelium, Kampen 1977, 7-20.

stoff Gebrauch machen konnte [2]. In Predigt und Unterweisung ging
man anscheinend schon von Anfang an von einem Gesamtbild mit Bezug
auf Jesus aus. Darin fehlten weder seine Taufe noch seine vielfäl
tigen Aktivitäten, vor allem in Galiläa. Darin war weiter auch
schon der Kern seiner Predigt aufgenommen. Auch der Bericht über
sein Leiden und Sterben hatte darin offenbar schon einen breiten
und wichtigen Platz, und zwar verbunden mit der Botschaft seiner
Auferstehung und der Erzählung seiner Erscheinungen nach Ostern [3].
Zum Teil wird diese Tradition ihn in mündlicher Form erreicht haben. Für bestimmte größere und zusammenhängende Teile darf man
jedoch mit großer Wahrscheinlichkeit schriftliche Quellen voraussetzen. Unbeschadet dieses Sachverhalts wird Markus einen wichtigen
Anteil gehabt haben am Zustandekommen dieses ältesten Evangeliums.
Aufbau, Strukturierung und weitere Füllung dieser seiner Schrift
mögen für uns etwas Selbstverständliches bekommen haben; so bekannt
und vertraut ist uns dies alles. Und dazu hat natürlich auch die
Tatsache beigetragen, daß die anderen synoptischen Evangelien
diese Form und Struktur zum größten Teil übernommen haben. In Wirklichkeit hat jedoch Markus, als er sein Evangelium schrieb, eine
neue literarische Gattung geschaffen: das Evangelium, das weder in
den jüdischen Schriften noch auch in der Welt außerhalb der Bibel
etwas wie eine literarische Parallele hat. Einerseits ist es ein
Bericht, eine durchlaufende Erzählung; und doch ist es mehr, im
Grunde auch etwas Andersartiges: eine Botschaft, aber dann in der
Form einer Erzählung. Wenn jemand wie z.B. Paulus schreibt, dann
wird daraus ein Brief, eine Botschaft mit Darlegungen, Exkursen,
Argumentationen, Erläuterungen, Warnungen, Mahnungen und Ermutigun-
gen: Evangelium in Form eines Briefes. Wenn Markus schreibt, dann
gehört dies alles zwar auch dazu, aber anders, verpackt in der
Form, in der er es erzählt, wie er die Akzente setzt, wie er das
Erzählte zuspitzt und aktualisiert. Aber immer bleibt es ein Evangelium, das stets wieder erzählt werden kann. So stehen denn auch
in Mk 1,1 die Worte, die gleichsam eine Überschrift bilden und
seine ganze Schrift beherrschen: Anfang des Evangliums [4]. Und da
liegt denn auch der wichtigste Grund für die Tatsache, daß wir

---

2 Siehe z.B. H.W.Kuhn, Ältere Sammlungen im Markusevangelium,Göttingen 1971.
3 H.Riesenfeld, Tradition und Redaktion im Markusevangelium, in: Neutestamentliche Studien, FS für R.Bultmann, Berlin 1954, 157-164.
4 H.Baarlink, o.c. (Anm.1), 58-60 und 291-295.

heute über vier Evangelien sprechen, während wir doch nur zu gut
wissen, daß es lediglich e i n Evangelium gibt, vgl. Gal 1,6-9.

Es ist immer wieder eine spannende Sache, wenn wir die verschiedenen Evangelien untersuchen und miteinander vergleichen: das
eine Evangelium in verschiedenen Formen, mit verschiedenen Akzenten und Beleuchtungen. Das gilt auch, wenn wir die Frage nach Er
füllung und Vollendung stellen. Markus war der erste, der ein voll-
ständiges Evangelium schrieb. Das bedeutet für uns: er war auch
der erste, der vor der Notwendigkeit stand und die Möglichkeit
wahrnahm, auch diesen Gesichtspunkt der Botschaft Jesu in deutlicher Form darzubieten. Er konnte nicht achtlos daran vorbeigehen,
weil Jesus selbst in seiner Predigt deutlich über Erfüllung und
Vollendung gesprochen hatte; aber er konnte es auch deshalb nicht,
weil er den Bericht über Jesus als 'gute Nachricht' erzählen wollte.
te. Zu dieser guten Nachricht gehörte natürlich alles, was in dem
Auftreten Jesu in Erfüllung gegangen war und worauf der Glaube der
Gemeinde ruhte. Aber was ist Glaube ohne Hoffnung? Wäre es je möglich gewesen, daß jemand vom Glauben aus auf die Vergangenheit des
irdischen Auftretens Jesu zurückblicken würde, ohne sich zugleich
mit der Zukunft zu beschäftigen? Welche Erwartungen hatte Jesus
geweckt, und welche Erwartungen konnten jedesmal wieder geweckt
werden beim Lesen und Hören des Evangelium, das Markus nunmehr
schrieb? Erfüllung und Vollendung sind zwei mehr oder weniger
zentrale Themen in der Predigt Jesu gewesen. Diese Begriffe geben
jedoch auch die beiden Richtungen an, in die der gläubige Leser
schaut, rückwärts und vorwärts, in die Vergangenheit und in die
Zukunft. Das eine besteht nicht ohne das andere, ebensowenig wie
Glaube besteht ohne Hoffnung oder umgekehrt: Hoffnung ohne Glauben.

Wir wollen in diesen Kapiteln versuchen, den Zusammenhang von
Erfüllung und Vollendung besser zu erfassen. Was wird in den synoptischen Evangelien gemeint, wenn sie über Erfüllung sprechen? Dieses Motiv kommt, wie wir wissen, bei allen dreien gleich zu Anfang
als das große Thema zur Sprache, vgl. Mk 1,15; Mt 4,14; Lk 4,21.
Und was bedeutet es weiter, wenn sie auf eine Weise in die Zukunft
schauen, die mit den Ausdrücken 'Erwartung' und 'Vollendung'
angedeutet werden kann?

Wenn wir bedenken, in welchem Verhältnis die synoptischen
Evangelien zueinander stehen, dann braucht es niemand zu verwun-
dern, daß wir, was diese Fragen betrifft, dem Markusevangelium

eine breitere Betrachtung widmen. Wer Markus versteht, erfüllt auf jeden Fall eine wichtige Voraussetzung, auch Matthäus und Lukas folgen zu können, wenn sie je auf eigene Weise die Botschaft der Erfüllung und der Vollendung weitergeben. Das gilt natürlich auf sehr direkte Weise, wenn sie sich an Markus anschließen und die Tradition ohne weiteres von ihm übernehmen. Aber es gilt nicht weniger in den Fällen, in denen sie sich veranlaßt fühlen und ermächtigt wissen, die Akzente anders zu setzen, Aussagen in einen anderen Zusammenhang zu stellen oder die überlieferte Botschaft im Licht - oder im Schatten - der weitergehenden Geschichte auf neue Weise zu erzählen.

1 Die Proklamation des Königreiches

1.1 Ort und Funktion von Mk 1,14f

Der erste Abschnitt eines Bibelbuches ist in den meisten Fällen von außergewöhnlicher Bedeutung für das Verstehen des Ganzen. Im Falle des Markus gilt das auf jeden Fall sehr deutlich. Wir lassen den ersten Vers vorläufig außer Betracht, weil er die Funktion einer Überschrift über dem ganzen Evangelium hat. Das ganze Buch wird als Evangelium oder besser: als Anfang des Evangeliums angedeutet, als das, was der Verkündigung des Evangeliums in der Kirche zugrunde liegt, was Ausgangspunkt und Anfang dessen ist, was jetzt durch die Welt getragen wird: die Botschaft des gekreuzigten und auferstandenen Jesus Christus, des Retters und Herrn, den die Kirche als Richter und Vollender wiedererwartet.

Der Abschnitt 1,2-15 bildet ein Ganzes. Er geht aus von einem Mischzitat aus den Propheten und schließt mit der Predigt Jesu. Erst folgen auf dieses Zitat einige Sätze, die durch die Bindewörter "und ... und" miteinander verbunden sind, sich nirgends länger aufhalten und über die knappen Aussagen über Johannes (V.7f) hinaus nach vorn weisen, auf Jesus, der sich durch Johannes taufen läßt. Aber wieder geht der Verfasser hastig weiter: "und sogleich ... und sogleich" (V.10.12), bis er dort hingelangt, wo er vorläufig sein will: bei der Verkündigung Jesu, bei seiner Aussage: "Die Zeit ist erfüllt, und das Reich Gottes ist herbeigekommen; tut Buße und glaubt an das Evangelium!" Wir betrachten das Ganze noch einmal in aller Kürze. Wie geschrieben steht beim Propheten Jesaja, so ist es geschehen; im Auftreten des Johannes, aber eigentlich erst recht im Auftreten Jesu. Es beginnt mit

einem Zitat aus Mal 3,1, verbunden mit Jes 40,3. Der Bote, der bei
Maleachi genannt wird, wird identifiziert mit dem aus Jes 40,3, wo
es heißt, daß er in der Wüste steht und ruft: "Bereitet den Weg
des Herrn!" In beiden Fällen geht es um einen Wegbereiter; und
dadurch wird die Aufmerksamkeit schon auf den anderen gerichtet,
auf ihn, der dann auf dem bereiteten Weg kommen wird.

Aber unser Abschnitt schließt in sicherer Hinsicht auch mit
einem Zitat, und es ist nicht nur ein Zitat aus der Predigt Jesu.
Gewiß faßt Markus die ganze Verkündigung Jesu in dem bereits
zitierten Satz von V. 15 zusammen. Aber damit schließt er sich
offenbar direkt bei Jes 40,9 an. Es besteht nämlich eine überra-
schende Übereinstimmung mit dem Targum zu diesem Text. Obwohl der
uns bekannte Prophetentargum jüngeren Datums ist, empfangen wir
auf dem Umweg über die aramäische Wiedergabe doch einige verläßliche Information über die Art, wie in der Zeit des N.T. das Zeugnis der Propheten verstanden und wiedergegeben wurde. In Jes 40,9
lesen wir, daß der Freudenbote Zion oder Jerusalem ausrufen muß:
"Siehe, hier ist euer Gott." Wenn diese Aussage in der Synagoge
gelesen wurde, übertrug man sie folgendermaßen ins Aramäische:
"Offenbart ist das Königreich eures Gottes" [5]. Gegenüber dem hebräischen Text ist das deutlich eine eschatologische Zuspitzung, und
das bedeutet zugleich, daß der ganze Abschnitt von Jes 40,1-11 als
eine Weissagung auf die große Zukunft verstanden wurde, in der die
Heilszusagen Gottes definitiv erfüllt werden sollten. Und das gilt
nicht nur für diesen Teil, sondern genauso für die hiermit eng verwandte Aussage von Jes 52,7: "Wie lieblich sind auf den Bergen die
Füße der Freudenboten, die da Frieden verkündigen, Gutes predigen,
Heil verkündigen, die da sagen zu Zion: Dein Gott ist König." Der
Verkündiger des Heils [6], der die Offenbarung oder Verwirklichung
des Königreiches Gottes proklamiert, hat offenbar in der alten
jüdischen Literatur wiederholt eine messianische Deutung empfangen
[7]. Also: der Messias verkündigt das Kommen des Königreiches
Gottes, auch wenn sich seine Aufgabe gewiß nicht darauf beschränkt.

Jetzt verstehen wir auch besser, warum Markus in diesem

---

5 אתגליאת מלכותא דאלהכון Denselben Satz finden wir im Targum zu
Jes 52,7 als Übersetzung der Worte: Dein Gott ist König.

6 מבשר, griechisch εὐαγγελιζόμενος.

7 Vgl. P.Stuhlmacher, Das paulinische Evangelium, I Vorgeschichte, Göttingen
1968, 148f.

ersten Abschnitt seines Evangeliums mit so viel Hast auf die Aussagen von V. 14f zueilt. Da wird nämlich die gute Nachricht in der
größtmöglichen Konzentration zum Ausdruck gebracht; und beinahe
jedes Wort erinnert an die messianisch gedeutete Ankündigung von
Jes 40 und 52. Dort wie hier tritt der Freudenbote, der Verkünder
des Evangeliums Gottes auf. Sowohl Jesaja als auch Jesus ruft auf
zur Umkehr und zum Glauben. Und in beiden Fällen wird das Ganze
des angekündigten Geschehens als endgültige Heilsoffenbarung
Gottes aufgefaßt: Die Zeit ist erfüllt.

1.2. Die nähere Erläuterung dieser Proklamation

Jes 40,9-11 und 52,7 können als direkter alttestamentlicher
Hintergrund des Begriffes 'Evangelium' betrachtet werden. Hier können wir auch lernen, daß es im Evangelium immer wieder um den von
Gott errungenen Sieg geht und auf Grund dessen um das von Gott geschenkte Heil, 'shalom', Friede im weitesten Sinne des Wortes. Und
diese alles entscheidenden Taten Gottes, welche Inhalt des Evangeliums sind, müssen - oder besser: dürfen - ausgerufen werden. Verkündigung des Evangeliums, wie Markus darüber schreibt, ist deshalb
vor allen Dingen ein Ausrufen der Taten Gottes, mit denen er seine
Zusagen erfüllt und unsere Erwartungen weckt.

Diese Taten Gottes, die die Zukunft des Menschen und der Welt
endgültig bestimmen, die deshalb auch etwas Definitives haben und
darum auch eschatologisch genannt werden, umschreibt Jesus nach
der Wiedergabe des Markus mit den Worten: "Die Zeit ist erfüllt."
Das hier gebrauchte Wort 'kairos' deutet die Zeit in ihrer besonderen Qualität an: die bestimmte und zugleich alles bestimmende
Zeit; und die Perfektform 'ist erfüllt' unterstreicht das Endgültige dieser Tatsache. Es sind Fakten geschaffen worden, hinter die
niemand mehr zurück kann.

Im Targum auf Jes 40,9 und 52,7 waren die Worte "Siehe, hier
ist euer Gott" und "Dein Gott ist König" wiedergegeben durch die
Aussage: "Offenbart ist das Königreich Gottes." Hier ist der Ausdruck 'Königreich' deutlich personal oder dynamisch gefüllt: das
Königtum oder auch das König-sein Gottes. Und doch ist hier eine
entscheidende Tat angegeben: Das Königtum oder Reich Gottes wird
offenbar; es verwirklicht sich, es wird erfahren, es verändert die
Welt, es läutet eine neue Zeit ein, mehr noch: eine neue Welt. Zu
diesem Königreich gehört das Leben in den Städten Judas (40,9); in

diesem Königreich wird der Lohn ausgeteilt (40,10); da werden Menschen sich wohlfühlen können wie Lämmer im Arm des Hirten (40,11); da wird die Welt bestimmt werden durch die Herrlichkeit des Herrn, die alles umfaßt, die Wüsten zu ebenen Wegen und unherbergsame Gebirgsgegenden zu angenehmen Tälern machen wird (40,3-5). In dem Königreich Gottes werden die Trauernden getröstet werden, und alle Völker der Erde werden das Heil Gottes sehen (52,9f).

Von hier aus ist es zwar eine weitere Entwicklung, nicht jedoch etwas wesentlich Neues, wenn im Markusevangelium öfter mehr von dem Gesichtspunkt seines Inhalts und seiner Ausbreitung her über das Reich Gottes gesprochen wird. Im Munde von Menschen kann das folgendermaßen lauten: "Gelobt sei das Reich unseres Vaters David, das da kommt;" das heißt: das messianische Reich (11,10). Aber auch Jesus spricht über das Reich, in das man eingehen kann (9,47; 10,23-25), das unbemerkt am Wachsen ist (4,26-29) und das man erwarten kann, so wie man eine neue Erde und das ewige Leben erwartet (14,25).

Nun wird von diesem Königreich Gottes gesagt, es sei nahe herbeigekommen. An sich war das auch schon die Sprache der Propheten gewesen, siehe z.B. Jes 56,1: "Mein Heil ist nahe, daß es komme, und meine Gerechtigkeit, daß sie offenbar werde" [8]. In Mk 1,15 wird dies verstärkt durch die grammatische Form des Perfekts: es ist nahe herbeigekommen. Das stimmt überein mit der Aussage: Die Zeit ist erfüllt. In beiden Fällen geht es um Geschehnisse, die im selben Augenblick Wirklichkeit werden. Man darf deshalb das Erfüllt-sein und das Nahe-herbeigekommen-sein nicht so voneinander unterscheiden, daß das erste auf die Gegenwart, das zweite jedoch auf die - wenngleich nahe - Zukunft Bezug hat [9]. Das nahe herbeigekommene Königreich ist das bereits gegenwärtige Reich Gottes. Diese Gegenwart wird an einigen Stellen ganz deutlich gemeint, z.B. 10,14f und 12,34, aber auch, sei es weniger ausschließlich, in 10,23-25, weil diese Verse eine Antwort sind auf das traurige Weggehen des reichen Jünglings in V.22. Doch darf das keineswegs so verstanden werden, als ob das Evangelium dort, wo es über das

---

8 LXX: Ἥγγισεν γὰρ τὸ σωτήριόν μου παραγίνεσθαι ...
9 Siehe auch 14,41f, wo einerseits im Aorist über das Gekommensein der Stunde, andererseits im Perfekt über das Nahegekommensein des Verräters gesprochen wird. Darauf folgt nämlich der Satz: und sogleich ... kam Judas, V.43. Vgl. die Parallele in Mt 26,45f mit dem zweifachen ἤγγικεν. Dort ist also das ἦλθεν von Mk 14,41 mit ἤγγικεν wiedergegeben.

Reich Gottes redet, ausschließlich im Sinne der Erfüllung und des Verwirklicht-seins sprechen würde. Die Gleichnisse über die Saat, die von selbst wächst (4,26-29), und über das Senfkorn (4,30-32) sind nur dann recht zu verstehen, wenn man mit einer zukünftigen Offenbarung des Reiches Gottes rechnet, die alles übertrifft, was man für die Gegenwart erwartet. Es bleibt immer ein großer Unterschied bestehen, vergleichbar mit dem zwischen Säen und Ernten, dem Senfkorn und der hoch aufgewachsenen Senfstaude, auch wenn das letztere in der Verlängerung des ersteren liegt und umgekehrt: wenn das erste das zweite verbürgt.Für die menschliche Wahrnehmung ist der Unterschied trotzdem sehr groß. Von hier aus ist dann auch der fast ausschließlich futurische Sprachgebrauch zu verstehen, so z.B. wenn die Festpilger in Jerusalem Jesus zujubeln und ihre Zukunftserwartung auf ihn beziehen und zum Ausdruck bringen in den Worten: "Gelobt sei das Reich unseres Vaters David, das da kommt " (11,10), oder auch, wenn Jesus bei der Passahfeier sagt, daß er von der Frucht des Weinstocks nicht mehr trinken wird bis auf den Tag, an dem er von neuem davon trinken wird im Reiche Gottes (14,25).

1.3 Erfüllung, Auslieferung und Kreuz

Wenn wir dies alles bedenken und sogleich auch noch sehen, daß Markus in anderen Zusammenhängen die gegenwärtige Lage im Schatten zukünftiger Ereignisse stehen läßt, dann dürfen wir am Ende doch wohl die Frage stellen, ob es die Absicht des Markus gewesen sein kann, in 1,14f so ausschließlich über die Erfüllung zu sprechen, daß daraus eine 'realisierte Eschatologie' abgeleitet werden könnte. Markus müßte wohl sehr unnachdenklich ans Werk gegangen sein, wenn er die deutlichen Linien, die sein Evangelium durchziehen, außer Betracht gelassen hätte. Schon die nächsten Kapitel wird er mit Streitgesprächen füllen, mit Berichten über den stets höher auflodernden Widerstand; und in 3,6 wird er zum ersten Mal eine Morddrohung erwähnen. Doch bleiben wir in der näheren Umgebung von 1,14f. Diese Verse werden nämlich eingeleitet mit den Worten: "Nachdem Johannes ausgeliefert war ..." Das ist mehr als eine lediglich temporale Andeutung. Das Los des Johannes und das Jesu sind miteinander verbunden, so sehr, daß Herodes bei dem Gerücht über Jesus mit der möglichen Auferweckung des Johannes rechnet (6,14-16). Übrigens ist es sehr bemerkenswert, daß Markus den

Abschnitt über den Märtyrertod des Johannes ausgerechnet zwischen
der Aussendung der Jünger und ihrer Rückkehr (6,14-29) erzählt.
Aber auch der Weg Jesu und der seiner Jünger werden wohlbewußt als
eine große Einheit beschrieben, siehe 8,31-35 und 10,32-40. In
allen Fällen spielt dabei das Verbum 'ausliefern' eine wichtige
Rolle, so daß von diesem gemeinschaftlichen Programmpunkt der
Auslieferung und des Leidens her sozusagen ein Schatten über die
Erfüllung fällt. In 1,14 wird gesagt, daß Johannes ausgeliefert
wurde; an Stellen wie 3,19; 9,31 und 10,33 wird dasselbe von Jesus
gesagt; und in 13,9.11 sagt Jesus vorher, daß auch seine Jünger in
Zukunft immer wieder mit Auslieferung zu rechnen haben werden.
Doch ist dies nicht nur ein Schatten, der auf diese Weise auf die
Erfüllung fällt. Die Tatsache, daß Jesus nach 3,19 ausgeliefert
werden sollte durch Judas, aber daß in 9,31 und auch in 10,32 Gott
es ist, der ihn in die Hände seiner Feinde ausliefern wird [10], ist
bereits ein deutlicher Hinweis darauf, daß Erfüllung und Auslieferung zum Kreuzestod auf eine verborgene Weise zusammengehören. Am
Anfang steht zwar die Proklamation der Erfüllung; die heilbrin-
gende Herrschaft Gottes ist gegenwärtig, aber das Reich steht im
Zeichen des Kreuzes. Das Kreuz steht notwendigerweise zwischen
Erfüllung und Vollendung. Doch auch so kann es noch mißverstanden
werden, als ob Erfüllung, Kreuz und Vollendung nur in der zeitlichen Abfolge auf einer Linie stehen würden. In Wirklichkeit gehört
das Kreuz zur Erfüllung hinzu und macht deutlich, auf welche Weise
Gott seine eschatologische, endgültige Herrschaft kommen läßt und
was dafür nötig ist. Das Reich Gottes verwirklicht sich nicht, es
sei denn auf dem Wege der Auslieferung, der Hingabe, des Opfers,
der Dornenkrone, über Gethsemane und Golgatha. Es gibt keine
theologia gloriae ohne die theologia crucis. Der Christus, der das
Reich bringt, ist der Knecht, der sein Leben gibt als Mittel zur
Erlösung für viele (10,45).

2 Das Auftreten in Vollmacht

2.1 Die Bedeutung des Wortgebrauches

Wenn Markus in den auf diese anfängliche Proklamation folgenden Kapiteln über das Auftreten Jesu erzählt, dann kommt dabei wie-

---

10 παραδίδοται / παραδοθήσεται muß als passivum divinum aufgefaßt
werden.

derholt der griechische Ausdruck 'exousia' vor. Dieser Begriff wird durchweg mit 'Vollmacht' wiedergegeben. In ihm liegt zwar auch ein Element der Macht, der unwiderstehlichen Kraft, etwas zu tun; aber er will mehr sein als lediglich ein Hinweis darauf, daß Jesus voller Macht auftrat und daß deshalb auch niemand ihn daran hindern konnte, seine machtvollen Taten auszuführen. Bei der Vollmacht steht die Frage im Vordergrund, ob und weshalb Jesus etwas tun darf. Kennzeichnend hierfür ist die Frage der jüdischen Führung am Tage nach der Tempelreinigung Jesu: "Aus welcher Vollmacht tust du das, und wer hat dir diese Vollmacht gegeben, daß du so etwas tun kannst" (11,28)? Jesus tritt auf im Auftrage Gottes; seine Taten zeugen nicht nur von göttlicher Kraft (dynamis), sondern auch von seiner Sendung. In seinen Taten erfüllt er den ihm gegebenen Auftrag.

2.2 Lehren in Vollmacht

Es muß jedem Leser auffallen, daß Markus nur sporadisch die Lehre Jesu inhaltlich in sein Evangelium aufnimmt. Nicht weniger auffallend ist nun aber, daß die Tatsache des Lehrens bei Markus einen wichtigen Platz einnimmt und wiederholt unterstrichen wird. Das beginnt sofort in 1,21f. Nach der Erwähnung der Berufung der ersten vier Jünger erzählt Markus kurz, daß Jesus mit ihnen nach Kapernaum ging; und das erste, was er dann über das Auftreten Jesu in jener Stadt erzählt, ist: "und gleich am Sabbat ging er in die Synagoge und lehrte." Was lehrte er? Worüber sprach er? Anscheinend ist es nicht die Absicht des Markus, darüber hier näher zu berichten. Der Leser weiß ja schon aus 1,14f, worum es in der Predigt Jesu geht. Hier wird die Lehre Jesu genannt im Hinblick auf die Reaktion der Menschen: "Und sie entsetzten sich über seine Lehre, denn er lehrte mit Vollmacht und nicht so wie die Schriftgelehrten."

Die Reaktion der Hörer oder auch der Zeugen seiner Taten wird durch Markus mit verschiedenen Redewendungen angedeutet: sie erstaunten, sie erschraken, sie entsetzten sich, sie wunderten sich, sie erschraken über alle Maßen, Zittern und Entsetzen hatte sie ergriffen (siehe 1,22.27; 2,12; 4,41; 5,42; 6,2; 7,37 sowie 16,8). Eine nähere Auswertung all dieser Aussagen rechtfertigt die Folgerung, daß alle hier genannten Menschen etwas davon gespürt haben, daß Gott selbst hier am Werke war. Es ist ein heiliges Entsetzen, ein Zittern, nicht vor Gefahren und Bedrohungen, sondern wegen der Präsenz Gottes. Das kommt vielleicht am deutlichsten zum Ausdruck in 7,37, wo die Schar im Anschluß an die Genesung des Taubstummen über alle Maßen erschrak und sagte: "Er hat alles gut gemacht; er macht, daß die Tauben hören und die Stummen reden."

Das ist es wahrscheinlich, was Markus hier schon in 1,22 sagen will. In jeder Hinsicht spürten sie, daß hier nicht ein fesselnder Redner sprach, sondern jemand, der ganz anders redete, jemand, der seine Macht und seinen Anspruch unmittelbar von Gott ableitete. Seine 'exousia' offenbart sich in seinem Sprechen. Nachher, in 1,27, werden dieselben Menschen unter dem Eindruck des ersten Wunders Jesu wiederum sagen: "Es ist eine neue Lehre in Vollmacht." Bei ihm ist jedes Wort gedeckt; niemand kann ihm widersprechen; er fesselt sie im tiefsten Sinne des Wortes. Auch die Dämonen können sich nicht dagegen wehren, wie in 1,26 deutlich geworden ist. Es ist nicht zufällig, daß 'exousia' das erste Schlüsselwort nach der Proklamation des Reiches Gottes ist. Wenn der Messias als der von Gott gegebene Bringer des Heils und als der Initiator des Gottesreiches auftritt, dann tut er das dieser Sendung entsprechend, auf königliche Weise, so, daß jedes Wort Kraft besitzt und seine Kraft erweist und daß die Anwesenden etwas davon spüren, daß er offenbar das Recht hat, so aufzutreten.

2.3 Vollmacht über die Dämonen

An zweiter Stelle wird, wie bereits zur Sprache kam, über Jesu 'exousia' gesprochen im Zusammenhang mit dem ersten Wunder, das Markus erzählt, nämlich der Austreibung eines Dämon. Weshalb stellt Markus dieses Wunder an den Anfang einer verhältnismäßig großen Kollektion von Wundertaten Jesu, die er im Laufe der nächsten Kapitel erzählen wird? Wir dürfen uns nicht damit zufrieden geben, daß wir sagen: weil dies das erste Wunder war, das Jesus getan hat [11]. Zeugen und Evangelisten sind keine Historiker, die einen chronologisch genauen Bericht bieten wollen. Sie sind schreibende Evangelisten, und sie ordnen den ihnen verfügbaren Stoff so, daß damit ihre Erzählung so gut wie das nur möglich ist als Evangelium Jesu Christi verstanden werden kann. Es ist gerade diese

---

11 Dasselbe gilt z.B. auch für Joh 2,1-11. Obwohl dort das Weinwunder als erstes Wunder Jesu genannt wird, sind auch dort sachliche und nicht chronologische Gründe für den Verfasser Anlaß gewesen, diese Geschichte an den Anfang zu stellen.

göttliche Vollmacht, die in dieser ersten Tat deutlich zum Ausdruck kommt. Hier spricht jemand ein Machtwort; und selbst die Dämonen, denen kein Mensch gewachsen ist, müssen die Niederlage hinnehmen. Dies zeigt sich noch deutlich durch die Weise, wie man solch einen Exorzismus wie hier anscheinend längere Zeit hindurch erzählt hat. In der Umgebung und Zeit des N.T. war man der Meinung, daß man durch das Nennen des Namens des Gegners magische Kraft über diesen ausüben konnte, um sich auf diese Weise von seiner Macht zu befreien [12]. So wird hier erzählt, daß der Dämon sich zur Wehr setzt, indem er Jesus mit seinem göttlichen Namen nennt. "Was hast du mit uns zu machen, Jesus von Nazareth? Bist du gekommen, uns zu vernichten? Ich weiß wohl, wer du bist, der Heilige Gottes" (1,24). So wird Jesus durch den Dämon 'entlarvt'.Aber die Mühe ist vergeblich, wie aus Jesu Antwort erhellt. Diese wird dann auf dieselbe Weise erzählt. "Jesus bestrafte ihn und sagte: Sei still, und gehe aus von ihm!" Die Wiedergabe "Schweig still" ist keine genaue Übersetzung des hier gebrauchten griechischen Ausdrucks. Das Zeitwort 'phimoo' bedeutet nämlich: zügeln, knebeln oder einen Maulkorb anlegen. Das heißt also: jemand bändigen, ihn daran hindern, sich zu wehren. Ein wunderbarer Ausdruck, um die Souveränität und Unwiderstehlichkeit des königlichen Auftretens Jesu wiederzugeben. So konnte er handeln, weil er göttliche Macht besaß, aber vor allen Dingen, weil er von dem Vater, der ihn gesandt hatte, dazu das Recht, die Freiheit und Vollmacht empfangen hatte.

2.4 Vollmacht und Vergebung

Wenn wir hier an dritter Stelle hinweisen auf die Vollmacht, die Sünde zu vergeben, dann müssen wir uns für einen Augenblick auf Aussagen des zweiten Kapitels konzentrieren, wo wiederholt irgend etwas aus dem Auftreten Jesu zum Thema des Streites wird und als solches erzählt wird. In 2,1-12 wird über die Genesung eines Lahmen berichtet. Dieser Abschnitt hat, wie er hier steht, zwei Schwerpunkte, allererst den der Genesung. Die Geschichte wird dramatisch erzählt; das Auftreten der Nachbarn, die den Gelähmten

12 Vgl. O.Bauernfeind, Die Worte der Dämonen im Markusevangelium, Stuttgart 1927. Derselbe Grundgedanke einer Abwehrformel durch das Nennen des Namens liegt auch dem alten Volksempfinden zugrunde, das in der Grimmschen Erzählung vom Rumpelstielzchen märchenhafte Form angenommen hat.

tragen, wie sie das Dach besteigen, dieses öffnen und dann den Patienten an Seilen hinunterlassen, dies alles setzt einen festen Glauben voraus, daß Jesus sicher imstande sein wird, ihn zu heilen. Nun kommt aber ein zweites Element hinzu, und gerade dieser zweite Schwerpunkt rechtfertigt den Platz dieses Abschnittes im weiteren Zusammenhang der Streitgespräche von 2,1 - 3,6. Jesus vergibt diesem Mann seine Sünde, und diese Tat wird sogleich Gegenstand heftiger und ernster Vorwürfe. Er hat sich etwas angemaßt, was allein Gott zukommt. Die Frage nach der 'exousia' wird gestellt, und Jesus beantwortet sie frank und frei im positiven Sinn, daß er als des Menschen Sohn in der Tat Macht habe, auf Erden Sünde zu vergeben. Und die darauf folgende Genesung bekommt in dem Abschnitt, so wie wir ihn jetzt lesen, fast ausschließlich die Funktion, überzeugend darzutun, daß er diese göttliche Vollmacht wirklich besitzt.

Es war eine für alle Juden bindende Überzeugung, daß kein Mensch sich die Befugnis anmaßen durfte, jemandem die Vergebung seiner Sünden schenken und ihn damit von dem letzten Gericht Gottes befreien zu können. Diese Tat der Vergebung war so exklusiv Gottes Sache, daß man im allgemeinen auch dem Messias die Vollmacht dazu bestritt [13]. Vergebung schenken bedeutete deshalb sowohl eine Anmaßung dessen, was allein Gott zukommt, als auch zugleich das voreilige Aussprechen eines Urteils, das erst am Jüngsten Tage verkündet wird. Mit beiden Teilen dieses Vorwurfs hängt denn auch die Antwort Jesu zusammen: "Daß der Sohn des Menschen Vollmacht hat, auf Erden Sünde zu vergeben", also: Gott hat ihn dazu ermächtigt, und dies hier ist der Ort und die Zeit, worin dieses definitive, befreiende Urteil gesprochen werden darf.

In den Versen 13-17 hat Jesus diese Vollmacht auf eine andere, aber nicht weniger deutliche Weise ausgeübt, indem er im Hause des Zöllners Levi zusammen mit vielen anderen Zöllnern und Sündern zu Tisch saß: der Messias, der die eschatologische Heilsmahlzeit in die Gegenwart hineinzieht und somit die gegenwärtige Zeit als Heilszeit qualifiziert. Daß diese 'exousia' Offenbarung und Anfang des Reiches Gottes ist, wird auch dadurch betont, daß hier in V.10 - übrigens zum ersten Mal im Markusevangelium - die Selbstandeutung Jesu als Sohn des Menschen vorkommt. Auch wenn man Menschen das

---

13 Siehe R.Pesch, Das Markusevangelium I, Freiburg 1976 z.St.

Recht bestritt, Sünde zu vergeben, ja selbst der Meinung war, daß
auch der Messias das Recht dazu nicht haben würde, so konnte doch
niemand dem widersprechen, daß nach Dan 7,13f der himmlischen Gestalt "wie eines Menschen Sohn" weitreichende Vollmachten gegeben
werden-würden: Herrschaft [14], Ehre und königliche Macht [15]. Von
dieser Herrschaft und Macht wird dann weiter gesagt: "seine Macht
ist ewig und vergeht nicht, und sein Reich hat kein Ende." Hier
wird also von einer Vollmacht gesprochen, die keine Grenzen kennt
und die als göttliche "exousia" umschrieben werden kann. Gerade
dieser Hinweis auf Dan 7 macht deutlich, wie sehr diese Vollmacht
ein Aspekt seiner königlichen Herrschaft und seines Reiches ist.
Implizit besagt dies zugleich, daß in diesen Zusammenhängen ohne
viel Worte von einem spannungslosen Verhältnis ausgegangen wird
zwischen dem, was hier und jetzt im Auftreten Jesu geschieht, und
dem, was für das Ende der Tage erwartet wird. Sein Auftreten jetzt
präludiert das bei seiner Parusie. Die Erfüllung ist das Präludium
der Vollendung. In beiden Fällen ist es die Realität der Vergebung
durch das bevollmächtigte Sprechen desselben Gottesgesandten, die
die Freude des Reiches Gottes bestimmt.

2.5. Vollmacht und Gesetz

Bekanntlich hat Jesus sich in seiner Predigt und in der
Praxis seines Umgangs mit Menschen immer wieder kritisch über das
Gesetz ausgelassen hat, wie dieses im Judentum seiner Tage Gültig-
keit hatte [16]. Diese kritische Haltung richtet sich vor allem gegen
die mündliche Überlieferung, in der die Tora des A.T. viele
Erweiterungen und Anwendungen erfahren hatte, vgl. 7,5-8. Aber das

---

14 Aramäisch: שלט , griechisch: ἐξουσία.
15 Aramäisch: מלכו , griechisch: βασιλεία.

16 Auch jüdische Gelehrte sind in dieser Hinsicht geteilter Meinung. Einerseits
legt D.Flusser dar, Jesus habe sich in jeglicher Hinsicht innerhalb der Grenzen
dessen bewegt, was im Judentum diskutabel war. Demgegenüber steht für C.G.Montefi-
ore, M.Buber und J.Klausner fest, daß Jesus in verschiedenen Punkten die Entrü-
stung der Pharisäer erweckte und dadurch zu einer Gefahr für die Religion und die
Überlieferung der Väter geworden war. So J.Klausner, Jesus of Nazareth, London,
²1947, 278f. Siehe weiter H.Baarlink, Zur Frage des Antijudaismus im Markusevangelium, ZNW 70,1979, 166-193, vor allem 185f. Andere Verfasser reduzieren den Konflikt zu einem Ausnahmefall, nämlich Mk 7,19: "Damit erklärte er alle Speisen für
rein." Anders als S.Sandmel, We Jews and Jesus, London 1965, 137, fechten P.E.Lapi-
de und G.Vermes jedoch die Authentizität dieser Aussage an; sie sprechen von einer
tendentiösen Fälschung (so P.E.Lapide, Der Rabbi von Nazareth, Trier 1974, 60f)
oder von "a deliberate twist" durch eine verkehrte Wiedergabe aramäischer Wörter
(so G.Vermes, Jesus the Jew, Fontana ²1977, 27f).

bedeutet keinesfalls, daß diese kritischen Aussagen sich auf die sogenannte Überlieferung beschränkten. Aus dem Markusevangelium können wir jedenfalls zwei Beispiele nennen, aus denen erhellt, daß Jesus auch Bestimmungen des mosaischen Gesetzes gelegentlich oder grundsätzlich aufhebt. Was das letztere betrifft, erinnern wir an das Streitgespräch über 'Rein und Unrein' in Kap. 7. Die Folgerung aus diesem Streitgespräch lautet, daß Jesus im Gegensatz zu dem deutlichen Wortlaut des Gesetzes alle Speisen für rein erklärte, 7,19. Eher durch zufällige Umstände scheint die relativierende Art bedingt zu sein, in der Jesus sich in Kap. 2 ausläßt über den Sabbat und die Gültigkeit der Gesetze, die auf diesen Tag Bezug haben. In diesem Zusammenhang beruft Jesus sich wieder auf die Vollmacht des Menschensohnes über den Sabbat (2,28). Diese Vollmacht gebraucht er nicht, um damit das Sabbatgesetz selbst für ungültig zu erklären; vielmehr stößt er durch zu dem, was nach seinem Urteil das Wesentliche des Sabbats ausmacht: er ist um des Menschen willen geschaffen und nicht der Mensch um des Sabbats willen. Durch diese Regel werden nicht nur alle möglichen äußerlichen Verhaltensregeln relativiert; zugleich wird dadurch auch ein tauglicher Maßstab gegeben für die Anwendung des Sabbatgebotes auf die Praxis des Lebens hier und jetzt. Der Sabbat ist für den Menschen da, d.h.: dieser Sabbat ist eine Gnadengabe Gottes und kein Objekt für das Entwickeln von harten Verhaltensvorschriften. Wenn nun der Menschensohn Vollmacht hat über den Sabbat, wenn er Aussagen machen darf, die geeignet sind, die dienende Funktion des Gebotes wiederherzustellen, dann bedeutet das zugleich: der Menschensohn steht im Dienst des irdischen Lebens; er stellt sich in den Dienst der Humanität. Der himmlische Richter des Jüngsten Tages befaßt sich mit dem Leben in unserer irdischen Vorläufigkeit. Von der Vollendung und von dem Bevollmächtigten der Endzeit geht eine sorgende Aktivität aus, um schon jetzt in dieser Zeit den Segen der Erfüllung sichtbar und tastbar zu machen.

2.6. Vollmacht und Genesung

Neben den oben erwähnten Beispielen, in denen stets wieder die Vollmacht Jesu als Beauftragter seines himmlischen Senders zur Sprache kommt, darf hier nun auch die Totalität der genesenden und rettenden Aktivität Jesu genannt werden, auch wenn darin nicht stets seine "exousia" zur Sprache gebracht wird. Wiederholt werden

die genesenden Wundertaten Jesu dynameis = Machterweise genannt.
Wir nehmen als Beispiel Mk 6,1-6, wo wir etwas von den Reaktionen
und Fragen der Mitbürger von Nazareth erfahren. U.a. fragen sie:
"Woher hat er das? ... Und was für mächtige Taten, die durch seine
Hand geschehen sind?" Etwas weiter lesen wir dann auch, daß Jesus
dort nicht eine einzige Tat tun konnte - wegen ihres Unglaubens.
Es ist bemerkenswert, daß keiner der synoptischen Evangelisten
über Jesu Wunder als Zeichen (saemeion) spricht [17]. Seine Gegner
fordern von ihm ein Zeichen (8,11); und die falschen Propheten
werden auftreten und Zeichen und Wunder tun (13,22). Demgegenüber
verteidigt Jesus in 9,39 jemand, der in seinem Namen ein Wunder
(dynamis, Machterweis) getan hatte, indem er einen Dämon ausgetrieben hatte, obwohl das in den Augen der Jünger verdächtig war, da
er doch nicht zusammen mit ihnen Jesus folgte.

Die 'dynamis' scheint so eng mit Gottes eigenem Handeln verbunden zu sein, daß die Gefahr eines Mißverständnisses weniger
groß gewesen ist. Gegen den Hintergrund des jüdischen Denkens ist
das auch nur allzu begreiflich. Im A.T. konnten Gottes Name und
Gottes Macht synonym gebraucht werden, siehe Ps 54,3: "Hilf mir,
Gott, durch deinen Namen, und schaffe mir Recht durch deine Kraft!"
Vgl. auch Ex 9,16. In späteren Zeiten entstand die Gewohnheit,
'dynamis' für den nicht mehr ausgesprochenen Gottesnamen zu gebrauchen [18]. Die Spuren davon finden wir wieder in Mk 14,62: "und
ihr werdet den Menschensohn sitzen sehen zur Rechten der Macht und
kommen mit den Wolken des Himmels." Bei dem Ausdruck 'dynamis'
wird sodann weiter gedacht an das unmittelbar göttliche Handeln,
nämlich die Auferweckung von den Toten, vgl. 1 Kor 6,14; 2 Kor
13,4. Damit hängt dann auch zusammen, daß Jesus den Sadduzäern,
die bekanntlich die Auferstehung der Toten leugneten, vorwirft,
daß sie die Schriften nicht kennen noch die Kraft Gottes (Mk
12,24) [19].

Wenn also die 'dynamis' Gottes so direkt auf das schöpferi-
sche, neuschöpfende Handelns in der Auferweckung aus den Toten

---

17) Anders als in der Apostelgeschichte, wo wiederholt von σημεῖα + τέρατα
durch die Hand der Apostel gesprochen wird, siehe 2,19.43; 4,30. In 2,22 werden
beide Begriffe als Synonyme von δυνάμεις gebraucht. Dies beweist, daß die
genannten Begriffe von Hause aus nicht terminologisch fixiert gewesen sind. Dies
bestätigt sich auch durch den Gebrauch dieser Wörter in der LXX.

18 Siehe Strack-Billerbeck I 1007.

19 Vgl. G.Friedrich, EWNT I 860-867 s.v. δύναμις.

bezogen wird, dann ist damit dieser Begriff ganz deutlich und unmittelbar ein eschatologischer Begriff geworden. Wiederum ist es
der Sohn des Menschen, von dem gesagt wird, daß er sitzt zur Rechten der Macht; und das bedeutet zugleich, daß er die Macht besitzt,
die nötig ist für die Vollendung der Welt, namentlich für die Auferstehung der Toten. Einmal begegnet uns bei Markus eine Aussage
Jesu über eine zukünftige Offenbarung des Reiches Gottes in Kraft
(9,1). Was auch weiter die Bedeutung dieser Aussage sein möge,
eins steht auf jeden Fall fest: Diese Offenbarung des Reiches in
Kraft steht in engem Zusammenhang mit der Auferstehung, sei es,
daß Jesus hier sagen will, einige würden noch leben zum Zeitpunkt
der Vollendung, sei es auch, daß er hier an seine eigene Auferstehung denkt. Auf sie weist auf jeden Fall V.9.

Aus dem Genannten ist zumindest deutlich geworden, daß durch
den Gebrauch des Ausdrucks 'dynamis' die Wunder Jesu auf evidente
Weise in einen eschatologischen Rahmen gestellt werden. In ihnen
offenbart sich die erneuernde Kraft Gottes, die nicht nur die
zukünftige Welt bestimmt, um dann in ihrem vollen Umfang offenbar
zu werden, sondern auch diese Zeit, die Zeit Jesu und die seiner
Jünger, die Zeit, in der auf Erden noch auf vielfältige Weise
gelitten wird. Wie sehr diese Zeit auch durch die Vergänglichkeit
gekennzeichnet sein möge, mit dem Kommen Christi beginnt die Aussicht auf das Reich schon in Erfüllung zu gehen. Die zukünftige
Kraft Gottes greift in Jesus nach dem Heute, um es zu durchdringen
und das Leben zu erneuern; um es mit Hebr 6,5 zu sagen: wir dürfen
bereits die Kräfte der zukünftigen Welt schmecken. Das ist noch
nicht alles, und doch ist es nicht zu unterschätzen in seinen Perspektiven für das Heute.

3   Die Schweigegebote

Das Spannungsfeld zwischen Erfüllung und Vollendung wird bei
Markus wiederholt zum Ausdruck gebracht durch Schweigegebote, die
Jesus bei verschiedenen Gelegenheiten Menschen auferlegt. Von diesen Schweigegeboten leitete W.Wrede zu Anfang unseres Jahrhunderts
seine Betrachtungen über das sogenannte Messiasgeheimnis ab. [20].

---

20 W.Wrede, Das Messiasgeheimnis in den Evangelien (1901), Göttingen [4]1969.
Eine Zusammenfassung und Auswertung der Thesen Wrede's habe ich in meiner in Anm.1
genannten Studie , 139-148, gegeben. Dort ist auch die neuere Literatur erwähnt.

Niemand wird bei der Auslegung des Markusevangeliums an diesen merkwürdigen Geboten vorbeigehen können. Weil sie so vielfach vorkommen, wird auch nach einem Motiv gesucht werden dürfen, das sie alle beherrscht. Schon bald kommt dabei ans Licht, daß wir hier mit einem Motiv des Evangelisten selbst zu tun haben, der verschiedene Aussagen Jesu, wie die Tradition sie enthielt, immer wieder in eine bestimmte Richtung ausarbeitet, auch wenn damit keineswegs behauptet werden soll, daß er das Messiasgeheimnis sozusagen erfunden hat. Schweigegebote kommen vor allem im Zusammenhang mit Jesu Wundern vor, und zwar an folgenden Stellen:

1,23-28	die Austreibung des Dämon;
1,32-34	eine Zusammenfassung über Jesu heilendes Auftreten;
1,40-45	die Genesung des Aussätzigen;
3,7-12	eine erneute Zusammenfassung des heilenden Auftretens Jesu;
5,21-25 + 35-43	die Auferweckung der Tochter des Jairus;
7,31-36	die Genesung des Taubstummen;
8,22-26	die Genesung des Blinden in Bethsaida.

In der Überlieferung vor Markus haben die hier genannten Anweisungen Jesu anscheinend verschiedenartige Bedeutungen gehabt. Wenn beispielsweise einem Dämon das Schweigen auferlegt wird, dann ist das etwas anderes, als wenn zu einem Aussätzigen gesagt wird, er möge zum Priester gehen, der für das Feststellen der eingetretenen Heilung zuständig war, nicht aber in sein Dorf, um es dort den Menschen zu erzählen. Und noch anders liegt die Ermahnung im Hause des Jairus nach der Auferweckung seiner Tochter: Gebt ihr zu essen und sorgt weiter für die nötige Ruhe! Wie sollte auch die Auferweckung eines gestorbenen Mädchens verschwiegen werden können!

Nun zeigt es sich, daß Markus überall dort, wo in der Überlieferung irgendein Ansatz in diese Richtung vorkam [21], daraus ein ausdrückliches Redeverbot mit einer deutlichen Zielsetzung gemacht hat: Das Werk Jesu darf (noch) nicht verkündigt werden [22]. Über seiner Messianität liegt noch ein Embargo. Dies zeigt sich in den

---

21 Wo die von Mk übernommene Tradition keinerlei Ansätze in die Richtung bot, hat Mk auch nirgends ein Schweigegebot hinzugefügt; vgl. 1,30f; 2,1-12; 3,1-6; 4,35-41; 5,1-20. 25-34; 6,30-44. 45-52. 53-56; 7,24-30; 8,1-9; 9,14-29; 10,46-52.

22 Daß dieses Schweigen auch für Mk zeitlich begrenzt war, erhellt deutlich aus Texten wie 4,22; 9,9 und 14,62.

oben erwähnten Beispielen, aber vor allem in den Abschnitten, in denen es um die Vertreibung böser Geister geht.

In 1,23-28 haben wir solch einen Bericht, wie man ihn anscheinend in der Zeit vor Markus erzählt hatte. Der Dämon wehrt sich, indem er den Exorzisten bei dessen Namen nennt: "Was willst du von uns, Jesus von Nazareth? Du bist gekommen, um uns zu vernichten. Ich weiß, wer du bist, der Heilige Gottes." Wie wir oben sahen, gab es in der damaligen Zeit eine verbreitete Annahme, daß man über einen anderen Macht gewinnen konnte, indem man dessen Identität aufdeckte. Aber in diesem Falle wirkt die Formel nicht. Im Gegenteil, Jesus antwortet: "Sei still und fahre aus von ihm!" Das hier gebrauchte Verb [23] bedeutet soviel wie: zügeln, knebeln oder jemandem einen Maulkorb anlegen. Es geht also nicht um das Schweigen über ein Wunder, sondern um das Machtwort Jesu über den sich wehrenden Dämon. Für Markus jedoch war das Element des Schweigens das Ausschlaggebende, und zwar das Schweigen über Jesus als den Heiligen Gottes, der über den Teufel Macht hatte; also: über Jesus als Messias. Das läßt sich deutlich nachweisen. In 1,32-34 und in 3,7-12 finden wir Zusammenfassungen über Jesu Auftreten, die deutlich redaktionell sind. In beiden Fällen werden auch Austreibungen von Dämonen genannt. In 1,34 hat Markus die Reihenfolge von V.25f umgekehrt: "... und er trieb viele böse Geister aus und ließ die Geister nicht zu Wort kommen, denn sie kannten ihn." Wenn den Dämonen nach ihrer Austreibung das Schweigen auferlegt wird, dann ist die Funktion dieses Gebotes eine völlig andere geworden. Abgesehen davon ist es auch schwer vorstellbar, wie einem bereits ausgetriebenen Dämon das Schweigen auferlegt werden kann oder daß das dann noch geschehen muß. Auch in 3,12 hat Markus mit der Notiz, daß Jesus den Dämonen das Schweigen auferlegte, eine andere Bedeutung verbunden: "Und er gebot ihnen streng, ihn ja nicht zu offenbaren." Aus einer apotropäischen Formel ist eine Christusverkündigung geworden, die unerwünscht war, weil sie Verwirrung stiftete.

Markus will durch diese und andere Schweigegebote - man denke auch an das hiermit verwandte Motiv von 4,10-12 und das dortige Zitat aus Jes 6,9f - deutlich machen, daß die Christuspredigt nog etwas anderes ist als das Erzählen von Wundern. Aber andererseits erzählt er sie doch selbst auch, indem er sie in sein Evangelium

---

23 φιμώθητι.

aufnimmt. Widerspricht er damit nicht sich selbst? Nein, und darin liegt nun gerade der Unterschied. Wenn er all diese Wunder Jesu in sein Evangelium aufnimmt, dann bedeutet das: er verbindet sie mit der Botschaft des leidenden Messias. Das Evangelium ist die Verkündigung des gekreuzigten und auferstandenen Christus. Wer das mißachtet, behält kein Evangelium mehr übrig, auch wenn er über hundert Wundertaten Jesu erzählen könnte. Wunder allein, unabhängig von der Botschaft von Kreuz und Auferstehung, können nur Verwirrung stiften, Erwartungen wecken, die Enttäuschungen nach sich ziehen müssen. Wunder aber, die verbunden sind mit der Botschaft des Kreuzes, sind Zeichen, daß in diesem Christus in der Tat die Erfüllung liegt und daß durch ihn die Erwartung der kommenden Vollendung geweckt wird.

Die Schweigegebote im Markusevangelium erreichen ihre deutlichste und unverhüllteste Form in dem Abschnitt über das Christusbekenntnis des Petrus in Cäsaräa-Philippi (8,27-33). Auf das Bekenntnis des Petrus "Du bist der Christus" folgt nämlich nicht allein ein striktes Schweigegebot, sondern zugleich auch die Ankündigung seines Leidens und Sterbens. Hier liegt zutiefst die Antwort auf die Frage, was Markus mit den verschiedenen Schweigegeboten bezweckt. Mit dem Kommen Christi ist zwar die Endzeit angebrochen, und seine Wunder sind sichtbare Zeichen der Erfüllung; aber alle Wunder zusammen rechtfertrigen noch keine messianische Herrlichkeitstheologie (theologia gloriae). Auf dem Programm Christi steht das Leiden (V.31); und was von ihm gilt, wird in Zukunft auch für die Jünger zutreffen (V.34); vgl. 10,39; 13,9. Wahre Theologie ist Theologie des Kreuzes (theologia crucis); und das wahre Evangelium, das sich zu verkündigen lohnt, hat stets das Kreuz und die Auferstehung Christi zum Mittelpunkt. Dort in Cäsaräa-Philippi wird die Messianität deutlich mit dem Leiden und Sterben verbunden. Danach hört denn auch konsequenterweise das Messiasgeheimnis auf. Es folgen auch keine Wunder mehr, die mit Schweigegeboten verbunden werden. Wenn Christus als der leidende Menschen sohn erkannt wird und wenn sein Weg zum Kreuz nacherzählt wird, ist jede Begründung für das Schweigen weggenommen. Wie in 13,10 die Verkündigung des Evangeliums genannt wird, nachdem die Verfolgung der Gläubigen zur Sprache gekommen ist, so spricht Jesus auch hier zum ersten Mal freimütig oder unverhüllt über seine Identität als Menschensohn, nun jedwede theologia gloriae unmöglich geworden ist. Jetzt wird auch die Bedeutung des Gespräches zwischen Jesus und den drei Jüngern nach seiner Verklärung deutlich: "Als sie vom Berge herabgingen, gebot ihnen Jesus, niemand etwas davon zu sagen, was sie gesehen hatten, bis der Menschensohn von den Toten auferstanden wäre" (9,9). Es gibt nur ein sinnvolles und erlaubtes Reden über die Herrlichkeit des Messias: es ist die Herrlichkeit des Gekreuzigten, der auferstehen und am Ende als Menschensohn in Herrlichkeit erscheinen wird.

Der Nachdruck, den Markus in seinem Evangelium sehr zielbewußt auf das Messiasgeheimnis legt, hatte in seiner Zeit offenbar das Ziel, Verwirrungen, Verirrungen und schließlich auch Enttäuschungen zu verhüten oder ihnen entgegenzutreten. Die Vermischung oder Verwechslung von Erfüllung und Vollendung führt zu einer messianischen Utopie. Und messianische Utopien sind für den christlichen Glauben gefährlich. Sie sind imstande, Menschen in eine ernste Glaubenskrise zu stürzen. Markus hat es anscheinend als seine Aufgabe gesehen, dagegen zu warnen. Und für diese Warnung besteht auch für die Leser seines Evangeliums in späteren Zeiten, nicht zuletzt auch heute, aller Grund. Sie darf keineswegs als reaktionär betrachtet werden. Hier geht es am allerwenigsten darum, irgend einen status quo zu handhaben oder fällige Änderungsbestrebungen abzubremsen. Jedes Wunder Jesu ist gerade der Beweis dafür, daß er sich niemals mit bestehenden Zuständen und Mißständen abfindet. Aber die Wunder Jesu eignen sich weder als Begründung für eine Schwärmerei, die bereits im Stadium der Vollendung zu sein wähnt, noch für einen Aktivismus, der meint, die Linien der Taten Jesu über den eigenen Einsatz in die Richtung einer erlösten Welt durchziehen zu können. Was dies betrifft, geht von dem Markusevangelium eine enorme Ernüchterung aus. Der Ort, an dem der Glaube an die Erfüllung und die Hoffnung auf die Vollendung erfahren werden können, ist nirgendwo anders als unter dem Kreuz.

4   Die Selbstandeutung Jesu als Menschensohn

Die Behandlung der ersten Leidensankündigung Jesu als Antwort auf das Christusbekenntnis des Petrus führt uns von selbst zu der Frage, was Jesus Markus zufolge bezweckt, wenn er sich selbst als den Menschensohn andeutet. Was auch der historische Hintergrund

gewesen sein mag, auf jeden Fall steht fest, daß Markus den Messias
als Menschensohn verstanden hat und hat verkündigen wollen [24]. Dasselbe gilt auch von dem Verhör vor dem Hohenpriester, in dem Jesus
auf die Frage, ob er der Messias, der Sohn des Hochgelobten, sei,
antwortet: "Ich bin's; und ihr werdet den Menschensohn sitzen
sehen zur Rechten der Allmacht und kommen mit den Wolken des Himmels."

Markus hat eine deutliche Vorliebe für diese Selbstandeutung
Jesu gehabt. Obwohl niemand ihn mit diesem Titel ansprach und auch
außerhalb des Markusevangeliums keinerlei deutliche Spuren einer
sog. Menschensohnchristologie zu finden sind, hat dieser Evangelist
in verschiedenen Zusammenhängen Aussagen Jesu eingefügt, in denen
er sich als Sohn des Menschen andeutet. Aus 14,61f und auch aus
13,26 wird deutlich, daß diese Benennung als messianischer Hoheitstitel zu verstehen ist, der letztendlich auf die Vision von Dan 7
zurückgeht, aber der auch in der Zeit des N.T. in jüdischen apokalyptischen Schriften mit Vorliebe gebraucht wurde. Offenbar hat
man diese Andeutung auf Grund von Dan 7,13f als Ausdruck der himmlischen Herrlichkeit des Messias verstanden. In dem entscheidenden
Augenblick, in dem diese Welt zu Ende geht und die kommende Welt
ihren Einzug hält, wird der Menschensohn als eschatologischer Richter und Retter erscheinen.

Kennzeichnend für die Weise, auf die Markus solche Aussagen
Jesu aufnimmt, ist nun aber, daß das Bild des Menschensohnes nicht
nur in der Herrlichkeit besteht, mit der er am Ende der Zeiten
erscheinen wird. Diese Selbstbenennung hat nämlich auch Bezug auf
sein Werk jetzt auf Erden. Wir weisen auf die beiden folgenden
Stellen hin. In 2,10 spricht Jesus über die Vollmacht des Menschensohnes , auf Erden Sünde zu vergeben. Für seine schriftgelehrten
Zeitgenossen war das, wie wir bereits sahen, ausschließlich Gottes
Sache als Richter am Jüngsten Tage und nicht einmal Recht und Aufgabe des endzeitlichen Messias. Mit dieser Aussage zieht Jesus das
letzte Gericht in die Gegenwart dieser Welt, näher: in die Gegenwart seines Handelns hinein: hier und jetzt. Etwas Ähnliches
geschieht auch in 2,28, wo Jesus ein Streitgespräch über das Ähren-
ausraufen am Sabbat mit der Aussage beschließt: "So ist der Menschensohn auch Herr über den Sabbat." Gültige Aussagen des Men-

---

24 So mit Grundmann, ThWNT IX 520, s.v. χρίω.

schensohnes bei seinem Kommen am Ende der Zeiten erwartete man allgemein. Und auch von dem kommenden Messias nahm man an, daß er das
Recht haben würde, zumindest bestimmte Gebote aufzuheben oder zu
ändern [25]. Hier wird wiederum ein wichtiger Gesichtspunkt der Vollendung in die Gegenwart hineingezogen. Aussagen über die Vollmacht
des Menschensohnes jetzt sind auch nur zu verstehen, wenn wir sie
von der ursprünglichen, primären Vorstellung vom Menschensohn als
Bevollmächtigten Gottes am Ende der Tage und in himmlischer Herrlichkeit ableiten.

Markus kann diese Gegenwartsaussagen über den Menschensohn
jedoch nur deshalb mit einem theologisch und kerygmatisch guten
Gewissen in sein Evangelium aufnehmen, weil im Mittelpunkt dieses
Evangeliums die Aussagen über das nahe Leiden des Menschensohnes
stehen. Vor allen Dingen 8,31, wo zum ersten Mal über dieses Leiden ausdrücklich gesprochen wird und wo auf diese Weise die Messianität inhaltlich näher umschrieben wird, darf als das struk-
turelle Zentrum des ganzen Evangeliums betrachtet werden [26]. Wir
haben bereits im vorigen Kapitel gesehen, daß nach Markus nur dann
sinnvoll über die Wunder Jesu gesprochen werden kann, wenn diese
als die genesenden Taten dessen gesehen werden, der selbst bereit
ist, den Weg zum Kreuz zu gehen. Hier sehen wir etwas Ähnliches,
und es bildet eine genaue Parallele zum vorigen. Die Vollmacht des
Menschensohnes hier und jetzt auf Erden liegt darin verankert, daß
er diese nicht für sich selbst beansprucht, sondern bereit ist, zu
dienen und sein Leben zu geben zur Erlösung für viele [27]. Die
Aussagen über den leidenden Menschensohn bilden die letzte und
tiefste Erklärung für die Tatsache, daß er hier vergebend und
erneuernd auftreten kann. Ohne diese Aussagen würde die Spannung
zwischen dem Heute der Erfüllung und der Zukunft der Vollendung zu
einem Rätsel werden. Demgegenüber wird durch die Verbindung von
diesen drei genannten Aspekten die Grundlage und Möglichkeit
geschaffen, daß dies alles als Evangelium verkündigt werden kann.
Die Einheit zwischen dem Auftreten des Menschensohnes jetzt und am
Ende der Welt mit dem Leiden, dem er entgegengeht, gibt denn auch

---

25 Vgl. H.Baarlink, o.c. (Anm.16), 188 und die dort in Anm.76 erwähnte Literatur; Strack-Billerbeck I 247 und III 277.
26 Siehe H.Baarlink, o.c. (Anm.1), 83-107.
27 Vgl. P.Stuhlmacher, Existenzvertretung für die Vielen: Mk 10,45 (Mt 20,28),
in: Versöhnung, Gesetz und Gerechtigkeit, Göttingen 1981, 27-42.

dem Evangelium und der in ihm verkündigten Geschichte eine einzig-
artige Perspektive. Damit wird die Grundlage gelegt für die Bestimmung der christlichen Existenz zwischen Schwärmerei und Defätismus.

5 Die christliche Existenz zwischen den Zeiten

Es klingt vielleicht etwas voreilig, wenn wir hier schon den
Ausdruck 'christlich' gebrauchen. Schließlich geht es uns um die
Andeutung des Weges, den die Jünger Jesu gehen werden und um das,
was sie auf diesem Wege zu erwarten haben. Doch dürfen wir keinen
Augenblick vergessen, daß wir dabei sind, die Linien nachzuziehen,
die Markus in seinem Evangelium anbringt, in einer Zeit, als die
Nachfolger Jesu schon länger als dreißig Jahre Christen genannt
wurden (Apg 11,26) und als Christen erfahren hatten, was Jüngerschaft bedeutet. Ein Evangelist nimmt nicht einfach alles aus der
Tradition auf, was ihn auf irgendeinem Wege erreicht hat. Er hört
vor allen Dingen dort sehr gut zu, wo die Aktualität des Überlieferten auf ihn besonderen Eindruck macht, wo er seine eigene Zeit
wiedererkennt im Spiegel dessen, was Jesus angekündigt hat. Ich
denke z.B. an das Gleichnis von den Hochzeitsgästen in 2,19: "Wie
können die Hochzeitsgäste fasten, solange der Bräutigam bei ihnen
ist?" Jesus als der Bräutigam, der Messias als der Gastgeber auf
dem Fest - und die Jünger als Festgäste. Erfüllung hat etwas
Festliches. Aber darauf folgt der Satz: "Solange der Bräutigam bei
ihnen ist, können sie nicht fasten; es wird aber die Zeit kommen,
daß der Bräutigam von ihnen genommen ist; dann werden sie fasten,
an jenem Tage."

Wir werden diese Aussagen nicht einfach so zu verstehen
haben, als ob die festliche Periode bald gänzlich der Vergangenheit
angehört und daß dann nur noch Dunkelheit und Trauer übrigbleiben.
Die darauf folgenden Sprüche über den neuen Lappen und über den
neuen Wein machen wohl deutlich, daß es auch bei dieser Festfreude
um etwas Bleibendes geht. Aber dem Bilde von dem Bräutigam und den
Hochzeitsgästen wurde ein neuer Gedanke hinzugefügt. Innerhalb des
Gleichnisses deutet dieser Satz einen neuen Zustand an, der den
alten verdrängt. Im Rahmen des Textzusammenhangs jedoch geht es
deutlich darum, auf einen zweiten Aspekt der Jüngerschaft hinzuweisen, nämlich das Erleiden mühevoller und betrüblicher Zeiten.

Gerade ein Jünger wird darunter fastend gebeugt gehen,und zwar
nicht allererst wegen der Verfolgungen an sich, sondern weil er
weiß, was Festfreude ist. Die Jünger kennen die Erfüllung. Gläubige
sind irgendwie verwöhnte Menschen. Darum treffen die Schläge sie
so hart, daß sie von ihnen als Anfechtung erfahren werden.

Über das Reich Gottes wird bei Markus in gedämpftem Ton gesprochen. In dem Gleichnis vom Sämann verdorrt und erstickt noch
so viel von der guten Saat (4,3-9). Und in der darauf folgenden
Erläuterung wird dies der Tatsache zugeschrieben, daß der Satan
sogleich kommt, daß Unterdrückungen und Verfolgungen den Samen und
also auch den Glauben bedrohen, daß Sorgen und Sünden dem Wachsen
und Reifen dessen, was gesät ist, Widerstand entgegensetzen (4,15-
19), auch wenn dadurch die reiche Ernte auf dem guten Boden nicht
mehr in Gefahr gebracht werden kann (4,20). In allen Gleichnissen
über das Reich Gottes geht es letztendlich zwar um das nicht mehr
aufzuhaltende Wachstum, doch haben die gebrauchten Bilder etwas
Warnendes. Der Bauer aus 4,26 sieht vorläufig nichts von dem Wachstum. Es bleibt vorerst seinen Augen verborgen. Er muß glauben, daß
es trotzdem geschieht, und das tut er denn auch. So erreicht auch
die Senfstaude am Ende zwar eine gewaltige Größe, aber vorläufig
ist doch nicht mehr zu sehen als ein kleines Samenkörnchen. Wenn
Markus gegen Ende desselben Kapitels die Geschichte über den Sturm
auf dem See aufnimmt, dann hat das irgendwie auch mit dem Bewußtsein zu tun, daß die Stürme genauso sehr zum Leben der Gläubigen
gehören wie die harten Winde zur Erfahrungswelt der Fischer auf
dem See Genezareth. Oder, um noch ein anderes Beispiel zu nennen,
in 6,6-30 erzählt Markus über die Aussendung der Jünger zur Predigt des Evangeliums, zum Austreiben der Dämonen und zum Genesen
der Kranken. Es wird ein gewaltiger Tag, und gegen Abend haben sie
Jesus darüber allerhand zu erzählen. Welch ein Tag! Welch eine
Erfahrung, im Dienste Christi zu stehen! Auch ohne besondere
Euphorie gehört dies hinzu, damals wie heute und heute wie damals,
so oft über die Predigt des Evangeliums unter allen Völkern berichtet wird. Aber merkwürdig, und es muß auch den Leser befremden:
zwischen der Aussendung und der Rückkehr erzählt Markus die ganze
Geschichte über den Tod von Johannes dem Täufer, dem anderen Prediger. Ohne jene Erzählung wäre es, so darf man im Sinne des Markus
sagen, zu schön gewesen, um wahr sein zu können.

6   Die eschatologische Rede (Kap.13)

6.1. Keine eschatologische Information sondern Paränese

Das 13. Kapitel des Markusevangeliums hat einen besonderen Platz und erfüllt auch eine wichtige Funktion im Ganzen des Buches [28]. Man kann zwar mit einem sicheren Recht über die eschatologische Rede Jesu sprechen; sie präsentiert sich als eine zusammenhängende Rede, und in ihr wird auch über die nähere und fernere Zukunft und über die Wiederkunft Christi gesprochen [29]. Inzwischen dürfen wir jedoch davon ausgehen, daß dieses Kapitel in großem Umfang durch Markus zu einer Einheit zusammengestellt ist und daß er dabei eine größere Anzahl von Aussagen Jesu zu einer Rede zusammengefügt hat; Aussagen, die entweder mündlich im Umlauf waren oder auch schon in Form einer kürzeren Schrift überliefert wurden, in der Aussagen Jesu zusammengestellt waren [30]. Doch darf nicht von vornherein die Möglichkeit ausgeschlossen werden, daß in einem bestimmten Fall auch prophetische Worte aus der Zeit nach Ostern und Pfingsten hierin aufgenommen sein können [31].

Nun ist es jedoch die Frage, inwiefern dieses Kapitel als eschatologische Rede gelten darf. Wenn wir darunter nämlich Informationen über das Eschaton, über die Vollendung, verstehen, dann werden wir enttäuscht. Zwar wird in den Versen 26f über die Wiederkunft Christi gesprochen, aber in Anbetracht der Funktion dieses ganzen Kapitels können diese Verse nach unserer Meinung schwerlich als Mittelpunkt der Rede betrachtet werden. Das Ganze kann eher

---

28 Siehe näher die Analyse von J.Lambrecht SJ, Die Redaktion der Markus-Apokalypse, Rom 1967. Eine Übersicht über die umfangreiche Literatur zu diesem Kapitel gibt R.Pesch, Das Markusevangelium, 2.Teil, Freiburg 1977, 267f.

29 Vgl. auch C.E.B.Cranfield, St. Mark 13, ScJTh 6,1953, 189-196, 287-303 sowie 7,1954, 284-303. Cranfield verteidigt aber nicht nur eine sachliche Konsistenz, die gänzlich mit der Unterweisung des irdischen Jesus übereinstimmt; er ist auch der Meinung, daß das ganze Kapitel global gesehen als authentische Rede Jesu gelten kann.

30 J.Lambrecht hat das Kapitel einer minuziösen Analyse unterworfen. Auf Grund einer großen Anzahl stilistischer Besonderheiten folgert er, daß der Anteil des Redaktors in diesem Kapitel erheblich ist. Zugleich aber macht er es wahrscheinlich, daß Mk bei einer Anzahl Aussagen Jesu aus einer Tradition geschöpft hat, die wir als Q anzudeuten pflegen. Vgl. auch R.Morgenthaler, Statistische Synopse, Zürich 1971. Er zählt nicht weniger als 36 verschiedene Logien auf, siehe S.298.

31 Wir denken dabei vor allem an V.14-18. Schon A.Schlatter vermerkt bei diesen Versen, daß die prophetischen Ankündigungen, die in der Gemeinde entstanden, nicht deutlich abgegrenzt waren gegenüber den Worten Jesu selbst, weil "auch die Weissagung der Propheten als ein Wort des Herrn betrachtet wird"; Die Geschichte des Christus, Stuttgart [3]1977 (= [2]1923), 479 Anm.1.

angedeutet werden als eine eschatologische Paränese, das heißt:
als eine Ermahnung, die rechte Haltung des Glaubens und der Hoffnung und der Beharrung anzunehmen im Zusammenhang mit der angekündigten Vollendung und der Zeit, die ihr vorhergehen würde. Die Aussicht auf die Vollendung, die durch Jesu Predigt aufs neue eröffnet und als die eigene Zukunft des Menschensohnes definiert werden
konnte, hatte die Gemeinde stets beschäftigt, zuweilen selbst so
sehr, daß wegen der angenommenen Nähe sogar der Glaube in Bedrängnis kommen konnte, sobald die Jahre verstrichen und die Zeit
weiterging; siehe z.B. 2 Tess 2,1ff; 2 Petr 3,3f. Abgesehen davon
gab es in der Zeit vor und während der Jahre der Jahre des Jüdischen Krieges (66-70 n.Chr.) immer wieder neue Wogen der Erwartung,
das Ende stehe bevor. Es liegt auf der Hand, daß Markus unter diesen Umständen die Gelegenheit wahrnimmt, der Gemeinde in dieser
Hinsicht einen Halt zu geben inmitten der Gerüchte und Fragen, die
sie bedrohten [32].

Der Anfang des Kapitels läßt dies schon durchschimmern. Es
beginnt nämlich mit einer Aussage Jesu über den kommenden Untergang
des Tempels. Dem schließt sich dann die Notiz an, daß Jesus, auf
dem Ölberg sitzend, mit seinen vier vertrauten Jüngern allein ist
und dann von ihnen gefragt wird: "Sage uns, wann wird das geschehen, und was wird das Zeichen sein, wenn das alles vollendet
werden soll?" In diesem Übergang von Aussagen Jesu in der Öffentlichkeit zu einer Jüngerunterweisung im geschlossenen Kreis erkennen wir etwas für Markus Typisches [33]. Eine nähere Andeutung
liegt schon in dem Übergang von der ersten Frage (Wann wird das
geschehen?) zu der zweiten (und was wird das Zeichen sein, wenn
das alles vollendet werden soll?). Die zweite Frage hat nicht mehr
wie die erste nur Bezug auf die Verwüstung von Jerusalem, sondern
auf alles, was in Erfüllung gehen wird. M.a.W.: diese zweite Frage
ist formuliert worden im Hinblick auf die mit V.5 anfangende Antwort. Es geht um eine Gesamtschau, die nicht nur die nahe, sondern

---

32 Die These von R.Pesch, Naherwartungen, Tradition und Rddaktion in Markus 13,
Düsseldorf 1968, 223: "Die Verfälschung der Naherwartung der Gemeinde zu einem apokalyptischen Fieber zwingt Markus zur Abfassung von Kap.13 ..." ist zu apodiktisch,
rechnet aber auch nicht zur Genüge mit dem Einfluß, der von den Umständen der Zeit
ausging und über falsche Propheten die Gemeinde mitzureißen drohte. Vgl. J.Zmijews-
ki, Die Eschatologiereden des Lukas-Evangeliums, Bonn 1972, 108-111.

33 Einen gleichen Übergang entdecken wir nämlich auch in 4,1-20; 7,1-23; 9,14-
29 und 10,1-12.

auch die große Zukunft mit einschließt, und um die Herausstellung
des Verhältnisses zwischen diesen beiden unterschiedlichen Perspektiven.

6.2. Die Struktur des paränetischen Abschnittes V. 5-23

Es ist bezeichnend, daß die Frage nach der Vollendung nicht
beantwortet wird durch einen informativen Bescheid, sondern durch
eine Ermahnung, anfangend mit der vielsagenden Warnung: "Seht zu,
daß euch niemand in die Irre führt." Diese eschatologische Ermahnung nimmt gleich einen sehr breiten Platz ein (V.5-23). Strukturell gesehen ist dieser Abschnitt sehr konsequent und kunstvoll
zusammengestellt und enthält mindestens fünf oder sogar sieben
Teile, die konzentrisch angeordnet sind um den Kernsatz von V.10.
In den Versen 5-6 und 21-23 (die äußere Schicht) wird gewarnt vor
Betrügern, falschen Christusprätendenten und falschen Propheten,
vor Menschen, die den Glauben der Gemeinde in Verwirrung zu bringen
drohen. Durch Worte (V.6) und Taten (V.22) stützen sie ihren Anspruch, im Namen Jesu aufzutreten und durch ihn bevollmächtigt zu
sein. Im Rahmen der Komposition des Markus wird dabei gedacht werden müssen an christliche Apokalyptiker, die die unruhigen Zeiten
des bevorstehenden Jüdischen Krieges als Zeichen des bevorstehenden
Endes der Welt interpretierten. Die Verse 7-8 und so auch 14-20
(die zweite Schicht) sprechen über Kriege, Katastrophen und andere
schreckliche Geschehnisse. In den zuerst genannten Versen geschieht
das auf direkte Weise als Andeutung von historischen Ereignissen.
In den Versen 14-20 werden politisch-religiöse Katastrophen auf
verhüllte Weise angekündigt. Dabei bedient sich der Verfasser apo-
kalyptischer Bilder, die ihren Ursprung im Buch Daniel haben. Doch
besteht kein Grund, daraus abzuleiten, daß diese Verse mehr auf
das Ende der Geschichte bezogen sind als die Verse 7-8. Eine
apokalyptische Sprache ist ein anderes Mittel, Dinge auszudrücken;
das bedeutet jedoch nicht, daß dabei an eine größere Nähe zum Ende
der Welt gedacht werden muß [34].

Was ist nun das Besondere in den Versen 14-20? Es wird gesprochen über den Greuel der Verwüstung. Dieser umschreibenden Ausdrucksweise begegnen wir zuerst in Dan 9,27; 11,31 und 12,11. Dort
war es die Andeutung der Entheiligung des Tempels durch Antio-

---

[34] Vgl. R.Pesch, o.c. (Anm. 33), 138.

chus IV Epiphanes, den syrischen König, der mit allen Mitteln die
Hellenisierung seines Reiches erzwang und im Jahre 167 v.Chr.
nicht davor zurückschreckte, einen Altar für Zeus auf dem Brand-
opferaltar vor dem Tempel aufzubauen. Damit war der Tempel enthei-
ligt; er konnte auch erst wieder für den Opferdienst Israels gebraucht werden, nachdem er aufs neue geweiht worden war [35]. Seitdem erscheint der Ausdruck 'Greuel der Verwüstung' ein fester
Begriff geworden zu sein, der geeignet war, in neuen Situationen
als Chiffre gebraucht zu werden für heidnisches Eingreifen auf das
Volksleben Israels als Volk des Bundes. Noch in der Mischna und in
den Kommentaren des Talmud sind Aussagen über den Greuel der Verwüstung bekannt. Offenbar lag dem die Erinnerung an die Schändung
des Heiligtums durch ein Götzenbild zugrunde, ohne daß man daraus
schließen kann, an welche historische Begebenheit dabei gedacht
werden muß [36]. Solch eine Entheiligung hätte beinahe im Jahre 40
n.Chr. stattgefunden, als Kaiser Caligula den Befehl gegeben
hatte, eine Statue von sich selbst im Tempel aufzustellen [37]. Es
wird auf der Hand gelegen haben, daß Juden und Christen aus dem
Judentum in jener gespannten Situation wieder erinnert wurden an
den Greuel der Verwüstung aus der Zeit des Antiochus IV und an die
Bereitschaft zum Märtyrertum, die viele in Israel damals bewiesen
hatten.

Schon lange hat man die Vermutung geäußert, daß die Aktualisierung dieses alten Motivs im Munde christlicher Propheten der
Grund gewesen sein könnte, daß es hier als ein Wort Jesu aufgenommen worden ist. Auf jeden Fall wird der Vorfall aus der Zeit des
Caligula dazu beigetragen haben, daß die Angst vor neuen Entheili-
gungen und Verwüstungen [38] bleibend mit diesem Begriff verbunden
blieb [39]. Auch die maskuline Form in Mk 13,14 könnte daraus erklärt

35 Für die Entheiligung: lies 1 Makk 1,54-59; 2 Makk 6,2; über die Wiedereinwei-
hung berichten 1 Makk 4,36-39 und 2 Makk 10,1-8; Fl. Josephus Antiquitates XII
316-326. Dieses Ereignis feiert das Judentum bis heute im Chanukkafest.
36 Siehe bei Strack-Billerbeck I, 945-951.
37 Durch den Tod Caligula's blieb dieser Befehl unausgeführt. Siehe den ausführlichen Bericht bei Fl. Josephus, De bello Judaico 2.10.
38 Die Übersetzung von מחשמ durch ἐρήμωσις in der LXX hat die Verschiebung in der Bedeutung von Entheiligung zu Verwüstung gefördert und diesen
Begriff desto mehr geeignet gemacht, um im Zusammenhang mit dem Fall der Stadt
Jerusalem gebraucht zu werden.
39 So bereits A.Schlatter in seinem Kommentar zu Matthäus; siehe auch a.a.O. in
Anm. 32. Eine Zeitlang hat die Hypothese eines sogenannten apokalyptischen Flug-
blattes großen Einfluß gehabt. Siehe bei W.Marxsen, Der Evangelist Markus, Göttin-

werden. Das Wort für Greuel (βδέλυγμα) ist nämlich ein Neutrum. In dem Bilde von ihm würde er, der heidnische Kaiser, dort stehen, wo kein Heide und noch viel weniger das Bild eines vergöttlichten Kaisers stehen durfte. Hinzu kommt noch, daß die Aussage hier den Eindruck erweckt, eine Warnung zu sein, verbunden mit dem Aufruf zur Flucht in das Gebirge. Auf jeden Fall erzählt Eusebius in seiner Kirchengeschichte, die Christen Jerusalems hätten durch eine göttliche Offenbarung den Auftrag erhalten, noch zeitig vor dem Fall Jerusalems die Stadt zu verlassen und nach Pella zu fliehen [40]. Eusebius spricht in diesem Zusammenhang auch ausdrücklich über den durch die Propheten vorausgesagten Greuel der Verwüstung [41]. Es gibt nach unserer Meinung hinreichende Gründe für die Vermutung, daß diese Verse zu dem göttlichen Spruch gehört haben, den Eusebius meinte und der auch bei anderen Verfassern genannt wird [42]. Wenn wir so mit der Möglichkeit rechnen, daß wir es hier mit einem Prophetenwort und also mit einem Wort des erhöhten Christus zu tun aben, dann schließt das nicht vor vornherein aus, daß auch Jesus sich vor seinem Tode im Zusammenhang mit seinen Aussagen über die Zukunft dieser apokalyptischen Sprache bedient haben kann. Diese Frage können wir hier jedoch auf sich beruhen lassen, und das um so mehr, als wir uns daran halten dürfen, daß er selbst durch seine Zeugen zu seiner Gemeinde spricht.

In den Versen 14-20 wird also auf verhüllte Weise über Geschehnisse gesprochen, die bevorstanden. Hieraus wäre auch der zwischengeschobene Aufruf verständlich: "Wer dies liest, merke auf" [43]. Es besteht kein Grund, zwischen den Versen 7-8 und 14-20 einen zeitlichen Unterschied anzunehmen, genauso wenig wie das bei den Versen 5-6 und 21-23 der Fall war.

Die Mitte dieses paränetischen Stückes wird dann durch die

---

gen ^{2}1959, 122. Im stringenten Sinn des Wortes wird sie immer mehr abgewiesen; vgl. E.Schweizer, Das Evangelium nach Markus, Göttingen ^{12}1968, 156; oder aber man spricht in einem allgemeinen Sinn von einer jüdischen oder judenchristlichen Vorlage; so J.Zmijewski, EWNT I 503 s.v. βδέλυγμα.

40 III 5.3.
41 III 5.4.
42 Siehe bei R.Pesch (Anm.29), z.St.
43 Man hat diesen Aufruf auch mit dem Buch Daniel oder mit einem "apokalyptischen Flugblatt" verbinden wollen. Es liegt jedoch mehr auf der Hand, an das hier von Markus Geschriebene zu denken. Das bedeutet, daß er sich aus politischen Gründen veranlaßt sah, sich kryptisch auszudrücken. Das würde dann ein Argument sein für eine Datierung des Evangeliums vor der Verwüstung Jerusalems.

Verse 9-13 gebildet, die zusammen die dritte, die innere Schicht der ganzen Perikope formen. Eingerahmt durch Aussagen über verführerische Geister und über notvolle Zeiten von Kriegen und Katastrophen steht die Ankündigung von Verfolgungen, Auspeitschungen und Gefangenschaften um Christi willen. Das ist das Herzstück der Ermahnung. Für die Jünger ist es wichtiger, das, was hier angekündigt wird, zu bedenken, als eine Antwort zu empfangen auf die Frage, wann das alles vollendet werden soll. Diese Warnung vor Verfolgungen will sie auch keinesfalls mutlos machen. Allererst werden sie getröstet, denn der Heilige Geist wird ihnen während solcher Verhöre eingeben, was sie antworten sollen [44]. Hinzu kommt jedoch, daß der Gedankengang dieses zentralen Abschnittes zwischen den Versen 9 und 11 noch einmal unterbrochen wird, um Platz zu schaffen für den Satz: "und allen Völkern muß zuvor das Evangelium verkündigt werden." Diese Aussicht auf die Verkündigung des Evangeliums in aller Welt inmitten von Verfolgungen, Kriegen und Verführungen ist gleichsam das helle und tröstliche Licht in der Zeit, die die Kirche erlebt und der sie entgegengeht [45].

6.3. Das Ende und die Vollendung

Im Anschluß an diesen Abschnitt wird über das Ende der Zeiten gesprochen. Aber das Ende bleibt deutlich auf einem Abstand; allererst schon deshalb, weil diese Skizze über die eigene Zeit und über die nahe Zukunft in der Antwort auf die Frage nach der Vollendung einen breiten Platz einnimmt. Es kommt dann jedoch hinzu, daß die Gegenwart und die große Zukunft deutlich voneinander unterschieden werden, wie es scheint, um denen zu Hilfe zu kommen, die in dieser Hinsicht in Verwirrung geraten sind. Wenn Jesus sie vor falschen Messiasprätendenten warnt, dann fügt er hinzu: "Fürchtet euch nicht, es muß also geschehen, aber das Ende ist noch nicht da" (V.7). Auch von den Kriegen, Erdbeben und Hungersnöten wird gesagt, daß dies der Anfang der Wehen ist, nicht weniger, aber auch nicht mehr (V.8); und in V.10 hat das Wort "zuvor" wiederum dieselbe Funktion. Es ist noch eine Zwischenzeit nötig für die Verkündigung des Evangeliums an alle Völker. Wenn dann wei-

---

44 Der Gebrauch des Begriffes 'Der Heilige Geist' weist auch eher in die Zeit der frühen Kirche als in die des irdischen Jesus.

45 Man könnte auch über 7 Einzelteile sprechen: nacheinander die Verse 5-6, 7-8,9,10,11-13,14-20 und 21-23.

ter in V.14 die apokalyptische Bedrohung durch den Greuel der Verwüstung genannt wird, ist damit nicht ein Geschehen der Endzeit im
strikten Sinne des Wortes gemeint, als ob der Jüngste Tag schon
eingeläutet würde. Umgekehrt folgen darauf Ereignisse, die ganz
diesseitig sind: Flucht, Entbehrung und eventuell die Kälte des
Winters, wenn auch die Dinge sich deutlich zuspitzen und in die
Richtung eines endzeitlichen Dramas weisen. So ist es auch begreiflich, daß der Verfasser darauf die zweite Aussagereihe über falsche
Propheten folgen lassen kann, Geschehnisse, wie sie anfänglich
schon durch die Gemeinde erfahren werden. Aber da wird nun auch
die Zielsetzung des ganzen Abschnittes deutlich: sie dürfen sich
nicht in Verwirrung bringen lassen durch das, was sie jetzt und in
den kommenden Zeiten erleben: "Ihr aber gebt acht, ich habe es
euch alles vorausgesagt." Mit dieser Erinnerung schließt dieser
Teil ab.

Wenn wir den Aufbau und die Struktur dieses Abschnittes überblicken, wird uns deutlich, daß Markus sich nicht vorgenommen hat,
die Gegenwart so eng wie möglich auf das Ende der Zeiten zu beziehen oder diese selbst als den Anfang des endzeitlichen Dramas [46]
zu beschreiben. Das Gegenteil ist der Fall. Während die Kirche seiner Tage anscheinend in Verwirrung zu geraten drohte durch Gerüchte über das bevorstehende Ende, gibt er durch diese Konzeption an,
daß die Geschichte vor dem Ende noch eine eigene Perspektive hat
und daß man die eigene Zeit und die sich ankündigende Zukunft
nicht mit dem Enddrama verwechseln darf [47]. Die Antwort auf die
Frage nach der Vollendung ist eschatologische Paränese [48].

---

46 G.Harder, Das eschatologische Geschichtsbild der sog. kleinen Apokalypse
Markus 13, Th Viat 4, 1952-53, 71-107, schreibt: "Indem Markus das Tempelwort mit
der Frage nach dem Ende kombiniert, zeigt er, daß er das Drohwort eschatologisch
versteht, ... als Stück des endzeitlichen Dramas" 74; vgl. auch 99. Siehe auch W.
Marxsen, o.c. (Anm.40), 113: "Diese (scil. Tempelzerstörung) ist also für ihn ein
Teil des Endgeschehens."
47 H.D.Knigge, The meaning of Mark, Int. 22,1968, 53-70, schreibt auf S.65:
"Mark 13 may well contain, in contradiction to Marxsen, not the sign of the expec-
tation of a direct imminent Parousia, but indications that the delay is already
noticed." So auch H.Conzelmann, Theologie als Schriftauslegung, München 1974, 67:
"Die Intention des Markus dürfte gerade die umgekehrte sein: die Leser von solcher
Deutung der Zeitereignisse (gemeint ist die Erwartung eines sehr nahen Endes,
H.B.) abzuwenden." Nach U.Luz, Das Zukunftsbild der vormarkinischen Tradition, in:
Jesus Christus in Historie und Verkündigung, FS für H.Conzelmann, Tübingen 1975,
347-374, zeigt bereits die von Markus benutzte Tradition eine deutliche Tendenz
zur Enteschatologisierung.
48 H.Conzelmann, o.c., 66.

Der Abschnitt von V.5 bis 23 hat so sehr einen zentralen
Platz, daß es u.E. nicht richtig ist, die darauf folgenden Verse
über die Wiederkunft Christi als die Mitte des Kapitels zu betrachten [49]. Im Grunde der Sache ist mit V.23 die Antwort zu einem
gewissen Abschluß gekommen. Was die darauf folgenden Verse enthalten, ist im Wesen genau das, was die Fragenden in V.4 meinten und
also als bekannt vorausgesetzt werden kann. Nachdem das Verhältnis
der Geschichte zu dem Ende der Tage, zugleich jedoch auch und vor
allem ihre Unterscheidung von dem Ende deutlich gemacht worden
ist, kann eine summarische Andeutung über das Ende folgen. Aber es
ist, als ob der Verfasser, indem er über das Eschaton spricht,
auch schon wieder befürchten muß, daß man daraus vielleicht falsche
Schlußfolgerungen zieht. Darum läßt er darauf gleich wieder warnen-
de Gleichnisse folgen. In dem Gleichnis über den Feigenbaum wird
auf den Zusammenhang gewiesen, der zwischen Gegenwart und Zukunft,
zwischen der Geschichte und ihrem Ende besteht. Aber unmittelbar
darauf folgt eine Bezeugung, daß niemand die Stunde des Endes
kennt, auch nicht die Engel, ja auch nicht der Sohn, sondern
allein der Vater [50]. Und dann schließt das Kapitel ab mit einem
Gleichnis, in dem zur Wachsamkeit aufgerufen wird. Weil der Zeitpunkt der Vollendung für alle gänzlich unbekannt ist, bleibt Wachsamkeit das Gebot der Stunde: die Kombination von Erwartung und
Beharrung. Zu dieser Wachsamkeit wird in den letzten Versen des
Kapitels nicht weniger als dreimal angespornt.

Die Vollendung selbst wird inzwischen mit größter Schlichtheit
erwähnt. In der Sprache der Propheten des A.T. wird darüber gesprochen, daß Sonne und Mond ihr Licht verlieren und daß Sterne vom
Himmel herabstürzen [51]. Miteinander deuten diese Bilder eine Krise
an, die den ganzen Kosmos betrifft. Alles stürzt zusammen. Wir
werden diese so angedeuteten Geschehnisse am Ende jedoch nicht ausschließlich als überdimensionale Katastrophen sehen müssen. Diese
Schilderung hat daneben nämlich auch einen positiven Sinn; das
Werk Christi, der dann zurückkehrt, betrifft nicht nur individuelle

---

49 wie von J.Lambrecht SJ, o.c. (Anm.28) verteidigt wird.
50 Die Formulierung dieses Satzes zeigt, daß wir es in Mk 13 mit Aussagen zu
tun haben, die auf Jesus selbst zurückgehen. Wer hätte in späterer Zeit wohl auf
den Gedanken kommen können, bei dem Sohn Unkenntnis vorauszusetzen mit Bezug auf
den Zeitpunkt des Endes? Wie viel Mühe diese Aussage der Gemeinde bereitet hat,
erfahren wir bei E.Klostermann, Das Markusevangelium, Tübingen [5]1971, z.St.
51 Man denke an Stellen wie Jes 13,10; 34,4; Joel 3,4; Zeph 1,14f.

Menschen, sondern es ist weltweit; es umfaßt die ganze Schöpfung. Die kosmischen Erscheinungen, die hier genannt werden, haben diese doppelte Bedeutung und bilden darin irgendwie eine Parallele zu der des Kreuzes Christi: einerseits als letzte Zuspitzung der widergöttlichen Mächte, die Verderben und Untergang bringen, andererseits jedoch als Zeichen dafür, daß die Wiedergeburt des Kosmos [52] bevorsteht. Darum wird mit dem Bild von der kosmischen Katastrophe unmittelbar das Wort über den Menschensohn verbunden, der mit großer Kraft und Herrlichkeit kommt. Das Bild von Dan 7,13, wo der Menschensohn im Himmel vor Gott erschien, wird hier insofern umgebogen, als der Nachdruck nun auf seinem Kommen zur Welt, auf seiner Parusie liegt [53]. Die Wolken des Himmels sind nur noch eine terminologische Erinnerung an die bei Daniel geschilderte himmlische Herrlichkeit und an die Übertragung der göttlichen Macht, um das Gericht auszuführen.

Der Menschensohn gilt nicht nur als das Zeichen des Endes, ihm ist am Ende alles übertragen; alles hängt von ihm ab, von seinem Auftreten, von seinem Urteilsspruch. Nun ist es merkwürdig, daß über dieses richterliche Auftreten einerseits in universalen Dimensionen gesprochen wird; nichts und niemand kann sich seinem Gericht entziehen. Andererseits werden hieraus niemals spekulative Schlußfolgerungen gezogen. Die Gedanken werden nicht durch Fragen bestimmt wie die, auf welche Weise er richten wird über alle Generationen und Völker, die völlig außerhalb der Offenbarung der Versöhnung stehen, wie sie an Israel und in Christus geschehen ist. Das Evangelium spricht konkret und nennt hier in diesem Zusammenhang lediglich den Richterspruch, der Freiheit und Heil schenkt: "und dann wird er die Engel senden und wird seine Auserwählten versammeln aus den vier Windrichtungen vom Ende der Erde bis zum Ende des Himmels", V.27 [54]. Über Gerichte im Sinne des Verurteilens spricht zwar 8,38, aber auch dort betrifft es ausdrücklich diejenigen Menschen, die mit Christus in Berührung gekommen sind, die sich jedoch über ihn geschämt und ihn auf diese Weise verleugnet haben. Auch hier gibt die Tatsache den Durch-

---

52 Vgl. Mt 19,28.

53 Dasselbe geschieht in 14,62.

54 Dieser Ausdruck darf nur von seiner Gesamtaussage her interpretiert werden, und zwar gegen den Hintergrund des A.T., vor allem Dtn 30,4. Irgendeine Folgerung über den Verbleib der gestorbenen Auserwählten kann aus diesem Text nicht gezogen werden, ohne ihm Gewalt anzutun.

schlag, daß das Evangelium jeden in die Entscheidung stellt und aufruft zum Glauben und zum mutigen Bekennen und zur Wachsamkeit in der Erwartung seiner Wiederkunft. Ebensowenig wie ein Jünger Auskunft erhält über das Wie und Wann der Vollendung, so wenig auch stillt das Evangelium unsere Neugierde, wenn wir wissen möchten, wie es den anderen an dem Tage ergehen wird. Es zeigt darin sein tiefstes Wesen, daß es durch die glaubende Gemeinde gelesen werden darf als eine Botschaft, die gerade im Blick auf diese große Perspektive zur Wachsamkeit und zum Ausharren aufruft.

6.4. Ist die Vollendung nahe?

Nun scheint aber Mk 13 zumindest eine Aussage zu enthalten, die wohl Information gibt über die Zukunft und selbst einigermaßen die Zeit angibt, in der Erfüllung und Vollendung definitiv zusammenfallen [55]. Gemeint ist V.30: "Wahrlich, ich sage euch, dieses Geschlecht wird nicht vergehen, bis dies alles geschieht." Es ist nicht möglich, diesen Satz von seinem Kontext her zu erklären, denn es zeigt sich schon bald, daß gerade in diesem Teil des Kapitels verschiedenartige Aussagen zu einem Ganzen zusammengefügt sind [56]. Wenn dieser Ausspruch wörtlich auf Jesus zurückgeht, ist damit noch nicht zwingend gesagt, daß er damit auch die Vollendung gemeint hat [57]. Auch ist es alles andere als sicher, daß mit der Rede über 'dieses Geschlecht' an 'diese Generation' gedacht ist, daß alles sich folglich während des Lebens der Zeitgenossen Jesu ereignen müßte. Die ausführliche Diskussion hierüber zeigt, wie schwer es ist, sich in dieser Frage zu entscheiden [58]. Dieser Ausdruck mit seiner negativen Füllung scheint so sehr durch das A.T. (Deut 32,5; Ps 78,8; 95,10) und durch apokalyptische Schriften (Äth Hen 93,9; Jub 13,16-18) bestimmt zu sein, daß eine primär zeitliche Bedeutung weniger auf der Hand liegt. Allerdings wird

---

55 Siehe für die Behandlung dieser Frage z.B. W.G.Kümmel, Die Naherwartung·in der Verkündigung Jesu, in: Zeit und Geschichte, FS für R.Bultmann, Tübingen 1964, 31-46.

56 Vgl. E.Gräßer, Das Problem der Parusieverzögerung in den synoptischen Evangelien und in der Apostelgeschichte, BZNW ²1960, 128f.

57 auch wenn das wohl wahrscheinlich ist; siehe W.G.Kümmel, o.c. (Anm.55), 39-41.

58 Vgl. die eingehende Behandlung dieser Frage durch H.N.Ridderbos, De komst van het Koninkrijk, Kampen 1950, 420-425; weiter M. Meinertz, 'Dieses Geschlecht' im Neuen Testament, BZ,NF 1,1957, 283-289; A.Ambrozic, St. Mark's concept of the Kingdom of God, Würzburg 1970; F.Mußner, Was lehrte Jesus über das Ende der Welt? Freiburg ²1963, 64; R.Maddox, The purpose of Luke-Acts, Edinburgh 1982, 111-115.

dieser Ausdruck später in Qumran wieder in einem eschatologischen
Rahmen und im Zusammenhang mit dem Gericht Gottes gebraucht [59].
Nun muß bei dieser Frage jedoch bedacht werden, daß von den Zeiten
des A.T. her die prophetische Rede sich dadurch auszeichnete, daß
feststehende Ereignisse der Zukunft als nahe verkündigt wurden [60].
Ausdrücke über eine zeitliche Nähe haben anscheinend den Sinn, auf
die Gewißheit des Kommenden Nachdruck zu legen [61], so z.B. Joel
1,15; 2,1; 4,14; [62] Dan 12,7. Auch im N.T. äußert sich der Glaube
immer wieder in verhältnismäßig begrenzten zeitlichen Kategorien.
Das gilt schon für Jesus (Mk 9,1 [63]; 13,30 [64]); dasselbe gilt aber
beispielsweise auch für Paulus (1 Thess 4,15); und es bestimmt
selbst das letzte Bibelbuch bis zu seinen letzten Versen (Offb
22,20). Insofern ist es eine nicht ganz richtige Vorstellung, wenn
man davon ausgeht, daß die Kirche in den ersten Jahren ihres
Bestehens von einer sogenannten Naherwartung beherrscht gewesen
sei, während der Glaube in späteren Zeiten mehr und mehr mit
langen Zeitläuften rechnete. Irgendwie wird die Sprache des Glaubens immer wieder die Neigung haben, ihre Gewißheit und Festigkeit
in Aussagen über die Nähe zum Ausdruck zu bringen.

Bei alledem dürfen wir nun jedoch nicht übersehen, daß z.B.
Markus dieses Reden über die Nähe deutlich relativiert, indem er
zugleich das Unbekannte des Zeitpunktes betont. Er war es anscheinend, der die Aussage von V.31 mit der von V.32 verband; er wird
es auch gewesen sein, der diese beiden miteinander in Spannung ste-

---

59 1Q pHab 2,6f, wo die Rede ist von allem, was kommen wird über das letzte
Geschlecht.(הדור האחרון).

60 Vgl. G.von Rad, Theologie des Alten Testaments II, München 1960, 128: "Das
Charakteristikum der prophetischen Botschaft ist ihre Aktualität, ihre Naherwartung."

61 Vgl. M.Horstmann, Studien zur markinischen Christologie, Münster 1969, 64.

62 H.W.Wolff spricht in seinem Kommentar zu Joel (BK XIV/2) auf S.39 im Zusammenhang mit dem Ausdruck יהוה יום über die 'gerichtseschatologische' Bedeutung,
die dieser Terminus bei Joel empfängt.

63 Diese Aussage Jesu hat alle Kennzeichen der Authentizität. Die Aufmerksamkeit
für die Frage der als nah erwarteten Vollendung - an ihr kann kein Zweifel bestehen - darf uns nun aber nicht den Blick verschließen für die hier gemachte deutliche Unterscheidung zwischen dem Anbruch des Reiches Gottes im Auftreten Jesu als
Messias einerseits und dem Durchbruch dieses Reiches in seiner definitiven Macht
und Herrlichkeit andererseits.

64 Vgl. H.N.Ridderbos, o.c. (Anm.58), 411. Obwohl er in dem Ausdruck 'dieses
Geschlecht' keinerlei nähere zeitliche Begrenzung angedeutet findet (424), ist er
doch auf Grund einiger anderer Aussagen überzeugt, daß Jesus in seinem Reden über
die Zukunft mit Sicherheit nicht von einer Zeitspanne von Jahrhunderten ausgegangen ist, sondern eher mit einer begrenzten Zahl von Jahren gerechnet hat.

henden Aussagen mit zwei Gleichnissen Jesu erläutert hat, von
denen dasselbe gilt. Das heißt also: er hat eine Gemeinde, die mit
der Zusage der nahen Vollendung lebte, dahin führen wollen, daß
sie mehr auf Wachsamkeit bedacht war als auf die Frage nach dem
Wann der Vollendung. Insofern bestätigen diese letzten Verse des
13.Kapitels das, was wir aus der Struktur seines ersten Teiles
schon früher gefolgert hatten: die Frage nach Information wird vor
allem durch eschatologische Ermahnung und Ermutigung beantwortet.
Darin besteht die Aktualität dieses Kapitels über die Zukunft für
den Leser des ersten Jahrhunderts; und darin liegt ohne Zweifel
auch seine Aktualität für uns als heutige Leser.

Kapitel 3

Das Matthäusevangelium

0 Einleitung

Aus der Tatsache, daß wir dieses erste Evangeliumn erst nach
Markus behandeln, kann schon abgeleitet werden, daß wir es mit den
meisten Auslegern für jünger halten. Nach unserer Meinung bestätigt
sich dieser Ausgangspunkt auch, wenn wir der Frage nach der eschatologischen Botschaft in diesem Evangelium nachgehen. Es ist nämlich nicht nur später geschrieben, es hat auch das Markusevangelium
zu einem großen Teil übernommen und verwertet. Auch die Grundstruk-
tur jenes Evangeliums finden wir bei Matthäus wieder. Zwar stellt
er zwei eigene Kapitel über die Geburt und Kindheit Jesu an den
Anfang; von Kap. 3 an zeichnet er jedoch den Weg Jesu so wie Markus, beginnend mit dem Auftreten Johannes des Täufers. Der allgemeine Rahmen wird weiter bestimmt durch Jesu Taufe und Versuchung,
sein Auftreten in Galiläa, den Wendepunkt dort mit der wiederhol-
ten Leidensankündigung, den Weg zum Kreuz, sein Sterben und seine
Auferstehung, um nur diese wichtigsten Wegmarkierungen zu nennen,
um die herum sich der gesamte Stoff gruppiert. Ein näherer Vergleich zeigt weiter, daß Matthäus in weiten Teilen Markus auf dem
Fuße folgt. Das gilt in sicherer Hinsicht von Kap. 12 an, noch
deutlicher jedoch in Kap. 13 mit den verschiedenen Gleichnissen
des Gottesreiches, gänzlich aber ab 14,1. Dann ist die Abfolge der
Perikopen durch alle folgenden Kapitel hindurch dieselbe. Über
große Teile hinweg hat er keine nennenswerte Änderungen angebracht;
und nur hier und dort hat der Verfasser dem Stoff einige Details
aus anderen Quellen hinzugefügt (z.B. 20,1-16; 21,28-32; 22,1-14).
Mit Ausnahme der großen Redenkompositionen in den Kapiteln 18 und
23-25 folgt er weiterhin Markus und läßt aus der Leidensgeschichte
keine einzige Besonderheit weg; er fügt lediglich zwei kürzere Abschnitte ein (27,3-10.62-66). Auch bei seinem Bericht über die Auferstehung und die Erscheinungen Jesu geht er von der markinischen
Vorlage aus, wenn auch hier seine redaktionellen Zusätze von größe-
rer Bedeutung sind.

Matthäus muß jedoch auch über andere Quellen oder Traditionen
verfügt habe. Er hat eine größere Menge Stoff aufgenommen, den wir
nicht nur bei ihm, sondern auch bei Lukas finden und der, von eini-

gen Ausnahmen abgesehen, vor allem die Predigt Jesu enthält. Wegen
der oft wörtlichen Übereinstimmung und der weithin gleichen Reihenfolge wird im allgemeinen angenommen, daß zumindest große Teile
hiervon in schriftlicher Form vorgelegen haben müssen. Die Eigen-
art dieses Stoffes läßt vermuten, daß er aus judenchristlichen
Gemeinden stammt [1]. Wir werden im nächsten Abschnitt sehen, wie
Matthäus diesen Stoff aus der sogenannten Logienquelle - zumeist
als 'Q' angedeutet - in den von Markus übernommenen Rahmen seines
Evangeliums eingearbeitet hat.

Weiter erweckt Matthäus den Eindruck, daß er daneben auch
Zugang gehabt hat zu Quellen und Traditionen, die die anderen Evangelisten anscheinend nicht gekannt haben; man denke an die ersten
beiden Kapitel, an Teile der Bergpredigt (5,3-37; 6,1-6.16-18;
7,6), den bekannten Heilandsruf an die Mühseligen und Beladenen
(11,28-30), verschiedene Gleichnisse über das Reich Gottes (13,24-
30.36-52), das Gespräch über die Tempelsteuer (17,24-27), Teile
aus der Rede von Kapitel 18 mit Bezug auf das Leben in der Gemeinde (V.15-35), das Gleichnis von den Arbeitern im Weinberg (20,
1-16), größere Abschnitte aus den eschatologischen Reden (Kap.
23-25) und die schon eher genannten Einzelheiten aus dem Bericht
über Leiden, Sterben und Auferstehung Jesu. Vor allem die Erzählung
über den Betrug der Hohenpriester (28,11-15 im Anschluß an 27,62-
-66) und der Missionsbefehl (28,18-20), zwei Perikopen aus anderen
Quellen, sind redaktionell und theologisch gesehen nicht weniger
wichtig als die beiden Kapitel am Anfang.

1 Die Struktur des Evangeliums

Wenn wir wissen, daß ein Evangelist bei der Abfassung seiner
Schrift von verschiedenen Quellen Gebrauch gemacht hat, dann
werden wir neugierig, denn wir möchten wissen, wie er mit ihnen
umgegangen ist. Es gibt keinen einzigen Evangelisten, der den überlieferten Stoff unbesehen abgeschrieben hat. Auch Matthäus hat das
nicht getan. Er hat sich dort, wo er das für nötig hielt, alle

---

1 G.Bornkamm, RGG[3] II[2] 758; H.E.Tödt, Der Menschensohn in der synoptischen
Überlieferung, Gütersloh [2]1963, 206. Das würde auch für den Fall gelten, daß die
Redaktion von Q später angesetzt und in Syrien lokalisiert werden müßte, wie D.
Lührmann, Die Reaktion der Logienquelle, Neukirchen 1969, 88f es verteidigt; vgl.
auch S.Schulz, Q - die Spruchquelle der Evangelisten, Zürich 1972, 42.

Freiheit genommen, den Stoff so zu ordnen, wie er das im Rahmen seiner Zielsetzung für wünschenswert oder notwendig hielt.

Auffallend sind an erster Stelle fünf große Reden Jesu, verstreut über das ganze Evangelium.Mehr oder weniger hat jede Rede ihre eigene Thematik, und man kann gut erkennen, daß sie durch den Verfasser weitgehend redigiert worden sind. Es geht um die folgenden Teile:

(1) Kap. 5-7 die Bergpredigt;

(2) Kap. 10 die Aussendungsrede;

(3) Kap. 13 die Gleichnisse vom Reich Gottes;

(4) Kap. 18 die Rede über die Jüngerschaft und das Leben in der Gemeinde;

(5) Kap. 23-25 die Gerichtsankündigung und die eschatologische Rede.

Nur in den Kapiteln 13 und 24 konnte Matthäus inhaltlich anknüpfen an Predigtstoff, den er in Mk 4 und 13 vorfand. In den anderen Fällen war es vor allem Stoff aus Q, der den Kern dieser Unterweisungen ausmacht und durch den Evangelisten im Zusammenhang mit den verschiedenen Gelegenheiten und Themen komponiert wurde. Doch kann darüber hinaus gesagt werden, daß in allen fünf Fällen zumindest Anknüpfungspunkte im Markusevangelium vorlagen, von denen Matthäus ausgehen konnte. Ein eingehender synoptischer Vergleich der betreffenden Texte zeigt nämlich ganz deutlich, daß Mk 1,14f; 6,6b; 4,1; 9,34-37 und 12,37-40 + 13,1ff die redaktionellen Anknüpfungs- bzw. Ausgangspunkte bilden für die großen Reden im Matthäusevangelium.

Daß Matthäus diesen fünf großen Kompositionen strukturell gesehen große Bedeutung beimißt, wird deutlich aus den stereotypen Sätzen, die sich ohne nennenswerte Änderungen fünfmal wiederholen: "Und es geschah, als Jesus diese Worte vollendet hatte, daß ..." (7,28; 11,1; 13,53; 19,1; 26,1). Man hat in der Forschung wiederholt die Frage gestellt, ob wir damit vielleicht einem alles beherrschenden Strukturprinzip auf die Spur gekommen sind. Manche gingen selbst so weit, in diesen fünf Reden ein n.t.-liches Pendant zur Tora des A.T. und in Jesus den zweiten Moses zu sehen [2].

---

2 B.W.Bacon, The 'five books' of Matthew against the Jews, ET 15,1918, 56-66, jetzt in deutscher Übersetzung unter dem Titel: Die 'fünf Bücher' des Matthäus gegen die Juden, in: Das Matthäusevangelium, W.d.F. 525, Darmstadt 1980, 41-51; weiter G.D.Kilpatrick, The origins of the Gospel according to St. Matthew, Oxford 1950, 135f. Eine Korrelation zwischen Jesu Lehre und dem mosaischen Gesetz nimmt auch K.F.Nickle, The synoptic Gospels, Atlanta 1981, 94-124, an.

Andere vermuteten einen engen Zusammenhang zwischen der Predigt
Jesu in den genannten Kapiteln und den vorhergehenden Teilen mit
erzählendem Stoff [3]. Es ist für uns klar, daß wir aus diesen
Formeln ohne wichtige Gründe keine weitreichende Folgerungen
ziehen dürfen [4]. Doch läßt sich mit guten Gründen die These verteidigen, daß Matthäus in allen fünf Fällen einen engen Zusammenhang
gesehen oder gelegt hat, allerdings nach unserer Überzeugung nicht
mit den vorangehenden, sondern mit den darauf folgenden Kapiteln.
Natürlich kann das wegen der Treue zum überlieferten Stoff den
Inhalt dieser Kapitel nur zu einem Teil beeinflussen, deutlicher
jedoch ihre Komposition und Redaktion. Weil es für die rechte
Einsicht in die Formgebung der eschatologischen Botschaft von
großem Belang ist, wollen wir diese Zusammenhänge näher skizzieren.
Wir können sie dann später voraussetzen und auf sie zurückweisen.

(1) Matthäus selbst hat die Bergpredigt - strukturell gesehen
- eng mit den darauf folgenden Kapiteln 8 und 9 verbunden, in
denen er nicht weniger als zehn Wundergeschichten und andere
Abschnitte über die Nachfolge zu einer großartigen Einheit zusammengestellt hat. Das wird vor allem deutlich aus den gleichlauten-
den Sätzen von 4,23 und 9,35: "Und Jesus zog in ganz Galiläa um-
her, lehrte in ihren Synagogen, predigte das Evangelium vom Reich
und heilte alle Krankheiten und alle Gebrechen" [5]. In den drei Ausdrücken, lehren, verkündigen und heilen, faßt Matthäus alles zusammen, was er in den Kapiteln 5-9 erzählt. Und durch diese bewußt so
formulierte Einrahmung zeigt der Verfasser, wie sehr er diese Kapitel strukturell und theologisch als Einheit betrachtet. Auch die
zehn Wunder in diesen Kapiteln sind zumindest sehr bemerkenswert.

---

3 So z.B. K.Stendahl, The school of Matthew and its use of the Old Testament,
Uppsala 1969, 26ff und J.P.Meier, The vison of Matthew, New York 1979, 39. Die
Kritik namentlich gegen die Einteilung Stendahls, (vgl. R.Walker, Die Heilsgeschichte im ersten Evangelium, Göttingen 1967, 146) richtet sich vor allem gegen
die Tatsache, daß die beiden ersten und die drei letzten Kapitel auf diese Weise
degradiert werden resp. zu einer Präambel und einem Epilog.
4 In der Nachfolge von N.B.Stonehouse betrachten J.D.Kingsbury, Matthew, structure, christology, kingdom, London 1976, 7-9 und K.F.Nickle, o.c. (Anm.2), 112,
die Ausdrucksweise in 4,17 und 16,21 ("Seit der Zeit fing Jesus an zu predigen und
zu sagen bzw. zu zeigen sein Jüngern...") als auf der Hand liegende Hinweise für
die vom Evangelisten beabsichtigte literarische Struktur des Evangeliums.
5 Vgl. Chr.Burger, Jesu Taten nach Matthäus 8 und 9, ZThK 70, 1973, 272-287;
H.J.Held, Matthäus als Interpret der Wundergeschichten, in: G.Bornkamm, G.Barth,
H.J.Held, Überlieferung und Auslegung im Matthäusevangelium, Neukirchen 1975,
234.

Man hat darauf gewiesen, daß in der Mischna (Aboth 5,4) die folgende Aussage steht: "Zehn Wunder geschahen unseren Vätern in Ägypten
und zehn am Meere" [6]. Wenn wir davon ausgehen dürfen, daß Matthäus
sein Evangelium bewußt und grundlegend gegen den Hintergrund des
A.T. und in der Nachbarschaft zum Judentum geschrieben hat, und
wenn wir beim Lesen der Bergpredigt unter den Eindruck der messianischen Tora kommen, die Jesus mit göttlicher Vollmacht auslegt
und lehrt, dann ist auf jeden Fall genugsamer Grund vorhanden,
zumindest mit der Möglichkeit zu rechnen, daß auch der Zusam-
menstellung der zehn Wunder eine symbolische Bedeutung zugrunde
liegt.

(2) Kapitel 10 enthält die Aussendungsrede und spricht ausführlich über das, was den Jüngern Jesu bei der Erfüllung ihrer
Aufgabe widerfahren wird. Sie werden gesandt als Schafe mitten
unter die Wölfe (V.16). Matthäus hat auch einige Aussagen Jesu aus
der eschatologischen Rede von Mk 13 hier untergebracht (V.17-22a),
allem Anschein nach, um zu betonen, wie sehr Jüngerschaft und
Zeugnis mit Verfolgung gepaart gehen werden. Aber es wird auch auf
alle mögliche Weise eine Parallele gezeigt zwischen den Jüngern
und Jesus. Ihre Predigt hat denselben Inhalt wie seine (vgl. 10,7
mit 4,17); sie werden dieselben Taten tun, die gerade von ihm
erzählt worden sind und von denen auch der gefangene Johannes
etwas weiß (vgl. 10,8 mit den Kapiteln 8-9 und mit 11,5); sie werden sich genauso auf Israel beschränken, wie Jesus selbst das
getan hat (vgl. 10,5 mit 15,24); sie werden - so sagt Jesus ausdrücklich - nicht weniger mit Beelzebub in Zusammenhang gebracht
werden als er (vgl. 10,25 mit 9,34 und mit 12,24-27); ihr Los wird
sich nicht unterscheiden von dem, was ihm widerfährt (10,25); aber
auch das Umgekehrte gilt: "Wer euch aufnimmt, nimmt mich auf"
(10,40).

Wenn wir nun die Kapitel 11 und 12 hiermit vergleichen, zeigt
sich, daß die Thematik tatsächlich dieselbe ist. Es geht um das
messianische Auftreten Jesu inmitten von Widerstand, Ablehnung,
Feindschaft und Unglauben, wie sich in den Beschuldigungen, Streitgesprächen und ungläubigen Fragen um ein Zeichen zeigt. Auch der

---

6 Vgl. W.Grundmann, Die Arbeit des ersten Evangelisten am Bilde Jesu, in: Das
Matthäusevangelium, W.d.F. 525, Darmstadt 1980, 76. Übrigens fügt die Mischna dem
an der Stelle eine Aufzählung hinzu von zehn Versuchungen (Num 14,22), zehn Wundern
im Heiligtum und zehn Dingen, die am Abend vor dem Sabbat erschaffen sein sollen.

Abschnitt über Johannes den Täufer paßt gut in diesen Zusammenhang, hatte er doch wörtlich dieselbe Botschaft gebracht wie Jesus
und seine Jünger (vgl. 3,2 mit 4,17 und 10,7); und er war das
Opfer derselben Feindschaft geworden, wie sie sich um Jesus herum
entwickelte und wie sie den Jüngern vorhergesagt wurde.

(3) Kapitel 13 enthält sieben Gleichnisse, in denen es auf
irgend eine Weise immer wieder um das Kommen und das Wachstum des
Reiches Gottes geht, zwar inmitten von Unglauben und Widerstand,
aber doch mit der Aussicht auf Vollendung und letztendlichen Sieg.
Die darauf folgenden Kapitel 14-17, die abgesehen von der letzten
Perikope (17,24-27) in ihrer Gesamtheit aus Markus (6,14 - 9,32)
übernommen sind, illustrieren dies auf vielfache Weise, namentlich
durch eine ansehnliche Zahl von Wundererzählungen. Diese sind zwar
viel kürzer wiedergegeben als bei Markus, aber ihre Bedeutung als
Zeichen des Reiches Gottes und als göttliche Taten, die Glauben
verdienen, kommt darin um so mehr zum Ausdruck, wie ein synoptischer Vergleich zeigen kann. Man achte auch auf kleine, aber nicht
unbedeutende Hinzufügungen wie z.B. in 14,21b.28-31; 15,28.31b.
38b; 17,20. Daneben darf hingewiesen werden auf das Bekenntnis des
Petrus (16,16-18), das in einem viel positiveren Licht steht als
das bei Markus der Fall war, und auf die Verklärung Jesu auf dem
Berge, der Matthäus zwei Details hinzufügt: Jesu Angesicht leuch-
tete wie die Sonne (17,2) und die drei Jünger warfen sich auf ihr
Angesicht (V.7). Bemerkenswert ist auch die Reaktion Jesu auf die
Frage der jüdischen Kontrahenten um ein Zeichen (16,1-4); bevor er
Markus folgt in der Antwort von V.4 [7], fügt er zuvor eine andere
Reaktion ein, nämlich, daß sie über die Zeichen von Morgen- und
Abendrot wohl urteilen können, die Zeichen der Zeit jedoch nicht
verstehen. Und mit diesen Zeichen sind hier keine apokalyptischen
Zeichen des Endes gemeint, sondern die Zeichen des Reiches, die
aus den Wundern bestehen, die gerade vorher geschehen sind.

(4) Kapitel 18 besteht aus einer Anzahl kleinerer Abschnitte
über das Verhältnis der Jünger untereinander in der durch Christus
gegründeten Gemeinschaft der Kirche: daß sie sich sorgen sollen um
die Kleinen, sich kümmern sollen um das Verlorene, daß sie den
Bruder gewinnen, indem sie mit ihm sprechen, daß sie Vergebung
schenken und bereit sind, Schulden zu erlassen. Auch jetzt gilt

---

7 Mk 8,11-12a = Mt 16,1-2a; Mk 8,12b = Mt 16,4.

wieder, daß die darauf folgenden Kapitel 19-22 gänzlich durch den Inhalt der markinischen Vorlage (Mk 10,1 - 12,37a) bestimmt werden. Zugleich jedoch ist es auffallend, daß in diesen Kapiteln ein so großer Nachdruck fällt auf die gebotene Demut (19,13-15), auf die Bereitschaft zum Opfer (19,16-22.23-30) und auf das Gebot der konsequenten Liebe zum Nächsten (22,37-40). Weiter weisen wir auf einige kleinere Hinzufügungen hin, die eine bestimmte Botschaft im Text nochmals besonders akzentuieren: in 20,29-34 sind es zwei Blinde, über die Jesus sich erbarmt, und durch die Wiederholung des Rufes "Ach Herr, erbarme dich über uns!" wird der Nachdruk um so mehr auf die Liebe gelegt, in der der Messias sich ihnen zuwendet. Denselben Nachdruck auf die Niedrigkeit im Auftreten Jesu legt Matthäus auch in dem Abschnitt über den Einzug in Jerusalem und die Tempelreinigung (21,1-27). Durch das Zitat aus Jes 62,11 und Sach 9,9 wird die Niedrigkeit des Messias (V.9!) ausdrücklich betont (V.5); auffallend ist auch, daß Matthäus zwei Tiere nennt (V.2 u.7) und hinzufügt, daß Jesus sich auf s i e (!) setzte. Dies ist weder auf Unachtsamkeit noch auf ein verkehrtes Verstehen des Parallelismus von Zach 9,9 zurückzuführen und auch nicht allein dadurch zu erklären, daß Matthäus bemüht war, Verheißung und Erfüllung so wörtlich wie möglich aufeinander zu beziehen. Will der Verfasser auch hier die Niedrigkeit Jesu unterstreichen? Das ist nicht unwahrscheinlich. Nach V.14-16 ist Jesus danach beim Tempel wiederum in der Gemeinschaft von Blinden, Lahmen und Kindern. Sowohl ihr wiederholter messianischer Jubel (V.15) als auch das Zitat aus Ps 8,3 LXX (V.16) machen noch einmal deutlich, daß der Messias gerade zu diesen Menschen gehört, die verachtet sind bzw. (noch) nicht mitgerechnet werden. Schließlich müssen in diesem Zusammenhang auch noch ein paar Abschnitte bzw. Aussagen genannt werden, in denen aller Nachdruck auf den Maßstab der Barmherzigkeit Gottes (20,1-12) und auf die Forderung, dieser Barmherzigkeit zu entsprechen, gelegt wird (21,28-32.41-43; 22,11-14). So wird auch durch diese Kapitel hindurch ein roter Faden sichtbar, der immer wieder an die verschiedenen Ermahnungen in Kapitel 18 erinnert.

(5) Die Kapitel 23-25 bilden schon von dem Anknüpfungspunkt bei Markus her eine Einheit. Dabei werden nicht weniger als zwei Kapitel mit Warnungen vor dem kommenden Gericht gefüllt, erst an die Adresse der jüdischen Gegner (Kap.23), danach jedoch auch für

die Jünger Jesu (Kap.25). Aber auch in Kap. 24, das genau wie Mk
13 den Blick auf die große Zukunft enthüllt, spielt die Warnung
vor dem kommenden Gericht eine große Rolle (24,37-39.40-42.45-51).
Zugleich wird die apokalyptische Sprache hier und dort verstärkt
(V.30f). Die Kapitel 26-28 mit dem Bericht über Jesu Leiden, Ster-
ben und Auferstehen sind natürlich völlig durch den überlieferten
Stoff bestimmt. Um so bemerkenswerter ist es nun aber, daß Matthäus die eschatologische Perspektive in diesen Kapiteln an einigen
Punkten deutlich hervorhebt. In 26,64 antwortet Jesus auf die
Frage, ob er der Christus, der Sohn Gottes, sei, folgendermaßen:
"Du sagst es, doch ich sage euch: v o n n u n a n werdet ihr den
Menschensohn sitzen sehen zur Rechten der Allmacht und kommen auf
den Wolken des Himmels [8]. Die Frage nach seiner Messianität beantwortet Jesus also, indem er sagt, er sei von nun an ihr himmlischer
und ewiger Richter. In 27,3-10 erzählt Matthäus über das Ende des
Judas. Nach 27,19 hat selbst die Frau des Pilatus in einem Traum,
erlebt, daß die Verurteilung Jesu Drohungen für die Zukunft nach
sich ziehen wird. Dem steht dann gegenüber, daß in einem Augenblick
der Fanatisierung nicht nur eine leitende Gruppe, sondern das
ganze Volk die Verantwortung für den Tod Jesu übernimmt mitsamt
dem Risiko des Gottesurteils über sich und ihre Kinder (27,25).
Ganz besonders aber wollen die Berichte über das, was in der
Stunde des Sterbens Jesu geschehen ist, beachtet sein. Mit Markus
erwähnt der Evangelist die Finsternis von drei Stunden (V.45) und
das Zerreißen des Vorhangs im Tempel (V.51a). Er fügt dem jedoch
einige Besonderheiten hinzu, die dem Ganzen eine apokalyptische
Färbung geben und eng mit der Botschaft der Auferstehung und
Vollendung zusammenhängen: die Erde erbebte, die Felsen spalteten
sich und Gräber taten sich auf, und viele Leiber der entschlafenen
Heiligen standen auf und kamen aus den Gräbern nach seiner Auferstehung und gingen in die heilige Stadt (V.51-53). Diese Verbin-
dung zwischen dem Sterben Jesu und den apokalyptischen Zeichen der
Endzeit ist es dann auch, die nach V.54 den Hauptmann und seine
Mannschaft (!) zu dem Bekenntnis brachte: "Wahrhaftig, dieser ist
Gottes Sohn gewesen." Mit dieser Zeichnung stimmt schließlich auch

---

8 Das gesperrt Gedruckte ist eine Hinzufügung des Matthäus. Durch das Wort πλήν
erreicht der Verfasser, daß die Aussagen von V.63 und die von V.64a einander gegen-
überstehen. Für sie, die ihn abweisen, ist er nicht der Christus im Sinne des Heilbringers, sondern der Richter; ἀπ' ἀρτι gibt die Zeit an, seitdem dies gilt.

die Szene in Kap.28 überein, wo die römischen und jüdischen Gegner als ratlos dargestellt werden.

Diese Übersicht rechtfertigt die These, daß die stereotype Formel am Ende der fünf großen Reden Jesu eine Brücke zu den darauf folgenden Kapiteln schlagen sollte. Was uns mit Bezug auf die Kapitel 5-7 und 8-9 allein schon durch die sie einrahmenden Sätze von 4,23 und 9,35 deutlich geworden ist, bestätigte sich durch das ganze Evangelium hindurch. Damit ist jedoch der aus den Kapiteln 1-4 bestehende erste Teil des Evangeliums keineswegs außer Acht gelassen oder zu einem Prolog degradiert. Das Umgekehrte ist der Fall: In den ersten vier Kapiteln wird Jesus als der Messias für Israel und für die Welt eingeführt. Dort wird das Thema des ganzen Evangeliums bereits zum Ausdruck gebracht. Wer diese Kapitel gelesen und verstanden hat, der weiß, daß er mit der Botschaft über das Erscheinen des Messias konfrontiert wird. Das ist und bleibt die Grundlage für die fünf großen Teile, die darauf folgen. Dieser Messias beginnt lehrend, verkündigend und heilend sein Werk (5-9). Er sendet sodann seine Jünger aus, um mit derselben Botschaft und demselben Auftrag in seinen Dienst zu treten, bereit, das zu erleiden, was ihm als ihrem Sender widerfährt (10-12). In einer Abfolge von sieben Gleichnissen spricht er über den Durchbruch des Reiches Gottes trotz allem Widerstand und aller teuflischen Abwehr. Er läßt sehen, daß dies alles auch seine Verwirklichung gefunden hat in den großen Wundertaten Jesu, die trotz aller Beschuldigungen und Lästerungen doch Menschen zum Glauben und zum Bekenntnis bringen, auf das er seine Gemeinde bauen wird (13-17). Als Christus, der sich durch Niedrigkeit auszeichnet, spricht er ausführlich mit seinen Jüngern über die Unerläßlichkeit von Demut, Dienstbereitschaft und Vergebung, über Opfer für die neue Gemeinschaft der Gemeinde, deren Gründer und erste Glieder sie sind; und durch die Weise, wie er selbst als der Niedrige und Barmherzige seinem Sterben entgegengeht, gibt er an, was dies alles beinhaltet (18-22). Und schließlich spricht er vor Freund und Feind über die große Zukunft, die Vollendung der Welt, die für sie alle das Gericht Gottes mit sich bringt. Der Bericht über sein Leiden und Sterben läuft denn auch nicht allein auf den Sieg in seiner Auferstehung hinaus, sondern läßt an einigen Punkten zugleich deutlich erkennen, wie das Gericht Gottes schon während jener Tage sich abzeichnet und ankündigt (23-28).

2   Die Erfüllung

2.1. Das Kommen seines Reiches

Es besteht zwischen Markus und Matthäus keinerlei Unterschied, wenn es um das Kommen des Reiches geht. Die Gesichtspunkte der Gegenwärtigkeit und der Zukünftigkeit bestimmen in beiden Fällen die Art, wie sie über das Reich Gottes sprechen. Doch gibt es einen bedeutsamen Unterschied. Der Nachdruck auf die Gegenwart ist bei Matthäus ausgeprägter und bestimmender als dies bei Markus der Fall war. Die Anfangsproklamation von Mk 1,15a übernimmt Matthäus gleich dreimal: als Zusammenfassung der Predigt des Täufers (3,2), Jesu (4,17) und der durch ihn beauftragten Jünger (1o,7). Die Kapitel 5-9 werden, wie wir sahen, durch die Aussage eingerahmt, daß Jesus durch ganz Galiläa zog, u.a. um das Evangelium des Reiches zu verkündigen; und das bedeutet: des hier und jetzt kommenden Reiches. In diesem Rahmen müssen auch die Seligpreisungen genannt werden, und zwar nicht nur, weil in den zwei Fällen, in denen das Himmelreich als göttliche Gabe vorkommt, die Gegenwartsform gebraucht wird [9], sondern vor allem, weil nicht weniger als achtmal [10] hintereinander gesagt wird: "selig sind, die ..." (5,3-11). Von einer neuen heilsgeschichtlichen Situation aus wird das messianische Heil als etwas verkündigt, was sich bereits auf die Gegenwart bezieht. Dieser Erfüllungsaspekt fehlt auch in dem Aufruf von 6,33 nicht. "Trachtet am ersten nach dem Reich Gottes und nach seiner Gerechtigkeit" kann nicht anders verstanden werden denn als ein Ansporn, jetzt Gott über sich herrschen zu lassen und nach der besseren Gerechtigkeit (5,20) zu trachten, die Jesus gerade in messianischer Vollmacht näher ausgelegt hat, 5,21-48 vor allem gegen die Halacha der Schriftgelehrten und 6,1-18 vor allem gegen die Praxis der Pharisäer [11]. Weiter verdient in diesem Zusammenhang 11,11-15 unsere Aufmerksamkeit. Wie man diese Aussagen auch weiter auslegt, über zwei Dinge kann redlicherweise kein Zwei-

---

9 V.3 und 10.
10 Die 9. Seligpreisung in V.11, in Prosa und in der 2.Person, ist eine Aktualisierung der 8. Seligpreisung in V.10 und ausdrücklich an die Jünger gerichtet, vgl. 10,17-19.
11 Vgl. J.Jeremias, Die Bergpredigt, in: Abba, Studien zur neutestamentlichen Theologie und Zeitgeschichte, Göttingen 1966, 171-189, vor allem 182.

fel bestehen: allererst, daß die Aussage von V.11 bestimmt wird durch den heilsgeschichtlichen Unterschied zwischen der Zeit des Täufers und der der Jünger Jesu, die das Vorrecht haben, in dem Heute der Erfüllung zu stehen; und zweitens, daß nach V.12 das Reich Gottes jetzt durch seine Gegner bedroht oder von anderen Menschen mit aller Gewalt erobert wird [12]. Auch auf Kapitel 13 mit der Reihe von sieben Gleichnissen über das Reich Gottes muß in diesem Zusammenhang hingewiesen werden. Obwohl sie ganz deutlich auf die Erfüllung des Reiches gerichtet sind (namentlich gilt dies für V.24-30. 36-43.47-50), verkennt jede Auslegung, die die Gegenwart des Reiches außer Acht läßt, das Ziel dieses ganzen Kapitels. Das Senfkorn wächst jetzt; der Sauerteig ist jetzt dabei, im Verborgenen zu wirken; der Schatz im Acker und die Perle können in der gegenwärtigen Zeit erworben werden. Damit stimmt dann auch der Schlußsatz des Kapitels überein: über den Schriftgelehrten, der ein Jünger des Reiches Gottes geworden ist (V.52). Schließlich nennen wir hier die bekannte Aussage Jesu in einem Streitgespräch anläßlich der Austreibung von Dämonen: "Wenn ich aber die bösen Geister durch den Geist Gottes austreibe, so ist ja das Reich Gottes zu euch gekommen" (12,28; par. Lk 11,20).

2.2. Der Messias der Welt

Wie bei Markus wird Jesus auch im Matthäusevangelium an einigen wichtigen Stellen als der Christus vorgestellt. Beide sprechen schon im ersten Satz ihres Evangeliums über Jesus Christus. Beide erwähnen das Bekenntnis des Petrus (Mt 16,13-20; Mk 8,27-30), die Frage nach Christus als Davids Sohn und Davids Herr (Mt 22,41-46; Mk 12,35-37) und die Frage des Hohenpriesters, ob er der Christus, der Sohn Gottes sei (Mt 26,63; Mk 14,61). Jedoch entdecken wir bei Matthäus einige sehr bemerkenswerte Besonderheiten. Einerseits kann von einer deutlichen Akzentuierung gesprochen werden mit Bezug auf Jesus als den Christus. Matthäus beginnt sein Evangelium mit einem Geschlechtsregister Jesu, das deutlich darauf abzielt, ihn gleich als den Messias zu präsentieren. Er hantiert die Andeu-

---

12 Die Vermutung von F.W.Danker, Luke 16,16 - An opposition logion, JBL 77, 1958, 231-243, von F.Mußner, Die Mitte des Evangeliums in neutestamentlicher Sicht, Catholica 15, 1961, 271-292, und von J.Jeremias, Neutestamentliche Theologie I, Gütersloh 1971, 114,daß Jesus hier die Sprache seiner Gegner spricht, ist zwar mangelhaft begründbar, andererseits jedoch weniger problematisch als alle Versuche, βιασταί in Mt 11,11 und βιάζεται in Lk 16,16 sinnvoll zu erklären.

tung Jesu als Christus deutlich in einem titularischen Sinn, wie aus den Versen 16 und 18 deutlich wird. In die Richtung weisen auch die damit eingeleiteten Abschnitte über seine Geburt und über die Anbetung der Weisen. Joseph wird in V.20 durch den Engel als Sohn Davids angeredet. Dieser Engel kündigt die Geburt des verheißenen Retters an, und der Name 'Jesus' bekommt einen messianischen Klang (1,21), was noch verstärkt wird durch den Hinweis auf das Prophetenwort aus Jes 7,14: Er ist der Immanuel. In 2,2 fragen die Weisen nach dem Geburtsort des Königs der Juden. Darauf folgt die Diskussion über die Frage, wo der Christus geboren werden würde (2,4); sie findet ihren Abschluß in dem Zitat von Mi 5,1 über Bethlehem, den Ort, aus dem Gott den Fürsten kommen lassen wird, der sein Volk Israel weiden soll.

Weiter nennen wir den Abschnitt, in dem über die Zweifelsfrage von Johannes dem Täufer erzählt wird. Matthäus leitet diese Frage ein durch den Satz: "Als aber Johannes im Gefängnis von den Werken des Christus hörte ..." (11,2). Diese Ausdrucksweise bezieht sich nicht nur auf V.1, wo gesagt wird, daß Jesus nach der Aussendungsrede von dort wegging und in ihren Städten lehrte und predigte, sondern auch auf das, was in den vorangegangenen Kapiteln erzählt ist. Es ist die Predigt des Reiches, die Jesus und seine Jünger von Johannes übernommen und weitergeführt hatten (3,2; 4,23; 10,7). Es geht um all das, was durch 4,23 und 9,35 als das dreifache Werk von Lehre, Verkündigung und Heilung umschrieben und innerhalb dieses literarischen Rahmens erzählt worden war und was danach in dem Auftrag an die Jünger (10,7f) seine Fortsetzung gefunden hatte. Das Reich offenbart sich also in dem Messias, in seiner Predigt und in seinen Werken.

Zugleich jedoch bringt Matthäus auf sehr deutliche Weise Korrekturen an, um zu vermeiden, daß der Messias auf partikularistische Weise mißverstanden werden würde als der Messias Israels [13].

---

13 Der Ausdruck 'Messias Israels' kommt im N.T. nicht vor, widerspricht dem Sinn des nt-lichen Zeugnisses und muß darum vermieden werden. Das N.T. spricht ausschließlich über den Messias/Christus Gottes, vgl. Lk 2,26; 9,20. Die Deutung des Heilsmittlers Gottes als Messias Israels war zwar im Judentum populär (vgl. Ps Sal 17; Mk 15,32), sie wurde jedoch durch Jesus konsequent zurückgewiesen (Mk 8,29-31; 12,35-37). Der Messias ist nicht nur für Israel da, sondern auch für die Völker; vgl. Mt 1,1-17; 16,16-20; Joh 10,14-16.24; Apg 3,20-26 ($\pi\rho\tilde{\omega}\tau o\nu$!); 4,10-12; 10,36+11,17; 26,23; Röm 1,6+16; 3,23f; 8,17; 10,12-17; 2 Kor 5,19; Gal 3,14+18; 5,6; Eph 1,10; 2,12-17. Übrigens ist es auch falsch, gegenüber dem 'Messias Israels' über den 'Heiland der (heidnischen) Völker' zu sprechen. Auch bei dem Titel

Hier muß sich unsere Aufmerksamkeit auf die Tatsache richten, daß
in dem Geschlechtsregister von Kap.1 gleich über Jesus Christus,
den Sohn Davids, den Sohn Abrahams, gesprochen wird. Grammatisch
gesehen hat 'Sohn Abrahams' zwar Bezug auf David; aber diese Andeutungen haben ohne Zweifel den Zweck, Jesus nicht nur als Sohn
Davids, sondern zugleich auch als Sohn Abrahams einzuführen, wie
aus V.17 deutlich wird. Gegenüber einer möglichen partikularistischen Interpretation Christi als Sohn Davids steht gleich zu
Anfang, daß er der Sohn Abrahams ist [14] und folglich im universalen
Rahmen der Verheißung von Gen 12,3 steht: "In dir sollen gesegnet
werden alle Geschlechter auf Erden." Das ist offensichtlich auch
der Grund, daß Matthäus viermal Namen von heidnischen Frauen
nennt, nämlich Thamar, Rahab, Ruth und die Frau des Uria, nämlich
Bathseba [15] (V.3-6). Weiter ist es wahrscheinlich, daß auch V.17
mit dieser näheren Deutung zu tun hat. Drei Reihen von je vierzehn
Geschlechtern sind eine bewußte Konstruktion, die an verschiedenen
Stellen nicht ganz der Folge der Geschlechter entspricht und die
Geschichte hier und dort ein wenig rafft. Aber für jüdische Leser
war es anscheinend nicht schwer, in der Zahl vierzehn den Zahlenwert des Namens 'David' zu erkennen [16]. Man könnte es so paraphra-

---

'Heiland' geht es genau wie bei 'Christus' primär um das Heil für Israel und erst
an zweiter Stelle um das für die Völker; siehe Lk 1,47; 2,11; Joh 4,29.42; Apg
5,31; 13,23. Dies wird auch bestätigt durch die Kombination beider Titel in Phil
3,20; 2 Tim 1,10; Tit 1,4; 2,13; 3,6; 2 Petr 1,11; 2,20; 3,18.

14 'Sohn Abrahams' war im Judentum im Gegensatz zu 'Sohn Davids' keine messianische Bezeichnung. Abraham galt vielmehr als erster Proselyt; vgl. J.Jeremias,
THWNT I 8 s.v. Ἀβραάμ und die dort in Anm. 5 genannten Texte in den Büchern
Jubiläen, Test Napht (hebr.) und Josephus. Nach H.Stegemann, "Die des Uria", in:
Tradition und Glaube, FS für K.G.Kuhn, Göttingen 1971, 246-276, konnten Proselyten
in Israel nicht Mitglieder einer der Stämme Israels und somit nicht Israeliter
werden, wohl jedoch Söhne Abrahams.

15 Vgl. H.Stegemann, o.c., 267.

16 Der Versuch, die symbolische Bedeutung dieser Zahlen zu enträtseln, indem
man 3 x 14 deutet als 6 x 7, um dann anzunehmen, daß nach sechs Weltwochen nunmehr
die messianische Zeit als siebte Zeit, als kosmischer Sabbat, angebrochen sei (so
H.N.Ridderbos, Mattheüs I, Kampen ²1952 und wohl auch J.Schniewind, NTD Matthäus,
Göttingen ¹³1984, z.St.), muß zurückgewiesen werden, weil nun gerade nicht von 6 x
7 sondern von 3 x 14 Generationen gesprochen wird. Demgegenüber verdient die sog.
gematrische Deutung den Vorzug. Ausgehend von dem Zahlenwert der hebräischen Buch-
staben kommt man zum Zahlenwert eines Wortes. Im Falle des Namens 'David' ergibt
das: d + v + d oder 4 + 6 + 4 = 14. Man hat dann etwa die folgende Gedankenassozi-
ation vor sich: Wenn der Messias, der Sohn Davids, zugleich der Sohn Abrahams war,
dann war er dreimal, d.h. auf vollkommene Weise der verheißene und erwartete Messias. So in den Kommentaren von Lohmeyer und Grundmann z.St. und ausführlich bei
K.Stendahl, Quis et unde? An analysis of Mt 1-2, in: Judentum - Urchristentum -
Kirche, FS für J.Jeremias, BZNW 26, Berlin 1960, 94-105; jetzt auch in: Das Matthä-
us-Evangelium, W.d.F. 525, Darmstadt 1980, 296-311.

sieren: nur dann, wenn der Christus, der als Sohn Davids inmitten des Volkes Israel erscheinen würde, als derjenige gesehen wurde, der den Segen Gottes zu allen Völkern bringen sollte, kommt sein Amt und sein Werk völlig in den Blick. Dann wird die Hoffnung, die man mit dem Messias verband, auf eine Weise in Erfüllung gehen, die alle Erwartungen übertrifft. Hiermit stimmt völlig überein, daß es in Kap.2 Heiden sind, die als erste Vertreter der Völker kommen, um Christus zu ehren, während nicht allein Herodes, sondern auch ganz Jerusalem (2,3) erschrak. Dieser universale Rahmen bestimmt, wie wir auch in anderen Zusammenhängen noch näher sehen werden, das ganze Evangelium und findet am Ende seinen Ausdruck in der Aussage des auferstandenen Christus, die die ganze erschaffene Wirklichkeit einschließt: "Mir ist gegeben alle Macht im Himmel und auf Erden."

Diese Schlußfolgerung bestätigt sich, wenn wir nun umgekehrt auf einige Stellen bei Matthäus achten, wo die Deutung des Christus als partikularistischer Messias für Israel durch redaktionelle Änderungen abgewiesen wird. Die Einwohner Jerusalems und ihre schriftgelehrten Leiter können zwar Auskunft geben über die Frage, wo der von ihnen erwartete Messias geboren werden sollte (2,3f); aber das ist dann auch i h r e Sicht; und die wird im Matthäusevangelium deutlich abgewiesen. Während die Frage in Mk 12,35-37 über die Alternative 'Sohn Davids' oder 'Herr Davids' handelt, stellt Jesus nach Mt 22,41 die Frage: "Wessen Sohn ist er?" Auf diese Frage kann verschieden geantwortet werden: Davids Sohn, Abrahams Sohn oder auch Gottes Sohn. Ihre Antwort ist: Davids Sohn. In dieselbe Richtung weisen auch Stellen wie 27,17.22. Während Pilatus nach Markus die Frage stellt, was er mit Jesus, dem König der Juden, tun soll, ersetzt Matthäus den Ausdruck 'König der Juden' durch 'Christus'. Das ist die adaequate Benennung. Aber wenn andererseits später auf Golgotha die jüdischen Leiter Jesus verspotten, lautet ihre Herausforderung bei Matthäus nicht wie in Mk 15,32: "Ist er der Christus, der König Israels, so steige er nun vom Kreuz ...", sondern: "Ist er der König Israels, so steige er vom Kreuz herab" (27,42). Für Matthäus hat ein heidnischer Pilatus anscheinend eher das Recht, über Christus zu sprechen als die Juden, die nicht über die Frage nach dem Messias Israels hinauskommen.

2.3. Das Reden über die Erfüllung

Das Motiv der Erfüllung hat im ersten Evangelium und namentlich in seinen redaktionellen Passagen einen breiten Platz erhalten. Bevor wir darauf näher eingehen, wollen wir jedoch beachten, daß der Verfasser auch darin redaktionelle Spuren hinterlassen hat, daß er in zwei Fällen, wo die Quellen über 'erfüllen' gesprochen hatten, diesen Sprachgebrauch nicht übernommen hat. An erster Stelle ist das in 7,28 der Fall in dem Schlußwort am Ende der Bergpredigt. Er hat dort das Wort 'erfüllen' aus Q durch 'vollenden' ersetzt [17]. Wollte er das Zeitwort 'erfüllen' für etwas anderes reservieren? Dasselbe entdecken wir bei der Übernahme der Verkündigungsformel von Mk 1,14f. Die Aussage "Die Zeit ist erfüllt" läßt Matthäus weg. Das ist merkwürdig, hatte doch das Motiv der Erfüllung sein ganz besonderes Interesse. Er scheint jedoch keine Neigung verspürt zu haben, das Wort 'erfüllen' mit dem Begriff 'Zeit' zu verbinden. Zeit kommt für sein Bewußtsein wohl zu ihrem Ziel, zu ihrer Vollendung. Vergleiche den Ausdruck 'Vollendung der Welt' im Sinne der Weltzeit in 13,39.40.49; 24,3; 28,20 [18]. Aber bei Erfüllung denkt Matthäus anscheinend an etwas anders.

Durch das ganze Evangelium hindurch begegnen wir einer stereotypen Formel, die stets wieder und ohne nennenswerte Veränderungen lautet: "... aufdaß erfüllt würde, was gesagt ist durch den Propheten (Jesaja), der da spricht ..." Neben Jesaja, dessen Name in diesem Zusammenhang viermal genannt wird, kommt Jeremia zweimal vor; an anderen Stellen wird kein Name genannt. Derartige Zitate finden wir an den folgenden Stellen: 1,22; 2,15.17; 4,14; 8,17; 12,18÷21; 13,35; 21,4; 27,9; zudem noch vier weitere Stellen, an denen die Erfüllungsformel kürzer ist: 2,5.23; 26,54.56. Weil es in allen Fällen um die Erfüllung dessen geht, was im A.T. vorausgesagt wurde, spricht man in diesem Zusammenhang allgemein über Erfüllungszitate [19]. Wenn wir sie vergleichen mit der einzigen

---

17 τελέω anstelle von πληρόω , vgl. Lk 7,1. Weil Lukas auch an anderen Stellen (frappant ist der Vergleich von 18,31; 21,23 und 24,44) diese Verben promiscue gebraucht, gibt es keinen Grund anzunehmen, daß er die Wörter ausgewechselt hat. Matthäus hingegen gebraucht τελέω = vollenden konsequent am Ende der fünf Redenkompositionen.

18 συντέλεια τοῦ αἰῶνος kommt nur bei Matthäus vor. Nur 24,3 hat eine sachliche Parallele und verwandte Terminologie in Mk 13,4.

19 Vgl. W.Rothfuchs, Die Erfüllungszitate des Matthäusevangeliums, Stuttgart 1969; G.Strecker, Der Weg der Gerechtrigkeit, Göttingen 1962, 49-85 unter der Überschrift: Die Reflexionszitate.

Stelle bei Markus, wo in vergleichbarem Sinne über Erfüllung gesprochen wird (14,49), dann fällt sogleich der Unterschied auf. Nur dieses einzige Mal spricht Markus im Zusammenhang mit der Gefangennahme Jesu über die Erfüllung der Schriften, ohne irgend eine Andeutung zu geben, daß er dabei an eine bestimmte Schriftstelle denkt. Matthäus übernimmt diesen Satz, nicht jedoch ohne hinzuzufügen: "die Schriften der Propheten". Erfüllung muß Matthäus zufolge eine Übereinstimmung zeigen zwischen einem bestimmten Geschehen und einer damit deutlich übereinstimmenden Prophetie [20] aus dem A.T., die dann als Voraussage aufgefaßt wird. Wenn eben möglich, wird darum auch der Name des betreffenden Propheten genannt und die Prophezeiung wörtlich zitiert. So hat Matthäus nacheinander eine große Anzahl Besonderheiten aus dem Leben und Wirken Jesu als Erfüllung von Voraussagen aus dem A.T. charakterisiert: daß er der von der Jungfrau geborene Immanuel war (1,23; Jes 7,14); daß er in Bethlehem geboren war (2,6; Mi 5,1); daß Gott ihn als seinen Sohn aus Ägypten hatte zurückkehren lassen (2,15; Hos 11,1); daß eine Wehklage über das Gebirge Juda gegangen war wegen des Kindermordes (2,18; Jer 31,15); daß er in Nazareth herangewachsen war (2,23; die Quelle ist unsicher); daß er in Galiläa seine Arbeit angefangen und die Bevölkerung im Gebiet um den See Genezareth das große Licht gesehen hatte (4,15f; Jes 8,23-9,1); daß er durch seine Wundertaten Schwachheiten und Krankheiten weggenommen hatte (8,17; Jes 53,4); daß er sich aus ihren Städten zurückgezogen und auch den Geheilten verboten hatte, ihn bekanntzumachen (12,15-21; Jes 42,1-4); daß er das Volk in Gleichnissen unterwiesen hatte, um auf diese Weise das Verborgene zu verkündigen (13,35; Ps 78,2); daß er als sanftmütiger König, reitend auf einem Esel, eingezogen war in Jerusalem (21,5; Sach 9,9); und schließlich, daß für die dreißig Silberlinge, die Judas für den Verrat empfangen hatte, später ein Grundstück gekauft worden war von einem Töpfer (27,10; Sach 11,12f).

Wenn wir diese ganze Reihe überschauen, wird an erster Stelle deutlich, daß die Erfüllungszitate von zwei Ausnahmen abgesehen (nämlich 2,18 und 27,9f, die nur indirekt mit dem Leben und Wirken Jesu zusammenhängen) die Funktion haben, das Kommen und Wirken

---

20 An allen genannten Stellen wird ausdrücklich über Erfüllung eines Prophetenwortes gesprochen; selbst das Zitat in 13,35 aus Ps 78,2 wird (versehentlich? oder viel eher absichtlich?) τὸ ῥηθὲν διὰ τοῦ προφήτου genannt.

Jesu als Kommen des Christus darzustellen, als Erfüllung dessen, was Gott schon vor langer Zeit hatte ankündigen lassen. An zweiter Stelle mißt Matthäus anscheinend der Tatsache eine besondere Bedeutung zu, daß die Erfüllung auch im Detail mit der Voraussage übereinstimmt. An einigen Stellen wird das Geschehene in Übereinstimmng mit den Worten der Prophetie erzählt [21]. In anderen Fällen wird der alttestamentliche Text in die Richtung des Geschehens übertragen [22]. Schließlich zeichnen sich im Zusammenhang mit den Erfüllungszitaten deutlich zwei Sinnzusammenhänge ab, auf die sich Zitate dieser Art konzentrieren, nämlich die Geschichten um die Geburt Jesu herum und der große Hauptteil über seine Lehre, Verkündigung und Wunderheilungen (4-13). Dies bestätigt all das, was wir schon eher entdeckt hatten: Matthäus hat den Teil um die Geburt Jesu herum mit großer Sorgfalt zusammengestellt, um deutlich zu machen, daß das Evangelium mit seiner Botschaft von dem kommenden Reich Gottes seine Basis und sein Zentrum hat in der Tatsache, daß er der Christus ist. Die ersten fünf Erfüllungszitate wollen zeigen, daß das Kommen Christi - anders als die Erwartung eines partikularistischen Messias [23] - durch die Propheten des A.T. vorausgesagt war. Daß Matthäus in 2,15 den Aufenthalt in Ägypten mit einem Erfüllungszitat verbindet, kann ebenfalls auf eine universalistische Tendenz weisen. Auf jeden Fall gilt dies für 4,15f, wo Sebulon und Naphtali als Galiläa der Heiden betrachtet werden [24]. Eine zweite Konzentration von Erfüllungszitaten wird

---

21 z.B. 4,13, wo Kapernaum eine Stadt im Lande von Sebulon und Naphtali genannt wird; 12,15f. wo das Schweigegebot nicht mehr Bestandteil des Exorzismus ist, sondern ohne daß solch eine Austreibung erwähnt wird mit den vielen Genesungen verbunden ist; so war es für Matthäus sinnvoll, Jes 42 zu zitieren, denn dort war (ihm zufolge) von dem Knecht die Rede, der in aller Stille sein Werk verrichtete; schließlich 21,2.3.7, wo der Verfasser über zwei Esel spricht; vgl. Zach 9,9.

22 z.B. 8,17; vgl. H.J.Held, o. c. (Anm.5),247.

23 In 2,6 wird Mi 5,1 durch die Hohenpriester und Schriftgelehrten zitiert. Matthäus hat dafür nicht die stereotype Formel des Erfüllungszitates gewählt.

24 Die Identifikation des Landes Sebulon und Naphtali mit der Andeutung "das Land jenseits des Jordans" beruht auf der Weglassung von και vor περαν (Jes 8,23 LXX) durch Matthäus. Der Grund dafür, daß er Galiläa das Land jenseits des Jordans nennt, kann darin gelegen haben, daß der Autor von einem Ort aus und primär für eine Gemeinde östlich des Jordans sein Evangelium geschrieben hat. Für diese Hypothese spricht, daß er auch in 19,1 durch Auslassung von και aus dem Markustext (10,1) das Gebirge Judas als Land jenseits des Jordan andeutete. Vgl. H.D.Slingerland, The transjordanian origin of St. Matthew's Gospel, Journal for the study of the N.T., 3,1979, 18-28. Dieser Ort könnte Pella gewesen sein. In dem Falle wäre es auch mehr als begreiflich, daß Matthäus den Ortsnamen Gerasa (Mk 5,1) durch Gadara ersetzt, weil das näher beim See Genezareth liegt.

sichtbar in den Kapiteln, in denen Matthäus über das Auftreten
Jesu in Galiläa erzählt. Von 4,14 bis 13,35 will er zeigen, daß
Jesus in seinem ganzen Auftreten mit den Voraussagen der Propheten
übereinstimmt, und zwar in diesem Teil konsequent: des Propheten
Jesaja. In allen vier Fällen stehen die Erfüllungszitate an den
Stellen, wo Matthäus in Übereinstimmung mit Markus kürzere, zusam-
menfassende Sätze (Summarien) über das Auftreten Jesu aufnimmt
(vgl. 4,13-17 und Jes 8,23-9,1 mit Mk 1,14f; 8,16f und Jes 53,4
mit Mk 1,32-34; 12,15-21 und Jes 42,1-4 mit Mk 3,7-12; 13,35 und
Ps 78,2 mit Mk 4,33f). Wo also Markus die Gewohnheit hatte, immer
wieder ausführliche Berichte über Jesu Wirken mit Summarien abzu-
schließen, da hat Matthäus die Gelegenheit benutzt, dieses Auftreten als Erfüllung von prophetischen Vorhersagen und damit als
Verwirklichung der Heilspläne Gottes darzustellen.

Daneben gibt es jedoch noch einen anderen Sprachgebrauch, der
nicht ohne weiteres mit dem Obengenannten identisch ist. In 3,15
sagt Jesus in Antwort auf das Zögern des Täufers, ihn zu taufen:
"Laß es jetzt also geschehen, denn so gebührt es uns, alle Gerechtigkeit Gottes zu erfüllen." Und in 5,17, also gleich am Anfang
der Bergpredigt, sagt Jesus: "Ich bin nicht gekommen, (das Gesetz)
aufzulösen, sondern zu erfüllen." In beiden Fällen kann diese
Erfüllung umschrieben werden als: etwas zu seinem vollen Recht
kommen lassen, den tiefen und verborgenen Sinn davon verwirklichen,
sei es durch den Weg, den er geht, sei es durch die Unterweisung
im Gesetz, die er gibt [25]. Seine Taufe spiegelt seine Bereitschaft
zum Dienen wider, mit einer Liebe, die keine Grenzen kennt (5,39-
42.43f), mit einer Barmherzigkeit (9,36; 14,14), die mit dem
übereinstimmt, was das Herzstück des Willens Gottes ist (9,13;
12,7), und mit der Bereitschaft zum Opfer seines Lebens (20,28),
die auch als Gebot für seine Jünger gilt (10,28). Alle Gerechtigkeit erfüllen bedeutet vollkomen sein in dem Sinne, wie 5,48
darüber spricht. Darum schließt Jesus in 3,15 den Täufer auch
ausdrücklich mit ein: "so gebührt es uns ..." Johannes der Täufer
hat auf seine Weise die Gerechtigkeit erfüllt (vgl. auch 21,32);
und 5,17 zeigt, daß Jesus in der Predigt über den Willen Gottes

---

25 Siehe für die Auswertung der verschiedenen Versuche, πληρῶσαι zu erklären, G.Barth, Das Gesetzesverständnis des Evangelisten Matthäus, in: G.Bornkamm,
G.Barth, H.J.Held, Überlieferung und Auslegung im Matthäusevangelium, Neukirchen
1975, 62-66; G.Delling, ThWNT VI 292f s.v. πληρόω.

ebenfalls dabei ist, die Gerechtigkeit bzw. das Gesetz zur Offenbarung zu bringen. In beiden Fällen ist diese Erfüllung untrennbar
mit der Tatsache verbunden, daß Jesus der Christus ist; und darum
kann auch gesagt werden, daß diese Erfüllung des Gesetzes und der
Gerechtigkeit Gottes ein Aspekt des in Christus gegenwärtigen
Gottesreiches ist.

2.4. Erfüllung und Verhüllung

Über das Reich Gottes wurde bei Markus in gedämpftem Ton
gesprochen. Dies gilt für Matthäus auf jeden Fall nicht. Schweigegebote fehlen nicht gänzlich, und Spuren eines Messiasgeheimnisses
sind noch zu finden (siehe z.B. 16,20), aber beides hat seine
ursprüngliche Funktion weithin eingebüßt. Die Spannung im Zusammenhang mit Erfüllung und Verborgenheit ist gewichen. Erfüllung
ohne den Schleier der Verhüllung beherrscht das Ganze. Das kann
schon gefolgert werden aus dem, was wir im vorigen Abschnitt
behandelt haben. Die Weise, in der über die Lehre, die Predigt und
die Heilungen Jesu gesprochen wurde, sowie die Tatsache, daß die
Aufgabe der Jünger (und der Kirche) mit denselben Worten angedeutet
werden konnte (vgl.4,23; 9,35; 10,7f; 11,2-5), zeichnete sich
schon durch eine bemerkenswerte Offenheit und Unmittelbarkeit aus,
wie wir sie bei Markus noch nicht vorfanden. Frei und offen sprach
Jesus dort erst, als er in Cäsaräa-Philippi sein Leiden ankündigte
(Mk 8,32a). Es wird sicher kein Zufall sein, daß Matthäus diese
Aussage nicht übernimmt. Die Reihe der Erfüllungszitate verstärkte
inzwischen diesen Eindruck. Jedes von ihnen besagt gerade, daß die
Erfüllung offenkundig ist.

Hier müssen wir jedoch noch auf ein paar zusätzliche Beobach-
tungen aufmerksam machen. Wir beginnen mit einem Vergleich zwischen
den Abschnitten über die Austreibung der Dämonen. Bei Markus
kommen Exorzismen in 1,23-28; 1,32-34; 3,7-12 und 5,1-20 vor. In
den drei zuerst genannten Fällen hatte Markus damit eine Aussage
Jesu verbunden, in der er den Dämonen, die ihn mit göttlichen
Hoheitstiteln anredeten, das Schweigen auferlegte. Den ersten
Abschnitt läßt Matthäus aus; im zweiten läßt er das Schweigegebot
weg, vertauscht die Reihenfolge von Heilungen und Exorzismen und
verbindet mit dem Bericht über die Heilungen das Erfüllungszitat
aus Jes 53. Was die dritte Perikope, das Summarium aus Mk 3,7-12,
betrifft, gibt Matthäus eine sehr verkürzte Wiedergabe (12,15f),

nennt die Heilungen, läßt die Exorzismen weg, verbindet dann das
Schweigegebot von Markus mit den Heilungen und läßt das Erfüllungszitat aus Jes 42,1-4 folgen: Der Knecht geht in aller Stille
seinen Weg. Anders als bei Markus bekommt das Schweigegebot bei
Matthäus also die Funktion, auf die Offenkundigkeit der Erfüllung
zu weisen.

An zweiter Stelle weisen wir auf einige bemerkenswerte Details
in dem Kapitel mit Gleichnissen. Während Markus über das Geheimnis
des Reiches sprach, das den Jüngern gegeben war (Mk 4,11), lesen
wir bei Matthäus (13,11): "Euch ist es gegeben, die Geheimnisse
des Reiches Gottes zu verstehen." Bei Markus war das Reich selbst
noch ein Geheimnis, auch für die Jünger. Es konnte in jenem Stadium
der Erfüllung noch als Geheimnis charakterisiert werden. Nach
Matthäus kennen die Jünger die Geheimnisse (Mehrz.) des Himmelreiches. Das Reich selbst ist für sie kein Geheimnis mehr, es birgt
nur Geheimnisse in sich. In Mt 13,19 ist das Wort, das nach Mk
4,13 gesät wird, ausdrücklich "das Wort vom Reich". Das Gleichnis
aus Mk 4,26-29 übernimmt Matthäus nicht. Liegt es vielleicht
daran, daß der Sämann dort nichts merkt von dem Entkeimen und
Wachsen der Saat? Auf jeden Fall ersetzt Matthäus es durch das
Gleichnis vom Unkraut unter dem Weizen (13,24-30 und die Erklärung
in V.36-43). Dort ist von irgendeiner Verborgenheit keine Rede
mehr. Jeder sieht inzwischen, wie Weizen und Unkraut zusammen
heranwachsen, wie Söhne des Reiches und Söhne der Bosheit (V.38)
nebeneinander existieren. Das Reich selbst ist kein Geheimnis
mehr, aber die Koexistenz ist zu einem Problem geworden. Terminologisch ist dies einigermaßen gelöst durch die Unterscheidung zwischen 'Himmelreich' und 'Reich des Vaters' (V.43) [26]. Dann verstehen wir auch, daß die Jüngerunterweisung Jesu in der Abgeschieden-
heit (Mk 4,34) von Matthäus nicht übernommen wird. Sie ist nicht
mehr nötig. In Mt 13,51 wird ausdrücklich gesagt, daß die Jünger
das Gleichnis wohl verstehen (anders als in der nicht übernommenen
Passage von Mk 4,10.13). Auch hier wird dies alles noch einmal
unterstrichen durch das Erfüllungszitat in 13,35: "Ich will meinen
Mund auftun in Gleichnissen und will aussprechen, was verborgen

---

26 X.Leon-Dufour, Les évangiles et l'histoire de Jesus, Paris 1963, 148 weist
darauf hin, daß der Ausdruck 'Reich ihres Vaters' (13,43) oder 'meines Vaters'
(25,34; 26,29) stets auf das zukünftige, ewige Reich Gottes Bezug hat. C.H.Dodd,
Matthew and Paul, in: New Testament Studies, [3]1967, 53-66, sieht darin einen ge-
meinsamen Zug von Matthäus und Paulus.

war von Anfang der Welt" (Ps 78,2). Das Erfüllungszitat spricht von Dingen, die früher verborgen gewesen waren, nun aber nicht mehr verborgen sind.

Diese Tendenz beschränkt sich jedoch nicht auf einige isolierte Stellen im Evangelium. So fällt z.B. auf, daß das Schweigegebot am Schluß des Abschnitts über die Auferweckung der Tochter des Jairus weggelassen und ersetzt ist durch den Schlußsatz: "Und diese Kunde erscholl in jenes ganze Land" (9,26; vgl. Mk 5,43). In dem Abschnitt über das Bekenntnis des Petrus (16,13-20) kommt zwar ein Schweigegebot vor [27], aber das Bekenntnis des Petrus wird durch Jesus sehr nachdrücklich positiv aufgenommen. Petrus hat es gut verstanden. Nicht Fleisch und Blut, sondern Gott selbst hat es ihm offenbart. Darum wird er auch seliggesprochen; genauso wie die gläubigen Zuhörer in 5,3-11 steht er mit diesem Bekenntnis deutlich in der Sphäre des Reiches Gottes.

3 Das Volk Gottes in der Zeit der Erfüllung

3.1. Ein partikularistischer Anfang

Es ist gewiß kein Zufall, daß schon im ersten Kapitel die programmatische Aussage über Jesus zu finden ist: "Er wird sein Volk retten von ihren Sünden" (1,21b). Mit dieser Umschreibung seiner Aufgabe deutet der Engel selber den Jesusnamen. Dadurch ist von Anfang an das Volk des Messias ins Blickfeld gekommen. Wie sehr auch die Erfüllung ihren Mittelpunkt in dem Kommen, der Predigt und dem Wunderwirken Christi hat, so bleiben doch die Menschen keinen Augenblick außer Betracht, für die er kommt: das Volk, das zum Messias gehört.

Die Frage ist nun aber, woran bei dem Ausdruck 'sein Volk' gedacht werden muß. Methodisch ist es nicht erlaubt, die Aussage des Engels in diesen Versen von dem Zitat aus Mi 5,1 her zu erklären, das im nächsten Kapitel steht: "Aus dir soll der Fürst kom-

---

27 Gegenüber ἐπιτίμησεν in Mk 8,30 ist διεστείλατο jedoch als deutlich mildernder Ausdruck zu betrachten. Indem er das Schweigegebot ausdrücklich auf den Christustitel bezieht, will Matthäus wahrscheinlich darauf weisen, daß Jesus die jüdisch-partikularistische Mißdeutung der Messianität zurückgewiesen hat. Daß der Verfasser nach den Versen 17-19 das Schweigegebot nicht weggelassen hat, zeugt von seiner Behutsamkeit im Umgang mit der Tradition, gerade an einem so entscheidenden Punkt auf dem Wege Jesu wie hier in Cäsaräa-Philippi.

men, der mein Volk Israel weiden soll." In Anbetracht des ganzen
Evangeliums ist eher anzunehmen, daß hier bereits eine Spannung
sichtbar wird. Jerusalem denkt bei der Erwartung des Messias an
'sein Volk Israel'; der Engel Gottes jedoch beschränkt sich auf
den Ausdruck 'sein Volk'. Wer das Evangelium weiter liest, wird
nicht in Ungewißheit bleiben über die Frage, wer denn am Ende als
Volk Gottes in Betracht kommt. Und wer das Geschlechtsregister von
Kapitel 1 mit Interesse und Verständnis gelesen hat,der hat inzwischen schon einen ersten Hinweis erhalten: auch die heidnischen
Frauen Thamar, Rahab, Ruth und die Frau des Uria (Bathseba) haben
ausdrücklich einen Platz in dem Stammbaum; und mit dem Namen Abraham sind weltweite Perspektiven verbunden.

Trotzdem aber kann bei Matthäus sehr nachdrücklich von einem
partikularistischen Anfang gesprochen werden. Im Zusammenhang mit
verschiedenen Genesungen begegnet uns der Ruf der Kranken: "Erbarme
dich über uns/mich, Herr, du Sohn Davids" (9,27; 15,22; 20,30f);
und ebenfalls im Zusammenhang mit vollbrachten Heilungen wird
Jesus durch die erstaunte Menge gepriesen mit dem Ausruf: "Solches
ist noch nie in Israel gesehen worden" (9,33).Am bekanntesten ist
gewiß die Aussage Jesu in der Erzählung über die Heilung der
Tochter der heidnischen Frau aus dem Gebiet von Tyrus und Sidon:
"Ich bin nur gesandt zu den verlorenen Schafen des Hauses Israel"
(15,24; vgl. auch 2,6). Denselben Sinn hat aber auch der darauf
folgende Abschnitt von 15,29-31. Matthäus verschweigt die Land-
schaftsnamen des Berglandes von Tyrus und Sidon und der Dekapolis
aus der Parallele von Mk 7,31-37, nennt kurz die Heilung von allen
möglichen Krankheiten und beschließt die Perikope mit den Worten:
"... sodaß sich das Volk verwunderte, da sie sahen, daß die Stummen
redeten, die Krüppel gesund waren, die Lahmen gingen, die Blinden
sahen, und sie priesen den Gott Israels." Und nach einem Exorzismus fragt die begeisterte Menge, im Gegensatz zu den Pharisäern,
die Beelzebub ins Spiel bringen: "Ist dieser nicht Davids Sohn"
(12,23)? Dieser gänzlich auf Israel gerichtete Anfang im Auftreten
Jesu kommt auch noch deutlich zum Ausdruck in der Weise, wie
Matthäus den Einzug in Jerusalem erzählt. Nur er läßt auf den
Bericht über den Einzug ein Erfüllungszitat folgen, eine Kombination von Jes 62,11 und Sach 9,9. Die Prophetie von Zacharja war
zwar auf Zion und Jerusalem gerichtet, aber dann doch in dem Sinn,
daß gleich in V.10 hinzugefügt wurde: "Er wird Frieden gebieten

den Völkern, und seine Herrschaft wird sein von einem Meer bis zum anderen und vom Strom bis an die Enden der Erde." Matthäus übernimmt nur V.9 und unterstreicht die Adressierung noch, indem er den Anfang des Zitates konform Jes 62,11 zu einem Aufruf macht: "Saget der Tochter Zion ..." Völlig in Übereinstimmung mit dieser Konzentration auf Israel muß es dann auch verstanden werden, daß dem 'Hosianna' in V.9 (abweichend von Mk 11,9) die Worte "dem Sohne Davids" hinzugefügt werden und daß weiter in V.13 das Zitat aus Jes 56,7 um drei Wörter (nämlich: "für alle Völker") kürzer ist als in Mk 11, 17. Jetzt lautet es nur: "Mein Haus soll ein Bethaus genannt werden."

Gewiß verrieten die Quellen, über die Matthäus verfügte, schon eine große Konzentration im Auftreten Jesu auf das Volk Israel. Aber es dürfte inzwischen wohl deutlich geworden sein, daß Matthäus auf diese fast exklusive Konzentration besonderen Nachdruck legt und daß er die übernommene Tradition so überarbeitet, daß dieses Privileg Israels während des Auftretens Jesu deutlich zum Ausdruck kommt.

3.2. Von Israel verworfen

Gegen Ende der Zeit, in der er auf Erden inmitten seines Volkes Israel sein Werk tat, hat Jesus dem ersten Evangelisten zufolge Worte der Klage und der Anklage an die Adresse Jerusalems gerichtet: "Wie oft habe ich deine Kinder versammeln wollen wie eine Henne ihre Küchlein unter ihre Flügel versammelt, und ihr habt nicht gewollt" (23,37). Diese Wehklage führt uns gleichsam von selbst zu der Wirklichkeit, die im Matthäusevangelium auf besonders konsequente, um nicht zu sagen heftige Weise angeprangert wird: und ihr habt nicht gewollt. Diese Verwerfung Christi durch Israel kommt in allen Teilen des Evangeliums mit großem Regelmaß zum Ausdruck. In 2,3 wird schon vorausgesetzt, daß ganz Jerusalem an der Seite des Herodes steht. Zusammen mit ihm erschraken sie. In dem darauf folgenden Kapitel hören wir, daß Johannes der Täufer die zu ihm kommenden Pharisäer und Sadduzäer zurückweist als Otterngezüchte. Ihre Berufung auf Abraham, und das heißt: ihr Selbstbewußtsein, das Volk Gottes zu sein, wird durch ihn scharf gerügt (3,7-10). Von einer bereits vollzogenen Verwerfung und geistlichen Trennung geht auch die Bergpredigt aus. In einer

neunten Seligpreisung, die aus verschiedenen Gründen der Q-Redakti-
on zuzuweisen ist und die die Entwicklung der Dinge in der Zeit
des Matthäus oder kurz vorher widerspiegelt, geht Jesus schlicht
von Gruppierungen in Israel aus, die sie verfolgen werden, so wie
sie vor ihnen die Propheten verfolgt haben (5,11f). Diese Verse
aktualisieren zugleich die letzte der acht Seligpreisungen, in der
die um Gerechtigkeit willen Verfolgten seliggepriesen wurden
(V.10). Indem sie Jesus ablehnen, bleiben sie zurück als Menschen
mit einer heuchlerischen Gerechtigkeit (5,20), mit einer ungeist-
lichen Gesetzesauslegung (5,21-47) und mit einer scheinfrommen Le-
benspraxis (6,1-18). In den darauf folgenden Wundergeschichten
kommt das Thema der Verwerfung durch Israel nicht so ausdrücklich
vor, doch zeigen Sätze wie die in 8,10 [28] und 9,4 [29] ganz in
dieselbe Richtung.

In dem folgenden Teil, in den Kapiteln 10-13, wird wieder
über die Ablehnung Jesu und die Feindschaft gegen ihn und seine
Jünger gesprochen. In 10,14f ist die Ablehnung der Botschaft
zuerst nur eine Möglichkeit, aber vom nächsten Vers an ist sie
unausgesprochen schon eine vollendete Tatsache: "Siehe, ich sende
euch wie Schafe mitten unter die Wölfe" (V.16), "und sie werden
euch geißeln in ihren Synagogen" (V.17). Siehe weiter den ganzen
Abschnitt bis V.23; vgl. jedoch auch V.25, wo deutlich (wie das
wiederholt bei Matthäus der Fall ist) ausgegangen wird von Erfah-
rungen, wie sie in gleicher oder vergleichbarer Weise durch Jesus
und seine Jünger gemacht werden. Auch die beiden Kapitel 11 und 12
lassen wiederholt erkennen daß 'dieses Geschlecht' sich durch
Christus nicht rufen läßt. Ihre Abwendung von ihm nimmt die Form
einer tiefen Abneigung an (11,16-19). Jesus beantwortet diese
Haltung dann auch mit seinen Weherufen über die Städte Galiläas
(11,20-24). Die Taten Jesu, von denen Kapitel 12 in ziemlich engem
Anschluß an Mk 2 und 3 erzählt, hatten schon von Anfang an den
Charakter von Streitgesprächen und spiegelten die Kontroverspunkte
wider, auf denen diese Ablehnung beruhte. So bestätigen denn diese
zwei Kapitel 11 und 12, daß Jesus sein Werk tat, während sein Volk

---

28 παρ' οὐδενὶ ... ἐν τῷ Ἰσραήλ legt den Nachdruck mehr auf den
Unglauben des ganzen Volkes Israel, während Lukas durch die Formulierung
οὐδὲ ἐν τῷ Ἰσραήλ (7,9) den Nachdruck auf den Glauben des römischen Haupt-
mannes fallen ließ.
29 Nach Mk 2,8 fragte Jesus: τί ταῦτα διαλογίζετε ...; Matthäus expliziert ταῦτα durch πονηρά : Warum denkt ihr Arges in euren Herzen?

sich zumindest in seinen tonangebenden Vertretern immer deutlicher
gegen ihn aussprach. Durch ihre Haltung bestätigen sie damit das
Bild von den Wölfen, das im Rahmen der Aussendungsrede gebraucht
worden war.

Kapitel 13 mit seiner Sammlung von Gleichnissen über das
Himmelreich vervollständigt an einigen Stellen das Bild der Gegner.
Sie kennen nicht die Geheimnisse des Reiches (V.11); sie hören das
Wort vom Reich, aber verstehen es nicht. Im Gleichnis vom Unkraut
unter dem Weizen macht Matthäus noch einmal deutlich, daß der
Feind Unkraut sät und damit handelnd auftritt gegen die Predigt
vom Reich Gottes. Weizen und Unkraut wachsen um die Wette (V.24-
30). Nun kann zwar gesagt werden, daß hier nirgends ausdrücklich
von der Feindschaft Israels gesprochen wird, daß in V.38 selbst
ausdrücklich gesagt wird: "der Acker ist die Welt". Andererseits
muß man aber auch den Kontext des Kapitels 13 berücksichtigen; und
dann ist es doch nicht ohne Bedeutung, daß Matthäus die Nazareth-
perikope aus Mk 6 unmittelbar mit diesen Gleichnissen verbunden
hat. Dort wird nämlich deutlich, daß die Menschen seiner Stadt von
den Geheimnissen des Reiches nichts verstanden und daß sie ihm
ungläubig gegenüberstanden.

Im vierten Teil (Kap.18-22) richtet sich die Aufmerksamkeit
vor allem auf das Leben in der neuen Gemeinschaft der Jünger bzw.
in der Gemeinde [30]. Nun die Feindschaft an der Seite Israels zu
dem Beschluß geführt hat, ihn zu töten (12,14; 21,38.46; in allen
drei Fällen in Übereinstimmung mit den Parallelen bei Markus) und
Jesus demgegenüber wiederholt sein Leiden, sein Sterben und seine
Auferstehung ankündigte, kann der Evangelist das Thema einigermaßen
[31] ruhen lassen und sich intensiv auf die neue Gemeinschaft der
Gläubigen richten.

Im letzten Teil, von Kapitel 23 an, bekommt die Ablehnung

---

30 In 18,17 wird unter ἐκκλησία selbst schon die örtliche christliche
Gemeinde verstanden; vgl. J.Roloff, EWNT I 1010, s.v. ἐκκλησία.
31 Siehe jedoch auch die folgenden Stellen: 19,3 (πειράζοντες), während Mk
10,2 nur von ἐπερωτᾶν spricht; 19,16 (aus der Anrede 'guter Meister in Mk
10,17 wird die Frage nach dem Guten) und 21 (Matthäus läßt die Notiz aus Mk 10,21
"Jesus hatte ihn lieb" aus); 21,39 (durch die Umkehrung der Reihenfolge 'töten und
hinausstoßen' von Mk 12,8 wird das Gleichnis noch direkter auf die Verwerfung Jesu
bezogen); 22,6 (Matthäus nennt nicht nur verschiedene Entschuldigungen, vgl. 22,5
mit Lk 14,18-20, sondern er legt durch die Erwähnung des Schlagens und Tötens der
Boten wieder eine deutliche Verbindung zur Verwerfung Jesu); 22,37 (der Schriftgelehrte, der nach dem großen Gebot fragt, will ihn, anders als in Mk 12,28, nur
versuchen).

Jesu durch das jüdische Volk wieder einen besonders breiten Platz, vor allem in dem Bericht über sein Leiden. Dies lag schon wegen der Überlieferung nahe. Matthäus hat jedoch durch einige redaktionelle Änderungen, mehr als das bei Markus der Fall gewesen war, alle Schichten des Volkes oder auch das ganze Volk als feindlich dargestellt: 26,47 (eine große Schar), 26,55 (die Scharen), 27,20 (die Hohenpriester u n d d i e Ä l t e s t e n überredeten die Scharen <Mehrz.>); während Pilatus (27,24) <und seine Frau, 27,19> ihre Unschuld beteuern, übernimmt d a s g a n z e V o l k die Verantwortung für seinen Tod (27.25) [32]. Schließlich kommen nur bei Matthäus die Hohenpriester vor in ihrem Haß, der sie noch nach der Auferstehung Christi zu Korruption und Lügen verleitet (28,11-15). Es wird nicht zufällig sein, daß Matthäus in diesem Abschnitt und nur hier [33] über die Bürger des Volkes Israel als über 'die Juden' spricht. Israel, das seinen Messias verwirft, profanisiert seine eigene Existenz. Dasselbe meint auch die Wehklage von 23,37-39. Sie haben durch diese ihre Haltung ihr Privileg verspielt [34]; und darum kehrt sich das Erfüllungszitat in 2,6b [35] gegen sie selbst und ist 'mein Volk' fortan nicht mehr identisch mit dem Volk Israel, vgl. 1,21.

Bei dem allem läßt sich nicht leugnen, daß Matthäus bei der

---

32 Es ist falsch, in diesem Zusammenhang von einer Selbstverfluchung zu sprechen, wie z.B. J.Schniewind o.c. (Anm.16) z.St. es tut. Das Volk nimmt mit einer Rechtsformel, die an Jos 2,19 erinnert, die Verantwortung für die Verurteilung Jesu auf sich; vgl. E.Schweizer, NTD Matthäus, ⁴1976 z.St. O.L.Cope, Matthew, a scribe trained for the kingdom of God, Washington 1976, hat zahlreiche Zusammenhänge zwischen Matthäus und jüdischen Hintergründen seines Evangeliums entdeckt. Seiner Meinung nach ist der Verfasser selbst der in 13,52 gemeinte Schriftgelehrte, S.10. "Matthew reveals himself to have been a Jewish Christian who was quite at home in the thought world of first century Judaism", S.31. Er ist auch überzeugt, daß man mit einer Aussage wie in 27,25 für jüdische Begriffe keineswegs an eine Vererbung der Schuld dachte, sondern nur die damals Erwachsenen und die auf sie folgende Generation in die Verantwortung einbezog. Deshalb kann er in 21,41-46 auch davon ausgehen, daß der Untergang Jerusalems im Jahre 70 n.Chr. als Antwort Gottes auf diese Rechtsformel von 27,25 gilt. Cope weist in diesem Zusammenhang auch auf Lk 23,28f, o.c. S.125-129. Bleibender Zorn Gottes, Verwerfung des Volkes Israel und Androhung weiterer Gerichte können weder aus diesen Aussagen noch aus einer (fälschlicherweise angenommenen) Haltung des Evangelisten abgeleitet werden. Darin ist Cope zuzustimmen.

33 In 2,2; 27,11.29.37 sind Heiden am Wort. Wo es Matthäus um die heilsgeschichtliche Größe des Volkes als Volk Gottes geht, gebraucht er konsistent den Ausdruck 'Israel'; so in 2,6.20.21; 8,10; 9,33; 10,6.23; 15,24.31; 19,28; 27,9.42.

34 In diese Richtung weist die Studie von R.Walker (Anm. 3).

35 Die bedeutendste Abweichung sowohl vom hebräischen Text als auch von der LXX besteht in der Hinzufügung der Worte: ὅστις ποιμανεῖ τὸν λαόν μου vor τὸν Ἰσραήλ.

Beschreibung der Verwerfung Jesu durch Gruppen des jüdischen
Volkes nicht sorgsam unterscheidet, wie Lukas das tut. Zwar läßt
auch er hier und da durchschimmern, daß Israel in seiner Haltung
gegenüber Jesus geteilter Meinung war. Wir denken dabei an die
großen Scharen, die sich um Jesus versammelten, an die Menschen,
die in der Bergpredigt angeredet wurden, an die Gleichnisse aus
Kapitel 13, an Kapitel 18 mit seinen Richtlinien für das Leben in
der neuen, durch ihn (allererst inmitten Israels!) gestifteten
Gemeinschaft, an die Schar, die ihn in Jerusalem begrüßte (21,8:
der größte Teil der Schar) und die wegen ihrer Sympathie für Jesus
von Israels führender Schicht gefürchtet wurde (21,46; 26,5).
Trotzdem aber spricht Matthäus anders als vor ihm Markus und
anders als nach ihm Lukas ziemlich undifferenziert über die verschiedenen Gruppen [36] und gebraucht verschiedentlich den generalisierenden Ausdruck 'das Volk' (13,15; 15,8; 27,25) oder 'dieses Geschlecht' (3,7; 11,16; 12,41; 23,36). Dieser Sprachgebrauch verrät
eine Situation, in der die Spannung zwischen der (aus Juden und
Heiden bestehenden) Kirche und dem (größten Teil vom) jüdischen
Volk ihren Höhepunkt erreicht und sich ein Stadium anbahnt, in dem
der Bruch definitive Formen annimmt.

3.3. Das Gericht über Israel

Zugleich mit der Verwerfung Jesu durch Israel gibt Matthäus
in allen Teilen seines Evangeliums der Ankündigung des Gerichtes
Gottes über das ungläubige Israel einen hervorgehobenen Platz. Wir
nennen einige bezeichnende Beispiele.

Dem Abschnitt über die Predigt und Taufe des Johannes (3,1-6;
par. Mk 1,2-6) fügt Matthäus einige Verse aus Q hinzu, in denen
den Pharisäern und Sadduzäern [37], also den Leitern des Volkes,
angekündigt wird, daß sie ihr Vorrecht, das mit der Abrahamskind-
schaft verbunden war, im kommenden Gericht verloren haben werden.

In der Bergpredigt sagt Jesus, daß niemand mit der Gerechtigkeit von Schriftgelehrten und Pharisäern in das Himmelreich eingehen kann. Dasselbe wird in den darauf folgenden Kapiteln auch in

---

36 Siehe R.Walker, o.c. (Anm.3), 11; J.P.Meier, o.c.(Anm.3), 19-22.
37 Ohne die großen Gegensätze zwischen beiden Gruppierungen (in 16,12 wird
sogar über die Lehre (!) der Pharisäer und Sadduzäer gesprochen) und die unterschiedlichen Motive in ihrer Haltung gegenüber Jesus zu beachten, werden sie hier
und an anderen Stellen (16,1.6.11.12) in einem Atemzug genannt als Leiter und
Repräsentanten des Volkes.

anderem Zusammenhang wiederholt. In 8,11f lesen wir, daß die
Kinder des Reiches hinausgeworfen werden, während Menschen aus
allen Völkern hineingehen. Genau wie in 3,9 wird die Abrahamskind-
schaft anderen Völkern gegeben. Dieselbe Bedeutung hat auch die
Mahlzeit mit den Zöllnern und Sündern in 9,9-13 (=Mk 2,13-17), wo
diese den Platz derer einnehmen, die als sogenannte Gesunde und
Gerechte dafür nicht qualifiziert sind.

In der Aussendungsrede von Kapitel 10 kündigt Jesus an, daß
es Sodom und Gomorrah am Tage des Gerichtes erträglicher ergehen
wird als diesen Städten (V.14-16). Die darauf folgenden Kapitel
haben wieder denselben Sinn. In 11,20-24 stehen wieder heidnische
Städte (Tyrus, Sidon, Sodom) gegenüber den Städten, die das Evangelium abgelehnt haben (Chorazim, Bethsaida, Kapernaum) und denen
jetzt das "Weh euch!" gilt, weil das Gericht über sie schwer sein
wird. Weiter wird gesagt, daß diejenigen, die das Werk Jesu dem
Teufel zuschreiben, keine Vergebung finden werden, sondern jetzt
in der Geschichte und dann am Ende der Geschichte unter dem Gericht
stehen (12,31f). Als Otterngezüchte (V.34) werden sie nach ihren
Worten gerichtet werden (V.37). Selbst die Einwohner von Ninive
und die Königin vom Süden werden sie dann verurteilen (V.41f).

Die Gleichnisse von Kapitel 13 sprechen nur in zwei Fällen
über das Gericht Gottes: V.30.41f im Zusammenhang mit dem Unkraut
und V.49 im Gleichnis über das Fischnetz. In keinem der beiden
Fälle wird das Gericht Gottes ausdrücklich mit dem Volk Israel verbunden. In V.38 war selbst die Welt als Acker genannt. Man gewinnt
sehr den Eindruck, daß jedenfalls Matthäus beiden Gleichnissen
eine wichtige Bedeutung beimißt und das sich nähernde Gericht als
Warnung für die christlichen Leser betrachtet. Andererseits, die
Aussage von 15,13f mit ihrer deutlichen Anspielung auf 13,30.41f
identifiziert alles, was nicht von Gott gepflanzt ist und deshalb
ausgerissen werden wird, mit den Pharisäern in ihrer Haltung
gegenüber der Unterweisung Jesu.

In den Mahnungen des Kapitels 18 dürfen wir keine Gerichtsankündigung über Israel erwarten; und auch in den nächsten beiden
Kapiteln 19 und 20 richtet der Evangelist seine Aufmerksamkeit
anscheinend auf alles, was grundsätzlich und praktisch auf die
Leser und ihre Gemeinde Bezug hat. Um so auffälliger sind die
redaktionellen Eingriffe, wenn der Verfasser, der in diesem ganzen
Teil der Markusvorlage folgt, in Kapitel 21 über Geschehnisse in

den Tagen des Einzugs Jesu in Jerusalem und der Tempelreinigung
erzählt. Das Gleichnis von den beiden Söhnen (V.28-32) finden wir
nur bei ihm: Zöllner und Sünder werden ihnen, nämlich den Hohenpriestern und Ältesten (V.23), vorangehen in das Reich Gottes
(V.32). Und in dem Gleichnis über die ungerechten Pächter des
Weinberges, die am Ende den Sohn des Besitzers ermordet hatten
(21,33-46), lautet das Urteil bei Matthäus noch schärfer als bei
Markus: "Er wird die Bösewichter übel umbringen und seinen Weinberg
an andere Weingärtner vergeben, die ihm die Früchte zu rechter
Zeit geben" (V.41). Hinzu kommt, daß Matthäus diese Antwort den
Gegnern (siehe V.23 und 45) selbst in den Mund legt. Am Ende
spüren sie denn auch (V.45), daß Jesus sie gemeint hat und daß sie
das Gericht über sich selbst ausgesprochen haben. Und wiederum ist
es allein Matthäus, der darauf die Gerichtsankündigung Jesu folgen
läßt: "Das Reich Gottes wird von euch genommen und einem Volke
gegeben werden, das seine Früchte bringt" (V.43). Dasselbe Motiv
fügt Matthäus hinzu bei dem Gleichnis über das große Abendmahl
(22,1-14), das aus Q stammt und auch in Lk 14,15-24 aufgenommen
ist. An erster Stelle: diejenigen, die die Einladung abgelehnt
hatten, hatten nicht nur verschiedenartige Entschuldigungen,
sondern sie griffen, mißhandelten und töteten die Sklaven, die
ihnen die Einladung brachten (V.6). An zweiter Stelle: Der König
wurde zornig, schickte seine Heere aus, vertilgte die Mörder und
steckte ihre Stadt in Brand (V.7). Diese offensichtlich redaktionellen Hinzufügungen lassen auch erkennen, daß Matthäus die Geschichte auf diese Weise im Hinblick auf die historische Entwicklung der vorangehenden Jahrzehnte erzählt. Er identifiziert das
dort angekündigte Gericht mit der inzwischen geschehenen Verwüstung
Jerusalems. Ihre Stadt war verbrannt, und die jüdischen Heere
waren vernichtet.

Den mit den Reden in den Kapiteln 23-25 beginnenden letzten
Teil können wir vorerst ruhen lassen, weil die eschatologische
Rede Jesu, vor allem Kapitel 24, noch gesondert behandelt wird.
Daß die Wehrufe von Kapitel 23 auch mit der Ankündigung des Gerich-
tes gepaart gehen, versteht sich von selbst; siehe auch die Verse
13,33,35f und 37. Aber das siebenfache 'Wehe' ist auch ohne weitere
Explikation schon eine Warnung vor dem kommenden Gericht.

3.4. Das Problem der Mission unter Israel

Wir haben im letzten Abschnitt bereits gesehen, daß Matthäus die Neigung hat, ziemlich generalisierend über das jüdische Volk zu sprechen in seiner Ablehnung Jesu und nicht weniger auch was Jesu Gerichtsankündigung über sie betrifft. Die Frage ist nun, ob für sein Bewußtsein und nach dem Zeugnis seines Evangeliums noch irgend eine Hoffnung für Israel da ist und ob für die Verkündigung des Evangeliums an Israel noch eine Legitimation besteht. Manche Ausleger sind der Meinung, daß dies nicht der Fall ist und daß Matthäus sich gerade darin von Paulus unterscheidet [38]. In dem Zusammenhang wird dann oft auf die Tatsache hingewiesen, daß das Evangelium mit dem Missionsbefehl an die Völker schließt und daß damit ausschließlich die heidnischen Völker gemeint seien [39]. Nun wird ohne Zweifel an vielen Stellen bei Matthäus auf exklusive Weise über 'Völker' als heidnische Völker gesprochen (4,15; 6,32; 10,5; 12,18.21). In einigen Fällen werden sie sogar ausdrücklich Israel gegenübergestellt (10,18; 20,19; 21,43). Daneben können aber auch Texte genannt werden, in denen das weniger deutlich (20,25) oder überhaupt nicht der Fall ist (24,7.9), ohne daß daraus gleich ein Argument abgeleitet werden kann mit Bezug auf die Wortbedeutung in 28,19. Nun ist es aber auch innerhalb dieses Abschnitts zweifelhaft, ob Israel hier als ausgeschlossen betrachtet werden muß, wenn 'alle Völker' zu Jüngern Jesu gemacht werden sollen. Die Verse sind durch eine universale Weite gekennzeichnet. Es geht um alle Macht im Himmel und auf Erden, um alle Völker, um alle Gebote Christi und um alle Tage bis zur Vollendung. Es läge doch wohl etwas sehr Merkwürdiges darin, wenn in einem dieser vier Fälle die alles umfassende Weite begrenzt werden sollte durch den

---

38 Vgl. G.Strecker, o.c. (Anm.19), 239f Anm.9; R.Hummel, Die Auseinandersetzung zwischen Kirche und Judentum nach dem Matthäusevangelium, München 1963, 143.

39 S D.Hare und D.Harrington, C.B.Q. 37,1975, 359-369. J.P.Meier, o.c. (Anm.3), 17; W.Trilling, Das wahre Israel, München 1964, 139; sowie G.Strecker, o.c. (Anm. 19), 118, gehen auf jeden Fall davon aus, daß individuelle Juden (Meier, Trilling) oder auch Israel als ein Volk unter anderen Völkern mit gemeint sind. K.F.Nickle, o.c. (Anm.2), 102, ist nachdrücklich der Meinung, daß πάντα τά ἔθνη die Juden ausdrücklich mit einschließt und daß wichtige Teile des Evangeliums, z.B. die Erfüllungszitate, ihre Funktion hatten im Rahmen einer Mission unter den Juden. S.Legasse, L' "antijudaisme" dans l' Évangile selon Matthieu, in: M.Didier (ed.), L' Évangile selon Matthieu, Rédaction et Théologie, Gembloux 1972, 417-428, beschließt seinen Aufsatz, indem er spricht von "l' interet que Matthieu conserve pour ses frères de race et le desir ardent qu'il a de leur salut." Nach seiner Meinung "il invite l' Église à maintenir grandes ouvertes les portes qui donnent sur Israel ..." S.428.

Gedanken: mit Ausnahme Israels [40]. Man vergleiche auch die Aussagen
in 24,14, wo Christus - mit einer kleinen Abweichung von Mk 13,10,
was Platz und Wortwahl betrifft - sagt: "Und dies Evangelium vom
Reich wird gepredigt werden in der ganzen Welt [41] zum Zeugnis für
alle Völker ..." Allem Nachdruk auf den weltweiten Umfang dieser
Predigt zum Trotz kann schwerlich angenommen werden, Israel sei in
dieser Hinsicht aus der 'Ökumene' ausgeklammert [42]. Dasselbe gilt
von 25,32, wo gesagt wird, daß bei der Wiederkunft des Menschensohnes alle Völker vor ihm versammelt werden. Matthäus hat einige
Male mit besonderem Nachdruck über den Sohn des Menschen als den
kommenden Richter Israels gesprochen, z.B. 10,23; 13,41; 19,28;
26,64. Es besteht keinerlei Zweifel, daß die Universalität hier in
25,32 wie auch in 24,27 Israel keineswegs ausschließt. Aber abgesehen von diesen eher indirekten Argumenten darf auch auf einige
Stellen hingewiesen werden,, die ohne weiteres eine bleibende
Offenheit für Israel voraussetzen. In 8,19 ist - im Zusammenhang
mit V.21: "ein anderer unter den Jüngern" - die Verbindung mit den
Schriftgelehrten keineswegs abgebrochen. Von Joseph von Arimathia,
den Markus einen Ratsherr nennt, sagt Matthäus, er sei ein Jünger
Jesu geworden (27,57); und die Sammlung von Gleichnissen in Kap.13
schließt mit dem Spruch über einen Schriftgelehrten, der ein
Jünger des Himmelreiches geworden ist [43]. Vor allen Dingen muß in
diesem Zusammenhang jedoch die Aussage von 23,34 bedacht werden,
wo Jesus im Rahmen eines Wehspruches über die Pharisäer und nach
der Beschuldigung, daß sie das Maß ihrer Väter erfüllt haben und
zusammen mit ihnen Mörder der Propheten sind, zu ihnen sagt:
"Siehe, ich sende zu euch Propheten und Weise und Schriftgelehrte;
von ihnen werdet ihr etliche töten und kreuzigen, und etliche
werdet ihr geißeln in euren Synagogen und werdet sie verfolgen von

---

40 Vgl. O.Michel, Der Abschluß des Matthäusevangeliums, EvTh 10, 1950, 16-26;
jetzt aufgenommen in: Das Matthäusevangelium, W.d.F. 525, Darmstadt 1980, 119-133,
vgl. vor allem 130.

41 ἐν ὅλη τῇ οἰκουμένη anstelle von εἰς πάντα τὰ ἔθνη , Mk
13,10; So schreibt auch G.Strecker: "Die Beziehung zu 28,19 liegt auf der Hand,"
o.c. Anm. 19), 239.

42 Dies gilt trotz der Tatsache, daß der Begriff οἰκουμένη in der hellenistischen Zeit vor allem die Welt der griechischen Kultur andeutet und in der
römischen Zeit zu einem "hyperbolischen Begriff wird für die zentral geleitete und
geordnete Welt des römischen Imperiums, den orbis terrae (terrarum), dessen Beherrschung Rom zusteht", H.R.Balz, EWNT II, 1231, s.v. οἰκουμένη.

43 Siehe O.L.Cope, o.c. (Anm.32), 10, wo er dem Satz von R.H.Fuller zustimmt:
"Matthew betrays his method in Mat. 13,53."

einer Stadt zu der anderen." Dies ist nur verständlich als Hinweis auf den Auftrag, den Jesus seinen Jüngern gegeben hat und der folglich auch nach seiner Auferstehung auf das Volk Israel gerichtet blieb, obwohl seine leitende Schicht Christus bereits abgelehnt hatte [44]. Dabei kann die Form, in der diese Worte Jesu übernommen werden, durchaus eine Erinnerung enthalten an die christlichen Zeugen, die inzwischen das Opfer der feindlichen Haltung unter den Juden geworden waren, wie z.B. Stephanus und Jakobus, der Herrenbruder, der im Jahre 62 auf Anstiftung des Hohenpriesters getötet wurde [45].

Es ist jedoch die Frage, inwiefern Matthäus noch wirklich mit einer Möglichkeit der Mission unter Israel gerechnet hat und ob er selbst in 28,19 noch an Israel gedacht hat. Er würde gewiß nicht leugnen [46], daß Israel auch nach dem Verlust seines heilsgeschichtlichen Privilegs - was etwas anderes ist als heilsgeschichtliche Priorität - einen Teil der Menschheit bildet, der das Evangelium verkündigt werden muß. Aber inzwischen ist er allem Anschein zufolge doch wohl in hohem Maße beeinflußt durch das, was seitdem geschehen ist: einerseits die Feindschaft, die gerade Christen aus Israel von seiten ihrer jüdischen Volksgenossen erlitten hatten und andererseits die Schläge, die Israel inzwischen im Jüdischen Kriege mit der Verwüstung von Stadt und Tempel hatte einstecken müssen. Matthäus hatte dies alles erlebt und als Gericht Gottes gewertet. Die Geschichte stand bei ihm in der Gefahr, zu einem hermeneutischen Schlüssel zu werden.

Was das betrifft besteht trotz aller Gegensätze eine bemerkenswerte Parallele zwischen der unausgesprochenen, unreflektierten und noch nicht konsequent durchgeführten Hermeneutik des Matthäus und denjenigen in unserer Zeit, die den Holokaust als herme-

---

44 Daß dies in der Tat die Absicht des Matthäus ist, wird noch deutlicher, wenn wir bedenken, daß dieser hier eine aus Q stammende und in Lk 11,49 (abgesehen von der Änderung von σοφοὺς καὶ γραμματεῖς in ἀποστόλους) im ursprünglichen Wortlaut überlieferte Aussage auf solch eine Weise bearbeitet hat, daß hier auf eine Verkündigung der Botschaft Gottes abgezielt wird, die noch geschehen mußte. Ihre abweisende Reaktion war noch ein zu erwartendes Geschehen in zukünftigen Zeiten. Siehe zu dieser Frage D.Lührmann, o.c. (Anm.1), 46-48; P.Hoffmann, Studien zur Theologie der Logienquelle, Münster 1972, 164-166; S.Schulz, o.c. Anm.1), 336-345.

45 Vgl. Fl.Josephus, Antiquitates XX 200.

46 Man beachte auch die Symmetrie zwischen dem universalen, aber Israel keineswegs ausschließenden Anfang und den alle Welt einschließenden Schluß des Evangeliums in 28,18-20.

neutisches Prinzip hantieren [47] und die jede Verkündigung des Evangeliums an Israel als anachronistisch verwerfen, weil die Kinder Israel bereits von Gott als Söhne angenommen sind (Röm 9,4), im neuen Bund leben und den Dienst Gottes kennen [48]. Im einen Fall bringt die Geschichte, die mit der Chiffre 'Untergang Jerusalems' angedeutet werden kann, einen Evangelisten zwar nicht ganz, aber doch beinahe zu der Annahme, die Gerichte Gottes hätten eine hermeneutische Bedeutung für die Sicht auf Israel: Mission an Israel, wie nötig sie ohne Zweifel auch wäre, wird beinahe als unmöglich betrachtet. Im anderen Falle bringt die Geschichte, die mit der Chiffre 'Auschwitz' angedeutet wird, Christen zu der Meinung, diese Geschichte habe hermeneutische Bedeutung für die Sicht auf Israel: Mission an Israel wird als Hybris bezeichnet, als unerlaubte Intervention in Gottes Pläne; sie sei nicht nötig und müsse beendet werden. In beiden Fällen müssen wir für diese unreflektierte und noch nicht konsequent durchgeführte oder auch ausführlich reflektierte und konsequent geforderte Deutung der Geschichte Verständnis haben. Kann es je eine Hermeneutik geben, die die erfahrene Geschichte außerhalb der Besinnung hält? Andererseits bringt das Bemühen um das Verstehen des biblischen Zeugnisses es mit sich, in beiden Fällen die Relativität und Zeitbedingtheit dieser Konzepte zu erkennen. In beiden Fällen wird das neutestamentliche Zeugnis selbst schließlich den Durchschlag geben und deutlich machen müssen, daß die Universalität des Missionsauftrags weder im einen noch im anderen Sinn Israel von der Verkündigung des Evangeliums ausschließt noch auszuschließen erlaubt.

3.5. Das neue Gottesvolk

In dem Gleichnis von den ungerechten Weinbergspächtern begegneten wir der Aussage Jesu: "Das Reich Gottes wird von euch genommen und einem Volk gegeben werden, das seine Früchte bringt" (21,43; vgl. auch V.41). Denselben Gedanken enthalten auch schon

---

47 Vgl. B.Klappert/H.Starck (Hrsg.), Umkehr und Erneuerung, Erläuterungen zum Synodalbeschluß der Rheinischen Landessynode, 1980: B.Klappert, 40; E.Bethge, 98. In die Richtung weist auch S.Schoon, Christelijke presentie in Israel, Kampen 1982, der z.B. auf S. 171f über einige Sätze aus Röm 9-11 spricht als über "harte Worte von Paulus, ... die nicht verdrängt werden können, um eine möglichst vorteilhafte 'christliche Theologie des Judentums' von Röm 9-11 zu entwerfen", und dann weiter sagt: "Aber diese harten Andeutungen werden unter der Kritik der Wirklichkeit der jüdischen Geschichte stehen müssen ..." (Übersetzung von mir,H.B.)
48 S.Schoon, o.c., 244f.

3,9 und 8,11f. Bei näherer Betrachtung des Matthäusevangeliums
zeigt sich nun aber, daß die Ekklesiologie bei diesem Evangelisten
unmittelbar mit der Christologie verbunden ist [49]. In der Wiedergabe der Predigt Jesu, aber auch in den Berichten über sein Auftreten
verrät er ein besonderes Interesse für die Kirche als das neue
Volk Gottes. Wir gehen dieser Frage nach, indem wir die verschiedenen Teile des Evangeliums noch einmal näher betrachten.

In 1,21 wird der Name Jesu in einem Atemzug mit 'seinem Volk'
verbunden. In Kapitel 2 erscheinen die Magier - gegenüber dem
offiziellen Judentum, V.3f - als Vorläufer des universalen Volkes,
das dem Messias huldigt. In Kapitel 3 zeigt die Predigt des Johannes, daß das Volk Gottes nicht ohne weiteres identisch ist mit dem
Volk Israel, daß dieses neue Volk Gottes vielmehr konstituiert
wird als das Volk des Messias (V.11) und gekennzeichnet wird durch
Bekehrung und deren Früchte (V.8). Wenn Jesus im 'Galiläa der Heiden' erscheint, wird die Aussage von Jes 8,23-9,1 zitiert. Dabei
liegt der Nachdruck auf "dem Volk, das in Finsternis saß nun aber
ein großes Licht gesehen hat" (V.16). Gottes Reich und Gottes Volk
(V.17 und V.16) gehören zusammen.

Die Bergpredigt, wie sie von Matthäus redigiert worden ist,
richtet sich vom Anfang bis zum Ende sehr deutlich an das neue
Gottesvolk, man könnte sagen: an die Kirche. Die Seliggesprochenen
sind u.a. sie, die um Christi willen verfolgt werden (V.11). Sie
sind das Salz der Erde und das Licht der Welt, die Stadt Gottes
(V.13-16). Bei ihnen darf vorausgesetzt werden, daß ihre Gerechtigkeit sich grundlegend von der der Schriftgelehrten und Pharisäer
(5,20) unterscheidet. Sie sind die Empfänger der messianischen
Auslegung des Willens Gottes (5,21-47) und werden aufgerufen,
vollkommen zu sein (5,48). Ihr religiöses Leben unterscheidet sich
wesentlich von dem der Pharisäer (6,1-18) und wird geprägt durch
das gemeinsame Gebet, das Jesus sie lehrte (6,9-13). Inmitten von
raubgierigen Wölfen (vgl.10,16) werden sie angespornt, durch die
enge Pforte und über den schmalen Weg zu gehen und Früchte zu
tragen (7,13-20). Die darauf folgenden Kapitel 8 und 9 bieten
nicht allein eine Sammlung von Wundergeschichten, um auf diese
Weise (siehe die Rahmentexte 4,23 und 9,35) zu zeigen, daß Jesus

---

49 Vgl. G.Bornkamm, Enderwartung und Kirche im Matthäusevangelium, in: G.Born-
kamm, G.Barth, H.J.Held, Überlieferung und Auslegung im Matthäusevangelium, Neukirchen 1975, 35.

der Messias in Wort und Tat ist [50]. Nicht weniger wichtig ist
nämlich, daß dort zugleich das Thema Nachfolge, Jüngerschaft und
(implizit) Kirche Aufmerksamkeit erhält [51]. Es fängt an mit der
Heilung eines Aussätzigen und mit dem Abschnitt über den heidnischen Hauptmann (8,1-13), Beispiele von Menschen, die nach dem
Maßstab der Synagoge außerhalb der Gemeinschaft des Gottesvolkes
standen. Auf die erste Gruppe Wundergeschichten folgt ein Abschnitt
über die Nachfolge Jesu. Von besonderer Bedeutung ist weiter, wie
Matthäus die Geschichte über den Sturm auf dem See redigiert hat
[52]: a. Jesus geht voran, die Jünger folgen; b. anstelle des harten
Windes ist die Rede von σεισμος , das auch Erdbeben oder Seebe-
ben bedeuten kann und auf abgründige Mächte weist; c. das Schiff
wird durch die Wellen bedeckt; d. der Aufschrei der Jünger hat die
Form eines geeichten Gebetes angenommen: "Herr, rette uns!"; e.
bevor er den Sturm stillt, fragt Jesus sie: "Warum seid ihr so
kleingläubig?" [53]; f. nicht die Jünger, sondern die Menschen,,
also Außenstehende, waren entsetzt [54]. Aus all diesen Einzelheiten
erhellt, daß Matthäus dieses Wunder weitererzählt als die Geschichte der Bewahrung derer, die Jesus folgen, inmitten aller Bedrohungen kleingläubig, aber doch nicht ungläubig sind, in Angst, aber
doch betend. Hier entsteht bereits innerhalb der Grenzen des
Evangeliums das Emblem der Ökumene: das Schifflein inmitten der
Wogen, saevis tranquillus in undis.

Auch in Kapitel 9 geht das Interesse für die Wundertaten Jesu
gepaart mit der Aufmerksamkeit für die Menschen, die dieser Messias
um sich versammelt. Bei der Heilung des Gelähmten geht es zugleich
um die Vergebung als Gabe Gottes in der Zeit der Erfüllung (V.6);
die Berufung des Matthäus ist zur gleichen Zeit die Gelegenheit
für Jesus, mit Zöllnern und Sündern Gemeinschaft zu stiften und zu
feiern (9,9-13); und in dem Abschnitt über das Fasten spielt die
Frage nach dem Lebensstil der Gemeinschaft der Jünger jetzt und in
Zukunft eine große Rolle (9,14-17). In dieser ganzen Sammlung

---

50 Vgl. J.Jeremias, o.c. (Anm.11), 178; H.J.Held, o.c. (Anm.5), 234.
51 Vgl. Chr.Burger, o.c. (Anm.5).
52 Vgl. G.Bornkamm, o.c. (Anm.49), 48-53.
53 Diese Frage wird gestellt, b e v o r der Sturm gestillt wird, während Jesus
bei Markus n a c h dem Wunder seinen Jüngern Unglauben vorwirft, siehe Mk 4,40.
54 Sie nehmen bei Matthäus auch innerhalb der Struktur der Perikope den Platz
ein, den bei Markus die Jünger gehabt hatten, obwohl die Anwesenheit der anderen
Menschen in diesem Augenblick zumindest schwer vorstellbar ist.

fällt auf, daß die heilende, vergebende und sammelnde Aktivität
Jesu stets wieder zur Folge hat, daß die leitenden Kreise des
alten Gottesvolkes sich widersetzen. Der Übergang von dem alten
zum neuen Gottesvolk vollzieht sich auf der ganzen Linie (sieh
8,10-12.23.27; 9,4.11.14.33.34). Vor allem in den zuletzt genannten
Versen kommt dies gut zum Ausdruck. Das messianische Auftreten mit
allen Genesungen und Erweisen der Barmherzigkeit ist in Israel
noch nie gesehen worden und wird denn auch durch die Pharisäer als
teuflisches Werk abgelehnt. Dieser ausführliche und für die Zielsetzung des ganzen Evangeliums sehr wichtige Teil der Kapitel 5-9
wird schließlich abgerundet, indem das Summarium über die Verkündigung des Evangeliums vom Reich verbunden wird mit der Notiz: "Da
er das Volk sah, jammerte ihn desselben, denn sie waren verschmach-
tet und zerstreut wie die Schafe, die keinen Hirten haben" (V.36).
Die Verbindung zwischen Christologie und Ekklesiologie besteht in
dem Bestreben Jesu, aus den Scharen eine Herde zu machen; und in
dem Zusammenhang werden die Jünger aufgerufen, um Arbeiter für die
Ernte zu beten (9,37f) und auch selbst Arbeiter in der Ernte zu
werden (Kap.10).

Daß Matthäus bei der Aussendung der Jünger zugleich an das
weltweite Werk aus der Zeit nach Ostern denkt, wird schon daran
deutlich, daß die Jünger bereits hier als Apostel angedeutet
werden (10,2). Ihre Predigt und ihr Auftreten, vorerst in Israel,
werden Feindschaft und Trennung bewirken (V.12f.16.21-23.26.34-36);
aber inmitten dieser Umstände wird doch in Israel (V.13) und unter
den Völkern (V.18) auf Erden (V.34) eine neue Gemeinschaft gebildet
werden, die angedeutet werden kann als "die Hausgenossen des
Herrn" (V.25) und als "die Kleinen", nämlich die Jünger (V.42).
Für sie ist dann auch die Mahnung der Verse 32f bestimmt, ihn zu
bekennen und nicht zu verleugnen. In den Kapiteln 11 und 12 läßt
der Evangelist anhand von Beispielen sehen, wie diese Trennung
zwischen dem alten und dem neuen Volk sich auch im Auftreten Jesu
(und bereits in dem des Täufers) vollzieht (11,16-19.25-27). Trotz
aller Ablehnung durch die Repräsentanten des alten Volkes versammelt der Christus das neue Volk, die Mühseligen und Beladenen
(11,28); und wenn in Kapitel 12 erzählt wird, daß viele ihm folgen
(V.15), dann sieht Matthäus dies [55] als Erfüllung der Prophetie,
daß die Völker auf seinen Namen hoffen werden (V.21; Jes 42,4). Er
ist es, der die Menschen sammelt und von denen, die ihm folgen,

erwartet, daß sie an seiner Sammlungstätigkeit teilnehmen (V.30). Zugleich treten in denselben Versen die Pharisäer als Vertreter Israels auf. Sie sind gemeint mit dem Wort: "Wer nicht mit mir sammelt, der zerstreut", denn sie versuchen, die Sammlung der Gemeinde zu vereiteln.

Die Sammlung mit Gleichnissen vom Reich Gottes in Kapitel 13 wird eingeleitet mit einer Notiz über die großen Scharen, die sich am Ufer des Sees um Jesus sammelten. Das Thema 'sammeln' wird dann im Laufe des Kapitels näher ausgeführt. Man denke an die Gleichnisse vom Unkraut unter dem Weizen und vom Fischnetz. Auch in diesem Kapitel wird deutlich, daß ein Wechsel stattfindet; gegenüber "diesem Volk" (13,15 und 15,8, wo Jes 6,9f und 29,13 zitiert werden) stehen die Jünger: "Aber eure Augen" (V.16) und "die Söhne des Reiches" (V.38). Ein Vergleich mit 8,11f zeigt, daß dieser Ausdruck neu gefüllt und nun angewandt wird auf das neue Volk Gottes in der ganzen Welt.

In den darauffolgenden Kapiteln wird der Ekklesia in zunehmendem Maße Aufmerksamkeit geschenkt. Die Speisung der mehr als fünftausend Menschen (14,13-21) war schon vor Matthäus durch das Motiv der eschatologischen Mahlzeit und also durch die Sammlung des neuen Gottesvolkes mit bestimmt gewesen. Daß Matthäus dieses Wunder nicht einfach als Speisung, sondern als Sammlung des Gottesvolkes betrachtet hat, geht daraus hervor, daß er die Worte über das Erbarmen Jesu anders als Markus (6,34) direkt mit den Heilungen und mit der Speisung verband und dieselbe Ausdrucksweise, einschließlich der Worte über die Schafe, die keinen Hirten haben, auch in der Einleitung auf die Aussendung der Jünger (9,36) anführte. In dem Abschnitt über die kanaanäische Frau geht es wieder um das Sammeln der verlorenen Schafe (15,24), während die Frage nach der Öffnung auf die Völker zu da noch ein Problem ist. Aber auch dort, wo es um die Schafe aus dem Hause Israel geht, ist die Identifikation mit dem historischen und religiösen Volk Israel, das durch Hohepriester und Schriftgelehrte repräsentiert wird, längst losgelassen.

Dieses neue Gottesvolk wird jedoch nicht nur durch Christus, in seinem Namen und um ihn versammelt, sondern es verdankt seine

---

55 trotz der Tatsache, daß der erste Grund für dieses Erfüllungszitat deutlich in der Verbindung zwischen dem Schweigenauflegen (V.16) und dem Schweigen des Knechtes (V.19) liegt.

Existenz auch der Tatsache, daß und wie Jesus der Christus ist und
im Glauben als der Christus bekannt wird, wie deutlich erhellt aus
der Antwort Jesu auf das Bekenntnis des Petrus (16,18). Die Frage,
ob Jesus selbst diese Worte gebraucht und also explizit über die
Gemeinde (ἐκκλησία) gesprochen hat, können wir auf sich beruhen lassen. Hier entscheidet nicht der Gebrauch der Vokabel. Die
Sache, um die es hier ging, war, wie wir bereits gesehen haben,
auf verschiedene Weise in der Predigt und im Auftreten Jesu zum
Ausdruck gebracht. Wie direkt Christologie und Ekklesiologie im
eschatologischen Rahmen der Zeit zwischen Erfüllung und Vollendung
miteinander verbunden sind, zeigt sich an dieser Stelle auch
terminologisch: Du bist der Christus - ich werde meine Gemeinde
bauen. Das neue Gottesvolk hat eine Grundlage, die zwar gänzlich
in der Gottesoffenbarung und Verheißung des Alten Testaments
verankert ist; andererseits unterscheidet sie sich jedoch wegen
der Erfüllung und in der Terminologie der Erfüllung von der Defini-
tion des Gottesvolkes als historischer und biologischer Same
Abrahams, wie sie durch die Hohenpriester und Schriftgelehrten
propagiert wurde. Fortan sind es zwei verschiedene Völker, zu
vergleichen mit Söhnen und Fremden (17,24-27), eine genaue Umkehrung der in Israel gangbaren Vorstellung (vgl. Eph 2,11-13). Das
Gespräch über die Tempelsteuer [56] hat hier seine Funktion wahrscheinlich wegen seiner Bedeutung für die Bestimmung des Verhältnisses zwischen Kirche und Israel.

Wie wir bereits gesehen haben, konzentrieren sich die in
Kapitel 18 gesammelten Aussagen Jesu auf das Leben in der Gemeinde.
Das Wort Ekklesia wird in V.17 sogar schon mit einer sicheren
Selbstverständlichkeit gebraucht als Andeutung der örtlichen
Gemeinde, die genau wie die örtliche synagogale Gemeinde ihren
eigenen Gottesdienst und ihre eigenen Regeln hat. Die Glieder der
Gemeinde werden wie auch an anderen Stellen (vgl. 10,42) als
"diese Kleinen" angedeutet. Das Gleichnis vom verlorenen Schaf hat
hier (V.12-14) auch nicht mehr (wie in Lk 15,4-7) die Funktion, den
ungeahnten Umfang der gnädigen Sorge Gottes auszumalen, sondern

---

56 Wir brauchen die traditionsgeschichtlichen und motivgeschichtlichen Fragen
und die nach dem ursprünglichen Sitz im Leben hier nicht zu stellen. Siehe dafür
die Kommentare und weiter R.Hummel, o.c. (Anm.38), 103-106. Zu der Zeit, als Matthäus sein Evangelium schrieb, bestand der Tempel schon gar nicht mehr, war die
Tempelsteuer durch die für den Tempel des Jupiter Capitolinus ersetzt und hatte
der Abschnitt in dieser Hinsicht seine Aktualität völlig verloren.

dient dazu, der Gemeinde die Sorge für alle als Willen Gottes aufs Herz zu binden (V.14). Das Gleichnis von dem unbarmherzigen Sklaven (V.23-35) ist eine nähere Erläuterung zum Gebot der Vergebung (V.21f). Die darauffolgenden Kapitel konnten insofern von Matthäus als Verlängerung von Kapitel 18 betrachtet werden, als darin das Leben nach dem Willen Gottes in Treue (19,1-12), in Demut (19,13-15), in Bereitschaft zum Opfer (19,16-26.27-30) und Dienst (20,20-28), in Güte (20,1-16) und Liebe (22,37-40) auf eine Weise unterstrichen wird, die bleibende Aktualität behält [57]. Im Gleichnis über die beiden Söhne (21,28-32) wird dann das neue Gottesvolk, das auf jeden Fall gelernt hat, ihm mit der Tat des Lebens zu gehorchen, dem alten Volk gegenübergestellt, das für sich in Anspruch nimmt, als gehorsames Volk zu gelten, aber durch seine Ablehnung Jesu und seiner Predigt das Gegenteil bezeugt [58]. Das Gleichnis von den ungerechten Pächtern des Weinbergs zielt in dieselbe Richtung: das neue Gottesvolk, das den Platz des alten einnimmt, kennzeichnet sich gerade dadurch, daß es sein Ja mit der Tat beweist: "Weingärtner, die ihm ihre Früchte zur rechten Zeit geben" (V.41-44).

Kapitel 23 ist bekannt als Komposition von sieben Wehrufen, Beschuldigungen und Gerichtsankündigungen an die Adresse der Schriftgelehrten und Pharisäer. Daß es sich um eine literarische Komposition handelt, erhellt schon aus der Tatsache, daß Jesus sich in den ersten zwölf Versen an seine Jünger richtet und in seiner Ermahnung an sie die Regeln für das Leben in der Gemeinde mit Warnungen vor den Schriftgelehrten und Pharisäern verbindet. Namentlich die Mahnungen von V.8-12 [59] gegen hierarchische Gefahren haben ekklesiologische Bedeutung. Sie bilden das positive Gegenstück zu den mißbilligenden Worten in den Versen 2-7, die ihre Fortsetzung finden in der Reihe von Wehrufen, die darauf folgen.

Das 24. Kapitel lassen wir vorläufig außer Betracht. Aus Gründen der Übersichtlichkeit wollen wir dieses Kapitel, das in allen synoptischen Evangelien einen eigenen Platz hat, gesondert

---

57 Das dem zu Grund liegende Kapitel Mk 10 darf bereits als vormarkinische Kollektion betrachtet werden; vgl. H.W.Kuhn, Ältere Sammlungen im Markusevangelium, Göttingen 1971, 168f.

58 Die Abschnitte 17,24-27 und 21,28-32 bilden, was ihre Absicht betrifft, zwei miteinander verwandte Teile, die Matthäus gewiß nicht zufällig übernommen hat.

59 Sie haben keinerlei Parallele bei Markus und Lukas. Eine inhaltliche Parallele bietet jedoch Joh 13,12-17.

behandeln. Wohl jedoch weisen wir schon jetzt auf die Abschnitte hin, die in Kapitel 25 darauf folgen. Sie werden nämlich alle dadurch bestimmt, daß die Angeredeten Christus längst angenommen haben; sie haben also ihren Sitz im Leben der Gemeinde. Der böse Knecht läßt sich durch den Gedanken an das Ausbleiben seines Herrn zu einem verbrecherischen Handeln verleiten (24,45-51). Die fünf törichten Mädchen hören auf, mit ihrem König und seinem Kommen zu rechnen (25,1-13). Der Mann mit seinem einen Talent wuchert nicht mit seinen Gaben (25,14-30). Und schließlich werden die Maßstäbe genannt, nach denen Christus bei seiner Wiederkunft Gericht halten wird (25,31-46). All diese Abschnitte sind an die Gemeinde gerichtet, die in ihrem Tun und Lassen zeigt, ob sie sich zu Recht oder zu Unrecht auf ihn beruft.

In den Kapiteln 26 und 27 ist Matthäus ein schlichter und behutsamer Tradent der Überlieferung und enthält sich weitgehend irgendwelcher redaktioneller Änderungen. Er übernimmt den Spruch über die Verkündigung des Evangeliums in der ganzen Welt (26,13) und die Überlieferung über die Einsetzung des Abendmahls (26,26-29) einschließlich der dort ausgesprochenen Perspektive über das "aufs-neue-Trinken" des Weines im Reich seines Vaters aus der Tradition, ohne auch nur etwas daran zu ändern oder hinzuzufügen. In diesen Kapiteln steht das Geschlagenwerden des Hirten so sehr und so ausschließlich im Mittelpunkt, daß unter den gegebenen Umständen den Schafen der Herde nichts anderes übrigbleibt als verstreut zu werden (26,31; par. Mk 14,27). Aber das ändert sich, sobald der große Hirte der Schafe auferstanden ist und den Seinen den Auftrag gibt, alle Völker zu seinen Jüngern zu machen. Das Evangelium, das damit beginnt, daß Christus der Sohn Abrahams genannt wird, schließt damit, daß der Segen Abrahams für alle Völker den Auftrag der Jünger bestimmt. Auch wenn wir uns vor allen Verabsolutierungen hüten müssen, so darf doch im Sinne des ersten Evangelisten gesagt werden, daß das neue Volk aus allen Völkern gegenüber dem "ganzen Volk" steht, das nach 27,25 den Kreuzestod Christi verlangte; und andererseits ist es identisch mit denen, die bereits in 1,21 "sein Volk" genannt wurden.

So gehört das neue Gottesvolk aus Juden, aber mit Nachdruck auch aus den heidnischen Völkern, zu der Erfüllung, die sich mit Christi Kommen ereignet hat und seit der Zeit offenbar wird auf dem Wege von der Erfüllung hin zur Vollendung, von dem 'Himmel-

reich jetzt' (25,1) zum 'Reich meines Vaters' bei Christi Wiederkunft; von der Zeit des 'neuen Weines' (9,17) hin zu der Zeit des
'Weines aufs neue' (26,29). Das durch Jesus eingesetzte Abendmahl
spannt den Bogen von der Erfüllung zur Vollendung auf eine sichtbare und tastbare Weise. In der Feier des Abendmahls manifestiert
sich auch die Einheit von Christologie und Ekklesiologie, und zwar
von dem Abend der Einsetzung des Herrenmahles an "bis daß er
kommt".

4   Die Sicht auf die große Zukunft

4.1. Das kommende Gericht

4.1.1. Allgemeine Andeutung

Einerseits kann gesagt werden, daß Matthäus anders als Lukas
die eschatologische Predigt Jesu auf eine groß angelegte Predigt-
komposition konzentriert (Kap. 23-25); andererseits kommt diese
eschatologische Perspektive in fast allen Kapiteln seines Evangeliums vor, und zwar als Ankündigung des kommenden Gerichts und als
Warnung vor ihm. Wie im prophetischen Zeugnis des Alten Testaments
der Tag des Herrn als Tag des Gerichts über die Sünde - vor allem
Israels - angekündigt wird, so spricht nach dem Zeugnis des Matthäus auch Jesus immer wieder über den Tag seiner Wiederkunft als Tag
des Gerichts. Wenn in diesem Zusammenhang Christus wiederholt der
Sohn des Menschen genannt wird, dann ist dieser Titel nahezu
identisch mit dem des Richters (13,41; 16,27; 19,28; 24,37-39;
25,31; 26,64).

Mit der durchgehenden Warnung vor dem kommenden Gericht
schließt sich die Predigt Jesu eng bei Johannes dem Täufer an
(3,7-10). Überall, wo der Evangelist der Predigt Jesu Aufmerksamkeit schenkt, läuft diese hinaus auf Mahnungen im Hinblick auf das
kommende Gericht (7,1.21-27; 10,32f; 13,30.40-43.49f; 18,3.7-9.32-
35; 25,10-12.19-30.31-46). Weiter bestimmt das Thema des letzten
Gerichts nahezu alle [60] Gleichnisse, die Matthäus in sein Evangelium aufgenommen hat [61]. In den Gleichnissen vom Reich Gottes in

---

60 Eine Ausnahme bildet 18,12-14, das Gleichnis vom verlorenen Schaf; es hat
bei Matthäus jedoch eine andere Funktion erhalten, indem es in ein paränetisches
Kapitel über die pastorale Sorge in der Gemeinde eingefügt ist.
61 Vgl. O.L.Cope, o.c. (Anm.32), 29: "Matthew consistently regards the parables
as veiled comments about the coming judgment."

Kapitel 13, die er von Markus übernimmt, war diese eschatologische
Perspektive nicht so explizit angebracht worden. Bemerkenswert
ist auf jeden Fall, daß Matthäus dort zwei Gleichnisse hinzufügt,
die über das kommende Gericht und über die dann offenbar werdende
Trennung sprechen (V.24-30. 36-43. 47-50). Aus Markus stammt auch
das Gleichnis von den ungerechten Pächtern (21,33-46); aus Q hat
Matthäus die Gleichnisse vom königlichen Hochzeitsmahl (22,1-14)
und von den Talenten (25,14-30) übernommen. Ausschließlich bei
ihm, also aus anderen Quellen oder Traditionen übernommen, kommen
die folgenden Gleichnisse vor:

    vom unbarmherzigen Knecht (18,23-35),

    von den Arbeitern im Weinberg (20,1-16),

    von den ungleichen Söhnen (21,28-32),

    von den zehn Brautmädchen (25,1-13).

Während bei Markus, abgesehen von 12,1-12, der Nachdruck eher auf
dem Geheimnis des jetzt anbrechenden Reiches lag und Lukas zumindest in denjenigen Gleichnissen, die nur bei ihm vorkommen, mehr
den Nachdruck legt auf das Wesen der suchenden Liebe Gottes zum
Verlorenen (10,29-37; Kap. 15), auf den Wert des Gebets (11,5-8;
18,1-8) und auf Fragen mit Bezug auf den Reichtum (12,16-21;
16,1-9.19-31), konzentriert Matthäus sich sehr deutlich auf das
eschatologische Drama des Endgerichtes. Aber auch in anderen
Teilen seines Evangeliums spielt der Hinweis auf und die Warnung
vor dem Gericht eine erhebliche Rolle. Wir haben bereits die Stellen behandelt, an denen das Gericht über (das offizielle) Israel
angekündigt wird. In einem allgemeinen Sinn ist weiter an Stellen
wie 16,27; 19,30 und 20,16 vom Gericht die Rede. Speziell weisen
wir hier auf eine kleine, aber nicht unwichtige redaktionelle
Änderung in 19,29 hin. Dort geht Matthäus an dem Versprechen der
Vergütung in dieser Zeit (so Mk 10,30) vorbei und spricht ausschließlich davon, daß sie alles vielfältig empfangen werden im
Zusammenhang mit dem ewigen Leben, alo am Ende der Tage [62]. Die
Perspektive des Matthäus wird also sehr deutlich durch die beiden
Pole des Gekommenseins und der Wiederkunft Christi beherrscht. In
der eschatologischen Perspektive kann die dazwischen liegende Zeit
übergangen werden [63]. Dies bedeutet aber keinen Mangel an Interesse

---

62 Vgl. G.Bornkamm, o.c. (Anm.49), 27.
63 Vgl. J.D.Kingsbury, o.c. (Anm.4), 138; G.Bornkamm, o.c. (Anm.49), 27: "das
radikal eschatologische Verständnis der den Jüngern gegebenen Verheißung."

für die Zwischenzeit, die Zeit der Kirche und der weltweiten
Mission. Das Umgekehrte ist der Fall. Gerade weil Matthäus in
hervorgehobenem Sinne das kirchliche Evangelium ist und die Predigt
Jesu auf sehr direkte und nachdrückliche Weise auf die Kirche
seiner Zeit bezogen sein läßt,, bleibt für ihn nur noch eine
vereinfachte Linie übrig. Wer (jetzt) in die Zukunft schaut, wird
mit der nahen Wiederkunft des Menschensohnes und mit seinem Gericht
konfrontiert.

4.1.2. Das Endgericht umfaßt die ganze Welt.

Matthäus unterscheidet sich darin selbstverständlich nicht
von den anderen Evangelisten und von den übrigen Zeugen des Neuen
Testaments, daß das Endgericht Gottes weltweit ist. In vielen
Fällen ist dies die unausgesprochene Voraussetzung, an anderen
Stellen wird es ausdrücklich erwähnt (13,38; 25,32). Die Universalität des Endgerichts ist grundsätzlich schon damit gegeben, daß
über die Wiederkunft als über die Parusie des Menschensohnes gesprochen wird. Diese Benennnung macht von den Zusammenhängen des
Matthäusevangeliums her jede Begrenzung seiner richterlichen Funktion völlig unmöglich. Aber dieser messianische Titel diente auch
schon in Dan 7,14 dazu, eine alle Völker umfassende Herrschaft
anzudeuten. Doch abgesehen davon kann das Gericht des Menschensohnes nicht weniger universal sein als das durch Christus gepredigte
und inaugurierte Königreich. Die Aussage des Auferstandenen: "Mir
ist gegeben alle Macht im Himmel und auf Erden" impliziert die
Universalität seines Reiches und seines Gerichtes.

Andererseits muß es jedem Leser auffallen, daß das Gericht
über die Völker nur sporadisch zur Sprache kommt, daß kein Versuch
unternommen wird, auf neugierige Fragen Antwort zu geben. Der
Charakter des Evangeliums als Durchbruch des Heils und als Warnung
vor Ablehnung und Unglauben bringt es mit sich, daß auch in den
Reden über die große Zukunft alle Aufmerksamkeit sich auf die
richtet, die mit dieser Heilsbotschaft Gottes in Berührung gekommen sind oder kommen werden [64]. M.a.W.: die Ankündigung des
Gerichtes und die damit gepaart gehenden Warnungen richten sich
einerseits an Israel, andererseits an die Jünger, das neue Gottesvolk, die Kirche als Gemeinschaft von Menschen, die bekennen und

---

[64] Vgl. W.Trilling, o.c. (Anm.39), 150,214.

den Anspruch erheben, in der Nachfolge Jesu zu stehen. Nun haben
wir bereits über Gottes Gericht über Israel gesprochen, und zwar
deshalb, weil in dem Fall Gegenwart und Zukunft nicht voneinander
zu trennen waren. Gottes Gericht über Israel war sehr nachdrücklich
ein Gericht in der Geschichte, datierbar und lokalisierbar. Auch
wenn dabei die Perspektive in die Richtung eines Endgerichtes
nicht völlig fehlte, der Nachdruck lag doch auf dem Gericht Gottes
hier und jetzt als Antwort auf ihre Ablehnung des Messias Jesus
und seiner Botschaft. Die Ankündigung trug also einen aktuellen
und kerygmatischen Charakter und spielte begreiflicherweise in dem
Streit [65] zwischen Christen - namentlich aus dem Judentum - und
den nichtchristlichen Mitjuden eine wichtige Rolle. Wenn Matthäus
aber die Predigt Jesu mit Bezug auf das kommende Gericht durchgibt,
dann richtet sich dieses göttliche Urteil vor allen Dingen auf die
christliche Gemeinde. Das wird in der hier folgenden Analyse näher
gezeigt werden.

4.1.3. Das Urteil über die Christgläubigen

Die Gemeinschaft derer, die Christus folgen und an ihn glauben, wird bei Matthäus charakterisiert als das Volk, das ihm die
Früchte zu rechter Zeit gibt (21,41-43). Und ausgerechnet dieses
Fruchtbringen bildet in Zukunft nach dem durchgehenden Zeugnis des
Matthäusevangeliums den kritischen Maßstab, an dem alle Gläubigen
persönlich und als Gemeinde gemessen werden sollen. Wer Anteil
empfängt an der Erbschaft des Volkes Israel und selbst den Platz
derer einnimmt, die Christus ablehnen, übernimmt keine einfache
Erbschaft. Um erst in der näheren Umgebung der gerade zitierten
Aussage zu bleiben: das Gericht über den Feigenbaum (21,18-22) ist
die direkte Folge aus der Tatsache, daß Jesus an ihm nicht die
erwarteten Feigen fand; und der Unterschied zwischen den beiden
Söhnen (21,28- 32) bestand darin, daß der eine trotz seiner anfäng-
lichen Weigerung am Ende doch ans Werk ging für seinen Vater. Wenn
Matthäus in 22,1-10 das Gleichnis vom großen Abendmahl aus Q
übernimmt, fügt er dem die bemerkenswerten Verse 11-14 hinzu:
einer der Eingeladenen saß ohne hochzeitliches Kleid im Festsaal.
Er gehörte zu den Geladenen, er hatte die Einladung angenommen und
unterschied sich damit von allen, die diese in den Wind geschlagen

---

65 Vgl. O.L.Cope, o.c. (Anm.32), 83.

oder die Boten selbst mißhandelt oder gar getötet hatten (V.5f).
Diese Notiz und die darauf folgende, daß der König erzürnt war,
Soldaten schickte, die Mörder umbrachte und ihre Stadt in Brand
stecken ließ, waren anscheinend von Matthäus hinzugefügt worden, um
das Gleichnis in die Richtung auf das Gericht über das jüdische
Volk in dem bereits geschehenen Untergang Jerusalems zu aktualisieren. Aber der Mann ohne Festkleid, ebenfalls eine redaktionelle
Hinzufügung, gehört zur Ekklesia, und das bedeutet: Christsein ist
keineswegs eine Garantie dafür, daß man teilhaben wird am Fest.
Das festliche Kleid nimmt hier den Platz ein, der in anderen
Zusammenhängen durch den Ausdruck 'Frucht bringen' angedeutet
wird. Die Kirche steht fortan unter demselben kritischen Urteil,
das durch alle Jahrhunderte hindurch sowohl im Alten Testament als
auch in der Predigt des Täufers und Jesu selbst auf das Volk
Israel angewandt worden war [66].

Es ist nicht schwer, diese kritische Sicht auf die Christus-
gläubigen überall dort wiederzuentdecken, wo über die Zukunft, und
das heißt: über das kommende Gericht gesprochen wird. In den fünf
großen Predigtkompositionen, die wir stets wieder nacheinander be-
fragen, kann nämlich ganz deutlich gezeigt werden, daß im Laufe
solcher Predigten immer wieder die Gemeinde als neuer Adressat
anvisiert wird. Am Anfang stehen oft harte Worte an die Adresse
der Repräsentanten Israels, der historischen Gegner des irdischen
Jesus; aber danach ist durchgängig ein Übergang erkennbar, hin zur
christlichen Gemeinde. Ihr gilt dann - oft sogar ausschließlich
- die Mahnung.

In der Bergpredigt ist dieser Übergang bei 6,19 sichtbar. Was
danach kommt, ist, sei es tröstend und ermutigend oder auch ermah-
nend, für die christliche Gemeinde bestimmt. Die Gläubigen werden
ermahnt, nicht einseitig den Splitter im Auge des anderen zu
suchen (7,3), das Heilige nicht vor die Hunde und die Perlen nicht
vor die Säue zu werfen (V.6). Sie werden gewarnt vor Wölfen im
Schafspelz, also vor Verführern innerhalb der Gemeinde, die sie an
ihren Früchten erkennen können (V.15f). Und dann gebraucht Jesus
das Bild von den guten und schlechten Bäumen; und nochmals stellt
er die Regel auf: "an ihren Früchten sollt ihr sie erkennen"

---

66 G.Bornkamm, o.c. (Anm.49), 17; X.Leon-Dufour, o.c. (Anm.26), 164; K.F.Nickle,
o.c. (Anm.2), 118; W.Trilling, o.c. (Anm.39), 199.

(V.17-20). Die Tatsache, daß sie miteinander "Herr, Herr" rufen, also 'bekennende Christen' sind und sich selbst rühmen, in Christi Namen geweissagt, Dämonen ausgetrieben und Wunder verrichtet zu haben (V.21f), nimmt die Möglichkeit nicht weg, daß derselbe Herr, Christus oder Menschensohn sie im Endgericht zurückweisen wird (V.23). Das Kriterium liegt fortan nicht mehr bei dem Dilemma: hören oder nicht-hören-wollen; die Weiche haben sie in gewissem Sinne bereits hinter sich gelassen, als sie Christen wurden. Das Kriterium für sie - um andere geht es hier nicht! - wird sein: hören und tun oder hören und nicht tun (V.24-26).

In der Aussendungsrede ist der Übergang nicht so genau anzugeben; und doch richten sich Ermahnung und Ermutigung ab V.24 mehr als im ersten Teil an die Jünger und die neue Gemeinschaft der Gläubigen. "Bekennen" und "verleugnen" in den Versen 32f gehen beide von der Zugehörigkeit zu diesem Kreis aus. Um so bemerkenswerter ist, daß die Verleugnung Christi bedroht wird mit der Verleugnung durch Christus vor Gott, also mit dem letzten Gericht. In dieselbe Richtung weisen auch die Verse 37f. Zugleich jedoch wird auf die Früchte gewiesen, die Gott erwartet (V.32.39.41.42).

Am Anfang der Gleichnisse in Kapitel 13 schildert Jesus die negativen Reaktionen auf die Verkündigung des Evangeliums (V.3-9). Darauf folgt dann das Gespräch über den Sinn der Gleichnisse mit der deutlichen Benennung Israels als "dieses Volk", dessen Herz verstockt ist; ihre Ohren hören übel, und ihre Augen schlummern (V.10-17). Aber vor allem in den Gleichnissen, die aus anderer Quelle hinzugefügt sind, stehen die Gläubigen im Mittelpunkt des Interesses. Jemand, der alles verkauft, um den Schatz im Acker oder die Perle von großem Wert zu finden, gehört zu dem Volk, das Anteil hat am Reich. Aber Unkraut und Weizen wachsen nebeneinander auf. Dies enthält eine kritische Warnung, auch wenn es dort nicht heißt, daß der Acker die Kirche, sondern die Welt ist (V.38). Bei dem Fischnetz (V.47-50) kommt das noch deutlicher zum Ausdruck, weil man bei dem Bild noch offensichtlicher an die neutestamentliche Gemeinde zu denken hat. Im Endgericht werden sie voneinander getrennt, die Fische, die taugen und die anderen, die nicht taugen.

Die Unterweisung in Kapitel 18 ist ganz auf die Gemeinde gerichtet. Darum steht es auch vom Anfang bis zum Ende voller Ermahnungen, die von der Möglichkeit ausgehen, daß Menschen

verlorengehen, obwohl sie zu der neuen Gemeinschaft des messianischen Volkes gerechnet werden: wer nicht wird wie ein Kind, der
wird nicht ins Himmelreich kommen (V.3); wer eins dieser Kleinen
zur Sünde verleitet, geht einer schwereren Strafe entgegen als
'lediglich' mit einem Mühlenstein am Halse ertränkt zu werden
(V.6). Wehe denjenigen, die zum Bösen verführen (V.7)! Wer gegen
einen Bruder sündigt und sich trotz aller Ermahnungen nicht bekehrt, hat keinen Platz in der Gemeinde (V.17). Wer selbst Gottes
Vergebung für sich in Anspruch nimmt und nicht bereit ist zu
vergeben, wird von dem himmlischen Richter furchtbar hart bestraft
werden (V.34).

Die eschatologischen Reden der Kapitel 23-25 beginnen noch
einmal mit einem ausführlichen Teil, in dem das Wehe über Schriftgelehrte und Pharisäer ausgesprochen wird (23,1 - 39), obwohl hier
auch bereits die Frage entstehen kann, ob diese Wehrufe für das
Verständnis des Verfassers nicht schon transparent werden in
Richtung auf die Gemeinde. Gibt es e i n e n Vorwurf Jesu, an
welchen jüdischen Gegner auch immer, der nicht unter der Hand zu
einem aufgerichteten Zeichen geworden ist für die Gemeinde? Die
ersten zwölf Verse, die den Wehrufen vorangehen, sind doch schon
an die Jünger gerichtet. Aber auch wenn dieses Kapitel vor allem
beherrscht wird durch die Wehrufe an die Adresse der jüdischen
Gegner, mit desto mehr enthüllender Direktheit mündet die eschatologische Rede von Kapitel 24 in eine Reihe von Aussagen und Gleichnissen aus, die alle durch einen besonderen Ernst bestimmt sind,
nämlich durch die nicht auszuschließende Möglichkeit, trotz der
Mitgliedschaft des Volkes Christi am Ende ausgeschlossen zu werden.
Dort werden die Tage des Noah in Erinnerung gerufen (24,37-39);
dort wird über zwei Menschen gesprochen, die zusammengehören und
doch im Endgericht voneinander getrennt werden (V.40-42); dort
wird gewarnt mit Gleichnissen, erst über den Sklaven, der brutal
und zügellos lebt, weil er die Wiederkunft seines Herrn nicht
ernst nimmt (V.48-51). Im nächsten Kapitel folgen die Gleichnisse
von den törichten Mädchen, die aufgehört haben, mit seinem Kommen
zu rechnen (25,1-13), und von den Talenten, demzufolge das Gericht
an dem einen Knecht vollzogen wird, der die Gaben seines Herrn
nicht als Auftrag betrachtet hat (V.14-30). Den Höhepunkt erreicht
diese Reihe von Ermahnungen in der Rede über die Wiederkunft, in
der Christus auslegt, nach welchen Maßstäben er dann das Urteil

sprechen wird. Dieser Abschnitt (V.31-46) spricht zwar über das
weltweite Gericht, das definitive Urteil über alle Völker; doch
richtet sich das Interesse sehr deutlich nur insofern auf sie, als
sie in Übereinstimmung mit 28,19 zu Jüngern Jesu geworden sein
werden. Schafe und Böcke (V.32) gehören zusammen zur Herde. Sie,
die fortgehen zur ewigen Strafe, und sie, die eingehen zum ewigen
Leben (V.46), gehörten bis jetzt miteinander zur Gemeinde Christi;
denn gerade sie, die durch den himmlischen Richter hart angeklagt
werden wegen ihrer Lieblosigkeit gegenüber ihren geringen und
hilfsbedürftigen Mitmenschen, stellen die Frage: "Herr, wann haben
wir dich hungrig oder durstig oder als Fremden oder nackt oder
krank oder im Gefängnis gesehen und haben dir nicht gedient"
(V.44)? Nach ihrer felsenfesten Überzeugung ist ihr Verhältnis zu
Christus, dem Herrn, vollkommen in Ordnung [67]. Diese Selbstvertei-
digung erinnert an die von 7,22, die ebenfalls von scheinbar gläubigen Menschen, Bekennern des Herrn, ausging (7,21).

4.2. Gericht und Vollendung

Die Schrift des Matthäus könnte nicht ein Evangelium genannt
werden, wenn darin die Sicht auf die Zukunft ausschließlich durch
Drohungen und unheilvolle Ankündigungen bestimmt würde. Gewiß, am
Ende dieser Zeit fällt die Entscheidung über die Ewigkeit in dem
Gericht, dem alle Menschen entgegengehen. Und in jenem Gericht
wird die Übereinstimmung zwischen Wort und Tat, Bekenntnis und
Leben, den Ausschlag geben. Hier ist keinerlei Entweichen möglich,
etwa in dem Sinne, daß man Gnade und Vergebung dem Gericht gegenü-
berstellt und gegeneinander wegstreicht. Andererseits aber wird
nach der Überzeugung des Evangelisten durch diesen Nachdruck auf
den tätigen Gehorsam der Gnadencharakter der Predigt Jesu und die
durch sie bestimmte Zukunftserwartung keineswegs angetastet. Es
ist sicherlich nicht richtig, die Gabe des Reiches Gottes mit
seinen Forderungen zusammenfallen zu lassen und sowohl die Gegenwart als auch die Zukunft des Reiches einseitig von den Forderungen

---

67 Wenn G.Strecker, o.c. (Anm.19), 218 und G.Bornkamm, o.c. (Anm.49), 21 behaup-
ten, in diesem Abschnitt sei die Rede von dem Gericht über alle Völker, unabhängig
von der Frage nach Glaube oder Unglaube, dann verwahrlosen sie damit die deutliche
Richtung der Paränese bei Matthäus, die sich an die universale Ekklesia wendet.
Glieder dieser Kirche werden sich vergeblich auf ihr Verhältnis zu Christus berufen, wenn ihre tätige Liebe diese Berufung auf ihn nicht legitimiert; vgl. auch
13,24-30.36-43; 24,10-12.

Jesu her zu interpretieren [68].

Schon in 1,21 wird der Name Jesu auf programmatische Weise im Zusammenhang mit der Vergebung der Sünde für das Volk des Messias gedeutet. Und nicht weniger programmatisch steht in 4,15f das Erfüllungszitat über das Volk, das in Finsternis saß, nun aber - nämlich zu der Zeit, als Jesus sein Werk in Galiläa anfing - , ein großes Licht sah. Gerade in diesen markanten redaktionellen Teilen wird der Gnadencharakter der Botschaft Jesu zum Ausdruck gebracht. Das gilt z.B. auch von dem Aufruf an alle Mühseligen und Beladenen, zu ihm zu kommen. Er wird sie erquicken, und bei ihm werden sie Ruhe finden für ihre Seelen (11,28f). Wir haben schon eher darauf hingewiesen, daß Ausdrücke wie "es jammerte ihn des Volkes" bei Matthäus solch einen deutlichen Akzent bekommen (9,36; 14,14). Dieses Erbarmen oder Mitleiden ist in dem Gleichnis über den unbarmherzigen Knecht gerade das Motiv des Königs, seinem Knecht die Schuld von nicht weniger als zehntausend Talenten zu erlassen (18,27). Die Tatsache, daß dessen Unbarmherzigkeit danach mit ewigen Strafen bedroht wird, tastet die Botschaft der grenzenlosen Gnade keineswegs an, war sie doch namentlich in dem unvorstellbar großen Betrag von zehntausend Talenten [69] so eindrücklich zum Ausdruck gebracht worden. Daß diese Gabe der Vergebung unlöslich mit Christus verbunden und ihm zu verdanken ist, wird in den beiden Texten deutlich, die Matthäus von Markus übernommen hat und in denen Jesus sein Leben als Erlösung für viele (20,28) und sein Blut als vergossen zur Vergebung der Sünden (26,28) bezeichnet.

Im Matthäusevangelium stehen die acht Seligpreisungen ganz am Anfang der Predigt Jesu; mit ihnen fängt die Bergpredigt an. Der tiefste Sinn dieser Seligpreisungen wird verkannt, wenn sie stets wieder Einlaßbedingungen für das Himmelreich genannt werden [70]. Sowohl durch ihren Platz vor den Antithesen mit ihrer messianischen Gesetzesauslegung als auch durch ihren Wortlaut selbst prä-

---

68 Das ist die Einseitigkeit, die die gerade genannte Studie von G.Strecker beherrscht. Siehe z.B. die Seiten 171,175,176,186 und 205.

69 Ein Talent entsprach 6000 Drachmen oder Denaren. Luther übersetzt in 18,28 und 20,2 mit Silbergroschen. Ein Denar war ein - wenn auch kärglicher - Tagelohn. Das jährliche Steueraufkommen im Königreich von Herodes dem Großen wird auf 900 Talente geschätzt. Für 10 000 Talente hätten reichlich 3 000 Arbeiter 50 Jahre lang ohne einen freien Tag arbeiten müssen.

70 gegen G.Strecker, o.c. (Anm.19), 157; G.Bornkamm, o.c. (Anm.49), 14; G.Barth, o.c. (Anm.25), 56 und die bei ihnen genannten Verfasser wie z.B. H.Windisch und M.Dibelius.

sentieren sie sich deutlich als Proklamation des Heils. Die Angeredeten werden zwar in der zweiten Hälfte dieser Reihe in ihrem
ethischen Handeln näher bezeichnet als Barmherzige, als Menschen
reines Herzens und als Friedensstifter. Aber wenn in der achten
Seligpreisung von Verfolgten die Rede ist, dann wird es schon
schwieriger. Kann Verfolgung als Bedingung betrachtet werden?
Gänzlich unmöglich ist dies in den ersten vier Seligpreisungen.
Arm sein, traurig sein, hungern und dürsten nach Gerechtigkeit,
das heißt: danach verlangen, daß Gott ihnen recht tut, das alles
kann doch nicht als Bedingung in Betracht kommen. Wenn im strikten
Sinne des Wortes nach Bedingungen gefragt wird, bleibt nur der Berg-
prediger, der hier selig preist, übrig. Er ist es, der alle Bedingungen erfüllt, denn er erbarmt sich über die, die gänzlich auf
sein Erbarmen angewiesen sind. Daß diese auch in ethischer Hinsicht
zeigen, sein Volk zu sein, wird dabei keinen Augenblick übersehen,
beeinträchtigt jedoch den Charakter der Seligpreisungen als Proklamation des Heils nicht. Auch die Barmherzigen haben nur die eine
Hoffnung, daß sie Barmherzigkeit erlangen (V.7). Das gleiche gilt
auch für Kapitel 6, wo dieselben Menschen mit der fortwährenden
Fürsorge des himmlischen Vaters getröstet werden (6,25-34). Wenn
diese zugleich angespornt werden, das Reich Gottes und seine - nämlich Gottes - Gerechtigkeit zu suchen, dann darf das nicht so
ausgelegt werden, als ob die Gabe, nämlich das Reich Gottes, identisch ist mit der Forderung, nämlich die Gerechtigkeit Gottes. Und
wenn in den Kapiteln, die sich an die Bergpreddigt anschließen,
von Menschen aus allen Ländern die Rede ist, die mit Abraham,
Isaak und Jakob im Himmelreich sitzen werden (8,11), dann steht
dabei die Frage, ob diese alle denn wohl die nötigen Bedingungen
erfüllen würden, gänzlich außerhalb der Diskussion. Durch das
ganze Evangelium hindurch ist es nicht die Bedingung, sondern die
Frucht, die als kritischer Maßstab hantiert wird (3,8.10; 7,16-20;
12,33; 13,8.26; 21,34.41.43).

Bei dem Urteil am Tage des Menschensohnes wird die Frage gestellt werden, ob das Leben Früchte trägt, die der Bekehrung entsprechen (vgl. 3,8) und die zeigen, daß jemand aus der Vergebung
Gottes die notwendige und einzig mögliche Folgerung gezogen hat,
nämlich die Vergebung gegenüber seinen Mitmenschen (18,33). Der
Barmherzige wird dann nicht das empfangen, worauf er Anspruch
geltend machen kann, sondern ihm wird Barmherzigkeit widerfahren.

Auch wenn Jesus gerade bei Matthäus unbefangen über Lohn spricht
(siehe z.B. 5,12.19; 6,1-18), steht diese Redewendung nie im Zusammenhang mit Leistung und Verdienstlichkeit [71]. Jesus verbietet
gerade, bei dem Tun des Guten in dem Sinne an den Lohn zu denken
(5,46f) und weist dabei auf das Beispiel Gottes hin (V.44f); und
in dem Gleichnis von den Arbeitern im Weinberg, wo nun wirklich
einmal über Lohn gesprochen wird,zeigt es sich, daß Gott diese
Logik mit seiner Güte durchkreuzt (20,15).

Nur von diesem Gnadencharakter her, der die ganze Predigt
Jesu zu einer guten Botschaft macht, ist es zu erklären, daß das
angekündigte Gericht nicht der Vollendung im Wege steht, sondern
diese einleitet. Der Richter, dessen Maßstab für das Gericht in
25,31-46 auf so eindrückliche Weise bekundet worden ist, wird dann
zu denen, die zu seiner Rechten stehen, sagen: "Kommt her, ihr
Gesegneten meines Vaters, ererbet das Reich, das euch bereitet ist
von Anbeginn der Welt." Trotz aller Betonung der Früchte des
Glaubens, der Nachfolge und des Bekennens wird die selige Vollendung zutiefst bestimmt durch die erwählende Liebe Gottes, gegen
den Hintergrund seines ewigen Erbarmens. Der Anbeginn der Welt ist
auf jeden Fall vorrangig gegenüber der Bezeugung ihrer spontanen
Liebe.

Die Vollendung selbst wird auf schlichte und traditionelle
Weise mit Ausdrücken angedeutet, die ihre Wurzeln im Alten Testament und in der Glaubenssprache Israels haben: anliegen mit Abraham, Isaak und Jakob (8,11), ewiges Leben (19,16), die Erbschaft
des Reiches (25,34), die Wiedergeburt der Schöpfung (19,28), die
große Hochzeit (22,10) oder die Auferstehung der Toten (22,28.30f)
als Frucht der Auferstehung Jesu, wie 27,53 programmatisch und
proleptisch zum Ausdruck bringt. Der Evangelist unternimmt keinen
Versuch, diesen Andeutungen auch nur etwas hinzuzufügen. Die
Vollendung transzendiert alle menschliche Vorstellungen. Er fühlt
sich anscheinend weder dazu imstande noch gerufen, das Unausaussprech-
liche näher zu umschreiben. Um so mehr betrachtet er es als seine
Aufgabe, sehr ausführlich und nachdrücklich die Predigt Jesu über

---

71 Vgl.H.N.Ridderbos, De strekking der bergrede naar Matteüs, Kampen 1936, 134;
G.Bornkamm, Der Lohngedanke im Neuen Testament, in: Studien zu Antike und Urchri-
stentum, München 1970, 69-92. Klassisch ist in dieser Hinsicht die Formulierung
Martin Luthers: "Si dignitatem spectes, nullum est meritum, nulla merces ... si
sequelem spectes, nihil est, sive bonum, sive malum, quod non suam mercedem habeat.
W.A.18,693,38f und 694,5f, zitiert bei G.Bornkamm.

den Weg zu dieser Vollendung zu verdeutlichen. Es ist der schmale
Weg, der markiert wird durch Glaube und Gehorsam, durch Nachfolge
und gute Früchte. Es gibt für Matthäus keine Perspektive in Richtung auf die Vollendung, die über einen anderen Weg als den des
Gerichtes dorthin führt. Aber andererseits gibt es auch keine
Gerichtspredigt, die diese Aussicht auf die Vollendung wegnimmt
oder in Frage stellt.

Doch dürfen wir am Ende fragen, welchen Grund der Evangelist gehabt haben kann, daß im Rahmen seines Evangeliums und im
Zusammenhang mit der eschatologischen Predigt Jesu der Nachdruck
so sehr auf den ermahnenden Ton fällt. Der Grund dafür kann nur
erahnt werden, er wird aber in der Lage der Kirche zur Zeit der
Abfassung dieses Evangeliums zu suchen sein. Wir spüren davon
etwas, wenn er der Aussage Jesu "und ihr werdet gehaßt werden um
meines Namens willen von allen Völkern" (24,9b, parr. Mk 13,13; Lk
21,17) die folgenden Vorhersagen hinzufügt: "Dann werden viele der
Anfechtung erliegen und werden sich untereinander hassen; und es
werden sich viele falsche Propheten erheben und werden viele
verführen; und weil der Unglaube überhandnehmen wird, wird die
Liebe in vielen erkalten" (24,10 - 12). Wenn es wahr ist, daß
Matthäus diese Worte einfügt, weil sie für ihn erhöhte Aktualität
haben, dann ist damit zugleich der Sitz im Leben der ernsten Mahnungen Christi an seine Gemeinde erkannt. Drohungen mit Gottes
ewigem Gericht können gewiß nicht das einzige oder erste Heilmittel
sein; aber diese Drohungen zu verschweigen, wäre lieblos und würde
zugleich der Heilung und dem Heil im Wege stehen.

4.3. Die eschatologische Rede in den Kapiteln 23 - 25

Wenn wir nach all dem, was bereits zur Sprache gekommen ist,
schließlich noch gesondert auf dieses Kapitel eingehen, dann aus
dem Grunde, weil Matthäus hier das eschatologische Kapitel 13 des
Markusevangeliums auf ganz bestimmte Weise übernommen, bearbeitet
und mit Zusätzen versehen hat. Darum wollen wir auf jeden Fall
nicht an der Frage vorbeigehen, ob wir aus der Art, wie er hier
vorgegangen ist, Erkenntnisse gewinnen können, die für unsere
Frage von Bedeutung sind. Wir registrieren in aller Kürze die
folgenden Besonderheiten:
(1) In Mk 12,37b-40 gingen der eschatologischen Rede einige Warnungen voran, die auf das tadelnswerte Auftreten der Schriftgelehr-

ten Bezug hatten. Matthäus übernimmt diese Warnungen, intensiviert sie und erweitert sie um eine große Anzahl Wehrufe. Dies verrät, wie sehr er in einer Situation der Konfrontation lebt, zugleich jedoch auch, daß ein Stadium der Reflektion hierauf erreicht ist (V.1-12) und daß die Rüge der Gegner durch Jesus zugleich als Ermahnung für die Gemeinde dient.

(2) Während Markus als Kontrast zu aller Scheinfrömmigkeit den Abschnitt über die opferbereite Witwe aufnimmt (12,41-44), fügt Matthäus einer Reihe von stereotypen Wehrufen die Klage Jesu über Jerusalem insgesamt hinzu. Selbst die fromme Ausnahme wird nicht erwähnt. Könnte das vielleicht damit zusammenhängen, daß ihm das Bild der inzwischen untergegangenen Stadt vor Augen stand, aus der die Frommen (die Gemeinde) weggeflüchtet waren nach Pella? Eine Neigung zu generalisierenden Andeutungen kennen wir auch aus 27,25, das in den anderen Evangelien keine Parallele hat.

(3) Nach 24,3 ist die eschatologische Rede anders als bei Markus keine Sonderunterweisung für vier vertraute Jünger; genau wie die anderen Reden trägt sie den Charakter der öffentlichen Lehre an die Schar der Jünger.

(4) Wie aus 24,3b erhellt, hat Matthäus wohl verstanden, daß es in Mk 13,4 um zwei Fragen ging. Es war jedoch nicht sein Ziel deutlich zu machen, daß zwischen dem Fall Jerusalems und der Vollendung noch ein zeitlicher Abstand bestehen würde. Die Aussage, daß das Evangelium allen Völkern gepredigt werden müsse, übernimmt er, wenn auch ohne das Wörtchen 'zuvor' (V.14). Daß dieser zeitliche Abstand bestand, wußte und erfuhr inzwischen jeder.

(5) Die Aussagen von Mk 13,9-12 über die Verfolgungen und zugleich (V.10) über die weltweite Verkündigung des Evangeliums übergeht Matthäus vorerst (in dem Übergang von V.9a zu 9b). Alle Aussagen über die Verfolgungen hatte er in 10,17-22a untergebracht. Das heißt also: es sind für sein Verständnis Verfolgungen im Zusammenhang mit der Predigt in Israel, Verfolgungen, die also auch von Israel ausgehen. Und die Ankündigung der weltweiten Mission nennt Matthäus erst nach 24,13 [72]. Auf diese Weise hat er die Predigt

---

72 Inzwischen hat er in V.9b (=Mk 13,13a) das Gehaßtwerden näher expliziert durch die Hinzufügung: "von allen Völkern"; und in den Versen 10-12 (ohne Parallele bei Markus) hat er die Krisis-Situation der zweiten Generation angedeutet. Anders als in Mk 13,13b richtet sich somit die (gleichlautende) Aussage von Mt 24,13 ausdrücklich auf die Situation der universalen Kirche in der Perspektive der Endzeit.

des Evangeliums an die heidnischen Völker (V.14) und die Flucht
der Christen aus Jerusalem sowie den Untergang der Stadt (V.15-22)
in unmittelbare Nähe zueinander gebracht. In Anbetracht der Tendenz
des ganzen Evangeliums ist es wahrscheinlich, daß er auf diese
Weise jenen historischen, wenngleich tragischen Übergang hat
angeben wollen.

(6) Den zwei aus Markus übernommenen Warnungen vor den Verführern
(V.5 und 23-25) fügt Matthäus in 24,26 eine dritte Warnung hinzu.
In allen drei Fällen besteht die Verführung aus falschen Erwartungen und Gerüchten über das Auftreten eines (nationalen) Messias.
V.26 zeigt dabei deutlich Züge, die zum judenchristlichen Milieu
des Evangelisten [73] passen. Man erwartete den Messias als aus der
Wüste kommend (vgl. Apg 5,36; 21,38). In sogenannten apokalyptischen Kreisen jedoch rechnete man anscheinend mit einem verborgenen Messias, der jeden Augenblick aus seinem Schlupfwinkel (aus
seiner Kammer) hervorkommen konnte (Äth Hen 62,6f; 4 Esra 12,32).
War die judenchristliche Gemeinde (in Pella? [74]) zur Zeit des Matthäus im Zusammenhang mit stets wieder aufflackernden Gerüchten
über das bevorstehende Eintreffen des Messias im Sinne des Befrei-
ers vielleicht unsicher geworden?

(7) In den Versen 29-31, in denen Matthäus die Prophetie über das
Kommen des Menschensohnes übernimmt, fällt lediglich auf, daß die
apokalyptische Sprache um einige Ausdrücke erweitert worden ist
(in V.30a und 31a), ohne daß dadurch sachlich neue Elemente zu den
überlieferten Worten Jesu hinzugefügt worden sind. Dies kann mit
der naheliegenden Vermutung zusammenhängen, daß diese Prophetie
naturgemäß in der Gemeinde des Matthäus benutzt wurde und daß das
jüdische Kolorit der Sprache namentlich im mündlichen Stadium der
Überlieferung seine Spuren hinterlassen hat.

(8) In V.36 endet ein Teil, der von dem Gedanken an die Naherwar-

---

73 Davon gehen mit guten Argumenten aus: E.von Dobschütz, Matthäus als Rabbi
und Katechet, ZNW 27, 1928, 338-348 (jetzt auch in: Das Matthäusevangelium, W.d.F.
525, Darmstadt 1980, 52,64); G.D.Kilpatrick, o.c. (Anm.2), 124f; R.H.Fuller, The
New Testament in current studies, New York 1962; X.Leon-Dufour, o.c. (Anm.26),
168f; R.Hummel, o.c. (Anm.38), 26-33; R.H.Gundry, The use of the Old Testament in
St.Matthew's Gospel, Leiden 1967, 172-178; K.Stendahl, o.c. (Anm.3), passim; H.Ste-
gemann, o.c. (Anm.14), 275; G.Barth, o.c. (Anm.25), vor allem 104; G.Bornkamm,
o.c. (Anm.49), 47; O.L.Cope, o.c. (Anm.32), 10,31,83; K.F.Nickle, o.c. (Anm.2),
94-124. Die Gegenposition verteidigen W.Trilling, o.c (Anm.39); G.Strecker, o.c.
(Anm.19), ausführlich 15-35; R.Walker, o.c. (Anm.3), passim; J.P.Meier, o.c. (Anm.
3), 23.
74 Vgl. die dahingehenden Erwägungen in Anm. 24.

tung her zu der Aussage kam, daß der Zeitpunkt der Vollendung verborgen sei. Dem fügt Matthäus die Verse 37-41 aus Q (vgl. Lk
17,26f) über das plötzliche Gericht Gottes zur Zeit des Noah
hinzu. Damit verbindet er dann weiter in V.42 den Aufruf zur Wachsamkeit von Mk 13,35, wobei er den Ausdruck "der Herr des Hauses"
durch "euer Herr" [75] ersetzt. Damit legt er ihn explizit im Sinne
des Kommens des Gerichtes aus. Wie sehr der Gedanke an das Unerwartete und Plötzliche das Interesse des Matthäus hat, zeigt sich aus
der Tatsache, daß er Mk 13,35c gegen einen ausführlichen Satz aus
Q (V.43f; vgl. Lk 12,39f) eintauscht.
(9) Matthäus hat den Aufruf Jesu zur Wachsamkeit (Mk 13,33-37) auf
alle erdenkliche Weise ausgeweitet. V.35 stellte er in den größeren
Zusammenhang kürzerer Aussagen Jesu hinein. V.33 bekommt bei ihm
einen Platz als Schlußsatz im Gleichnis von den zehn Brautmädchen
(25,1-13), und V.34 bildet die Einleitung zu dem Gleichnis von den
anvertrauten Talenten (25,14-30). Sinn und Funktion dieser Verse
aus Markus ändern sich jedoch. Jetzt geht es nicht mehr um den
Auftrag an den Türhüter, er solle wachen, sondern um die Talente,
mit denen sie in der Zwischenzeit wuchern müssen. Dieses Bild
spitzt sich dann zu auf die ernste Warnung vor dem Gericht über
den einen Mann, der seinem Herrn nicht mit seinen Gaben gedient
hat. Konsequenterweise schließt Matthäus die eschatologischen
Reden mit einem langen Abschnitt ab, in dem Christus die Maßstäbe
angibt, nach denen er in der Vollendung sein Urteil sprechen wird.

Die Analyse dieser Kapitel bestätigt zwar, was uns schon in
der Behandlung des ganzen Evangeliums deutlich geworden war.
Zugleich jedoch zeigt sich, daß die eschatologische Botschaft
nicht ein isoliertes 'Lehrstück' ist, das gegen Ende des Evangeliums einen abgesonderten Platz innehat. Erfüllung und Vollendung
gehören in allen Teilen des Evangeliums zusammen, und bestimmte
redaktionelle Besonderheiten in den eschatologischen Kapiteln 23 -
25 können in ihrer Absicht erst dann begründet und überzeugend
erklärt werden, wenn wir sie von dem theologischen und seelsorger-
lichen Ziel her verstehen, das das ganze Evangelium des Matthäus
bestimmt.

---

75 Das verrät die Sprache der späteren judenchristlichen Gemeinde; vgl. L.Gop-
pelt, Theologie des Neuen Testaments, 2.Teil, Göttingen 1976, 348-351.

Kapitel 4

<u>Das Lukasevangelium</u>

0   Einleitung

Überall, wo wir mit dem Evangelium von Jesus Christus in Berührung kommen, hat es den doppelten Aspekt von Erfüllung und Erwartung. Insofern schließt sich auch Lukas bei dem an, was zum
Wesen aller apostolischen Predigt gehörte und was schon bei Markus,
dem ältesten Evangelium, deutlich zum Ausdruck gekommen war. Doch
hat das Lukasevangelium in manch einer Hinsicht einen ganz eigenen
Charakter und offenbar auch eine eigene Zielsetzung. Was ist der
Grund dafür? Man könnte an die Tatsache denken, daß dieser Evangelist anscheinend über mehr Quellen verfügte als Markus zu seiner
Zeit. Neben dieser ersten und ältesten Evangelienschrift gab es
weitere schriftliche und darüber hinaus auch mündliche Traditionen, die namentlich über den Unterricht Jesu eine Fülle an Stoff
enthielten. Die wohl wichtigste schriftliche Tradition, genannt Q,
war eine Sammlung von Aussagen Jesu. In dem Kapitel über Matthäus
haben wir uns bereits ausführlicher mit ihr befaßt. Aber Lukas
hatte, wie er selbst in den ersten Versen seines Evangeliums
verrät, noch weit mehr Überlieferungsstoff zur Verfügung. Wir brauchen nur an die ersten Kapitel mit den Berichten über die Geburt
und Kindheit Jesu zu denken, weiter an den großen Reisebericht von
9,51 - 18,14 mit einer großen Anzahl von Erzählungen und Gleichnissen, die sich nur bei Lukas finden, und schließlich an die Oster-
botschaft, die bei diesem Evangelisten in größerem Umfang eigenen
Stoff enthält.

Aber Lukas wußte auch, wie er mit Quellen umzugehen hatte. In
den ersten vier Versen von Kapitel 1 läßt er den Leser wissen, daß
er den Anspruch erhebt, aus diesen Quellen ein sinnvolles Ganzes
zu machen. Was er dort in Aussicht stellt, hat er - so dürfen wir
ihm bescheinigen - auf erstaunliche Weise ausgeführt. Was die
Sprache betrifft, fällt sein guter, kultivierter griechischer Stil
auf. Aber er versteht es auch, den Stoff so zu ordnen und neu zu
schreiben, daß er auf diese Weise sein Ziel voll erreicht. Die
gute Ordnung, über die er in 1,4 schreibt, bezieht sich nicht so
sehr auf die richtige historische Reihenfolge als vielmehr auf die
sinnvolle Anordnung, damit deutlich wird, worauf es seiner Meinung

nach ankommt. Das gilt übrigens nicht allein für das nach ihm
benannte Evangelium, sondern auch für den zweiten Teil seines
Werkes, der genau wie das Evangelium dem edlen Timotheus gewidmet
ist. Dieser zweite Teil ist unter uns bekannt geworden als die
Apostelgeschichte. Er selbst jedoch will nichts anderes sein als
eine Fortsetzung des Evangeliums, ein Bericht über das, was es
bewirkt hat, über die Weise, auf welche der erhöhte Herr durch
seinen Geist und durch den Dienst seiner Apostel diesem Werk und
dieser Botschaft in Israel und unter den Völkern Gestalt geben
würde. Wir wollen uns in diesem Kapitel allererst auf das Evangelium konzentrieren und erst zum Schluß in einem Exkurs dem Buch
der Apostelgeschichte unsere Aufmerksamkeit widmen. Das nimmt
jedoch nicht weg, daß wir hier und dort bereits Linien durchziehen,
um Erkenntnisse, zu denen wir beim Lesen des Evangeliums kommen,
durch Aussagen jenes Buches zu erhärten. Ein guter Einblick in
jeden der beiden Teile des lukanischen Werkes ist nur möglich,
wenn der je andere Teil mit in die Untersuchung einbezogen wird.

Wir kommen zu einer letzten einleitenden Bemerkung. Lukas
schreibt als ein Vertreter der sogenannten dritten Generation. Man
lese nochmals 1,1-4. Mit ihm befinden wir uns am Ende des apostolischen Zeitalters. Er schaut zusammen mit der Kirche seiner Zeit
zurück, nicht nur auf die Zeit, in der Jesus auf Erden war, sondern
auch auf die Jahrzehnte, in denen die Apostel Jesu ihr segensrei-
ches Werk getan hatten. Die Zeit Jesu und die erste Zeit der
Apostel, die Zeit um und nach Pfingsten, gehörten für ihn historisch schon zusamen. Aber beide Perioden bildeten auch innerlich
eine unzertrennbare Einheit. Mit dieser Botschaft und mit dem Weg,
den sie inzwischen zurückgelegt hat, weiß Lukas sich zugerüstet
für die Herausforderungen seiner Zeit, der letzten Jahrzehnte des
ersten Jahrhunderts. Der Fall Jerusalems liegt anscheinend schon
in einer ferneren Vergangenheit. Was die Herausforderungen und
Gefahren seiner eigenen Zeit betrifft, so dürften diese sich
ziemlich deutlich widerspiegeln in der Abschiedsrede des Paulus
von den Ältesten der Gemeinde von Ephesus, jedenfalls in der Form,
in der Lukas diese in Apg 20,13-38 wiedergibt. Wir hören von
Irrlehrern, die von draußen kommen, und von Schis matikern in den
eigenen Reihen [1]. Wer Briefe, wie etwa 2. Petrus und die Send-

---

1 Vgl. W.C. van Unnik, Die Apostelgeschichte und die Häresien; in: Sparsa col-

schreiben aus Offenbarung 2 und 3 danebenlegt, spürt etwas von der
Atmosphäre, in der wahrscheinlich auch Lukas schreibend seinen
Dienst am Evangelium wahrzunehmen trachtete.

1   Die Gegenwart des Heils

1.1. Einleitung

In der Übersicht über die Eschatologie im Markusevangelium
haben wir uns ausführlich mit dem Gesichtspunkt der Erfüllung befaßt, wie dieser dort unmißverständlich zum Ausdruck gekommen war.
Zugleich war uns jedoch deutlich geworden, wie sehr diese Erfüllung
im Schatten von Feindschaft, Unverständnis und Blindheit gestanden
hatte, daneben aber auch im Schatten des Weges Jesu selbst zum
Kreuz. Seine literarische Form hatte dieses alles in den verschiedenen Schweigegeboten gefunden, Zeichen eines noch geltenden messianischen Geheimnisses. Wenn wir jetzt die Behandlung der Fragen
nach Erfüllung und Erwartung bei Lukas mit einem Kapitel über die
Gegenwart des Heils anfangen, dann deshalb, weil dieser Gesichtspunkt bei Lukas ganz anders als bei Markus zu seinem Recht kommt.
Der Schatten des Messiasgeheimnisses scheint gänzlich weggenommen
zu sein. Den Stoff, den er aus seinen Hauptquellen Markus und Q
übernahm, versah er an vielen Stellen mit anderen Akzenten; und wo
er eine Möglichkeit erblickte, den Nachdruck auf die Gegenwart des
Heils zu verstärken, zeigt er, daß er davon gern Gebrauch gemacht
hat. Wir wollen kurz auf die wichtigsten Punkte eingehen.

1.2. Das Erfüllungsmotiv in der Geburtsgeschichte

Die ersten zwei Kapitel des Lukasevangeliums haben in manch
einer Hinsicht einen eigenen Charakter. Was die Sprache betrifft,
fällt sogleich die alttestamentliche Färbung auf. Weiter spielt
sich alles in und um Jerusalem ab. Hinzu kommt, daß diese Kapitel
vier Lobgesänge enthalten, die an die Sprache der Psalmen erinnern
und das in Christus erschienene Heil auf alttestamentliche Weise
besingen. Aber auch andere Teile dieser Kapitel haben einen hym-

---

lecta I, Leiden 1973, 402-409; Ch.T.Talbert, Luke ande the Gnostics, Nashville-New-
York 1966; derselbe, Die antidoketische Frontstellung der lukanischen Christologie, in: G.Braumann (Hrsg.), Das Lukasevangelium, W.d.F. 280, Darmstadt 1974, 354-
377; M.Dömer, Das Heil Gottes, Studien zur Theologie des lukanischen Doppelwerkes,
Köln-Bonn 1978, 189-202.

nischen Stil; man denke z.B. an 1,13.19f..30f; 2,10-12. Schließlich läßt sich eine große Anzahl von systematisch verarbeiteten
Übereinstimmungen aufweisen zwischen der Geschichte um die Geburt
Samuels herum (1 Sam 1 und 2) und der rundum die Geburt von Johannes dem Täufer [2]. Nun beschränken wir uns hier auf die Aussagen in
den ersten Kapiteln, in denen etwas Näheres über die Gegenwart des
Heiles Gottes gesagt wird.

Allererst fällt auf, daß die Lobgesänge des Zacharias und der
Maria die großen Taten Gottes in der Vergangenheitsform besingen.
Gegen den Hintergrund der hebräischen Sprache werden wir zwar
nicht den Nachdruck legen dürfen auf die Vergangenheit im Unterschied zur Gegenwart [3]; von der Vergangenheit des Handelns Gottes
in der Geschichte Israels aus läßt er eine Gegenwart entstehen,
von der gilt, was hier besungen wird. Wohl jedoch kann darauf
hingewiesen werden, daß hier nicht von zukünftigen Dingen gespro-
chen wird. Für Maria gilt z.B. nicht nur, daß Gott sie in ihrer
Niedrigkeit angesehen hat (V.48), sondern auch, daß er durch
seinen Arm machtvolle Taten vollbracht und alle, die in ihren
Herzen hochmütig sind, zerstreut hat (V.51). Und so fängt auch der
Lobgesang des Zacharias an mit dem Satz: "Gelobt sei der Herr, der
Gott Israels, denn er hat sein Volk besucht und erlöst und uns ein
Horn des Heils aufgerichtet in dem Hause seines Dieners David"
(V.68f).

---

2 (1) Samuel und Johannes sollten Vorläufer der Gesalbten Gottes sein: von
David bzw. von Davids Sohn.
(2) Worte, in denen die Geburt Samuels angekündigt werden (1 Sam 1,17.27),
klingen an in den Engelworten von Lk 2,13.
(3) In 1 Sam 2,5b und in Lk 1,7 wird ausdrücklich über Unfruchtbarkeit gesprochen.
(4) Hanna (1 Sam 2,10c) und Zacharias (Lk 1,69) singen von der Erhöhung des
Hauptes seines Gesalbten bzw. des Hornes des Heils im Hause Davids.
(5) In 1 Sam 1,11 und in Lk 1,25 wird gesagt, daß Gott das Elend bzw. die
Schmach der Hanna und der Elisabeth angesehen hat.
(6) Die frappante und wörtliche Übereinstimmung zwischen 1 Sam 1,11 und Lk
1,48.
Namentlich diese letzte Übereinstimmung ist wiederholt und nicht ohne Grund Anlaß
gewesen für die Vermutung, der Lobgesang der Maria könnte ursprünglich wohl ein
Lobgesang der Elisabeth gewesen sein. Dafür könnte die obige Reihe von auffallenden
Übereinstimmungen sprechen, weiter die Tatsache, daß die beiden Lobgesänge weithin
übereinstimmen und schließlich die Tatsache, daß Lk 1,46-55 eine nähere Explikation
dessen ist, was Elisabeth nach V. 25 sagt: "So hat mir der Herr getan in den Tagen,
da er mich angesehen hat, daß er meine Schmach unter den Menschen von mir nähme."
3 Das hebräische Perfekt hat zugleich präsentische Bedeutung. F.Rehkopf, Grammatik des neutestamentlichen Griechisch, Göttingen [14]1975 § 322,2, spricht in diesem Zusammenhang von einem perfektischen Präsens.

Nun könnte man diese hymnischen Aussagen zur Not noch so verstehen, daß die Sänger als Zeugen der großen Taten Gottes in der Sendung seines Sohnes insofern über die Gegenwart sprechen konnten, als diese Geschehnisse kurz bevorstanden und ein Licht auf die Tage warfen, die seiner Geburt vorangingen. Einen deutlicheren Einblick können wir aber gewinnen, wenn wir den Lobgesang des Simeon hinzunehmen. Die auffälligste Aussage dieses Lobgesangs besteht nämlich darin, daß er sagt: "... denn meine Augen haben dein Heil gesehen"; nicht: "deinen Heiland", wie man von 2,11 her erwarten dürfte und wie es hartnäckigerweise noch in den neuesten Übersetzungen heißt. Hier wird zum ersten Mal ausdrücklich über das Heil gesprochen als über etwas, das man hier und jetzt sehen , erfahren und als Realität besingen kann. Daß dies im Rahmen der lukanischen Redaktion keine Zufälligkeit ist, erhellt aus 3,6. Von 3,4b an zitiert Lukas Worte aus Jes 40,3-5. Darin folgt er zwar Markus, der gleich in 1,3 den Aufruf von Jes 40,3 angeführt hatte. Aber Lukas verlängert das Zitat um einige Sätze; es geht ihm ersichtlich und nachdrücklich um die letztgenannte Ankündigung: "und alles Fleisch wird das Heil Gottes sehen". Das ist es, was jetzt Wirklichkeit wird. Und das wird nun auch schon als Wirklichkeit durch Simeon besungen. Damit steht das Lukasevangelium von Anfang an unter dem Motto der Gegenwart des Heils. Dasselbe gilt übrigens auch von dem Lied der Engel in 2,14. Auch dieser himmlische Hymnus hat seine Wurzeln im Alten Testament, vor allem in Jes 6,3 und Ez 3,12. Im Laufe der Jahrhunderte wuchsen diese doxologischen Sätze anscheinend immer mehr zueinander hin, um in nachchristlicher Zeit in der synagogalen Liturgie zu einem Ganzen zu verschmelzen [4]. Inzwischen erfuhr das Trishagion von Jes 6,3 eine stets weitergehende Erweiterung, die mit dem Gloria in Lk 2,14 verglichen werden kann [5].; und es wurde auch irgendwie mit dem Kommen des Messias in Verbindung gebracht [6]. Ehre oder Herrlichkeit Gottes und Friede auf Erden unter den Menschen des Wohlgefallens

---

4 Das sog. Qeduscha, siehe D.Flusser in dem in Anm.6 zitierten Aufsatz.
5 Man vergleiche Targum Jes 6,3 und Äth Hen 39,12; 40,3-7.
6 Siehe Äth Hen 40,5: "... preisen den Auserwählten und die Auserwählten, die bei dem Herrn der Geister aufbewahrt sind." Mit dem Auserwählten ist, wie ein Vergleich mit 39,6f; 45,3 und 46,3 zeigt, der Menschensohn gemeint, der in 48,10 auch der Gesalbte genannt wird. Vgl. in diesem Zusammenhang D.Flusser, Sanctus und Gloria, in: Abraham unser Vater, FS für O.Michel, Leiden 1963, 129-152; C.Westermann, Alttestamentliche Elemente in Lk 2,1-20, in: Tradition und Glaube, FS für K.G.Kuhn, Göttingen 1971, 317-327.

werden erfahrbare Wirklichkeit in der Zeit, in der der Christus Gottes erscheint und sein Werk ausführt [6a].

1.3. Das Erfüllungsmotiv in den einleitenden Kapiteln 3 und 4

Zuallererst sei darauf hingewiesen, daß in diesen Kapiteln vielfältig über den Heiligen Geist gesprochen wird. Zwar war das auch schon in den ersten beiden Kapiteln der Fall, aber hier wird der Heilige Geist im Zusammenhang mit dem Anfang des Wirkens Jesu auffällig oft genannt. In der Zeit der Erfüllung scheint er eine wichtige Rolle zu spielen. Durch den Heiligen Geist hatte Maria das Kind empfangen (1,35). Der Heilige Geist hatte Elisabeth (1,41), Zacharias (1,67) und Johannes (1,15.80) erfüllt. Im Falle des Simeon, der der erste unter den Menschen ist, der die Geburt Jesu besingt, wird selbst dreimal über die Wirkung des Geistes Gottes in seinem Leben gesprochen (2,25-27). Dort, wo der Erlöser der Welt kommt, ist Gottes Geist deutlich am Werk.

Gerade dies ist es, was in den beiden darauf folgenden Kapiteln allen Nachdruck bekommt. Auf die Taufe Jesu, die bei Lukas nur in einem Nebensatz zur Sprache kommt, folgt die Notiz über sein Gebet [7]; und das Herniederkommen des Geistes sowie die Himmelsstimme bilden sozusagen die göttliche Antwort, die Erhörung dieses Gebets. Der Geist kommt dem Christus Gottes zu Hilfe, nun er betend seinen Auftrag annimmt. Daß es in der Tat die Absicht des Lukas ist, das Herabkommen des Geistes als Taufe mit dem Heiligen Geist und also als Zurüstung für die Ausübung seines Auftrags zu verstehen, zeigt sich bei der ersten Gelegenheit, wo Jesus öffentlich auftritt und spricht (4,16-30). Er liest die Worte aus Jes 61, die mit dem Satz anfangen: "Der Geist des Herrn ist auf mir, weil er mich gesalbt hat"; und darauf folgt die Umschreibung seines Auftrags [8]. Auch zu Beginn des Abschnittes

---

6a Ausführlicher bin ich dieser Frage nachgegangen in der Studie: Vrede op aarde, De messiaanse vrede in bijbels perspectief, Ex St 2, Kampen 1985.

7 Lukas spricht an vielen Stellen vom Beten Jesu: 3,21; 5,16; 6,12; 9,28f; 11,1; 22,41.44; auch seine Jünger rief Jesus auf zu beten: 11,2; 18,1; 21,36; 22,40.46.

8 Man vergleiche die sachliche Parallele in Apg 2, wo auch der Geist Gottes herabkommt und wo auch Petrus bei der ersten sich bietenden Gelegenheit dieses Geschehen erklärt, nämlich durch den Hinweis auf Joel 3,1-5. Auch dort ist es die Funktion des Heiligen Geistes, Menschen zu befähigen, in der Zeit des Messias die ihnen zugedachte Aufgabe erfüllen zu können. Übrigens war das die Erfüllung dessen, was der Täufer angesagt (Lk 3,16) und was Jesus nach Apg 1,5 wiederholt hatte.

über die Versuchung wird zweimal über den Geist gesprochen, der
Jesus erfüllt und in die Wüste führt. Anders als Markus scheint
Lukas dabei wieder an die Kraft zu denken, die Jesus auf dem Wege
empfängt, um den ausführlich beschriebenen Versuchungen widerstehen
zu können. Und nach der Versuchung ist es wieder der Geist Gottes,
der Jesus nach Galiläa führt, wo er anfängt, in der Öffentlichkeit
aufzutreten und in kürzester Zeit als ein bekannter Mann von
vielen gerühmt wird (4,14f). Und dann folgen gleich sein Auftreten
und seine Predigt in Nazareth, wo er die Schriftlesung über die
Salbung mit dem Geist (Jes 61,1f) durch die programmatische Aussage
erläutert: "Heute ist diese Schrift vor euren Ohren erfüllt." Dies
alles ist um so bemerkenswerter, wenn wir bedenken, daß in allen
darauffolgenden Kapiteln des Evangeliums nur noch einmal von der
Funktion des Geistes im Wirken Jesu gesprochen wird [9].

Dieses vorsätzliche und vielfältige Nennen des Heiligen
Geistes in der Zeit der Erfüllung wird jedoch verständlich, wenn
wir bedenken, daß dieser nach einer allgemeinen jüdischen Auffas-
sung von damals - so wörtlich - seit den Tagen der Propheten
Haggai, Zacharja und Maleachi von Israel gewichen war [10]. Es
bestand jedoch auch die Überzeugung, daß der Heilige Geist zusammen
mit dem Messias wieder zurückkehren und diesen zurüsten würde zu
Taten von Weisheit, Gerechtigkeit und Macht [11]. Wenn also der
Heilige Geist in diesen ersten Kapiteln des Lukasevangeliums so
oft genannt wird, dann ist das auch als ein literarisches Mittel
zu verstehen, um die Zeit Jesu als Zeit der Erfüllung, als Heilszeit anzudeuten [12].

Wir nannten vorhin schon einmal das Zitat in 3,4-6, das nicht

----

9 10,21: Nach der Rückkehr der siebzig Jünger "frohlockte Jesus im Heiligen
Geist und sprach: Ich preise dich, Vater, ..."
10 bSanh 11a; T Sot 13,2; an der zuletzt genannten Stelle jedoch mit der Hinzufügung: "Gleichwohl ließ man (=Gott) sie die Bath-Qol hören." Vgl. Billerbeck
I,127.
11 Ps Sal 17,37; 18,3; Äth Hen 49,3; 62,2. An der zuletzt genannten Stelle ist
selbst von der Ausgießung des Geistes der Gerechtigkeit unf ihn die Rede. Siehe
auch Targ Jes 11,2 und Targ Jes 42,1-4.
12 Lk 1,15.17.35.47.67.80; weiter in Kapitel 2, wo von Simeon gesagt wird, (a)
daß der Heilige Geist auf ihm war, (b) daß der Heilige Geist ihm gesagt hatte, er
würde nicht sterben, bevor er den Christus des Herrn sehen würde, (c) daß er auf
Anregen des Geistes in den Tempel kam (2,25-35). Dasselbe gilt nachher am Anfang
der Apostelgeschichte, obwohl es dort nicht auf die ersten Kapitel beschränkt ist.
Aber die Situation ist dort insofern auch eine andere, als dort im Leben vieler
Menschen und an vielen Orten nacheinander die Erfüllung durchbricht; siehe Apg
2,3.38; 4,8.31; 5,3.9.32; 6,3.5.10; 8,17-19.29.39; 9,17.31 usw.

zufällig abschließt mit dem Satz: "und alles Fleisch wird das Heil Gottes sehen." Diese Prophetie steht ganz am Beginn des Evangeliums und bildet ein bewußt gewähltes Motto. Während in Mk 1,3 durch das kurze Zitat aus Jes 40,3 lediglich auf die Stimme eines Rufers in der Wüste, also auf Johannes den Täufer, hingewiesen wurde, steht hier programmatisch die Erklärung, daß die Prophetie über das Sehen des Heils Gottes dabei ist, in Erfüllung zu gehen. Daß dieser Text aus Jesaja auch im Judentum jener Zeit mit dem Kommen des Messias in Zusammenhang gebracht wurde, wird aus Ps Sal 18 deutlich, wo ausgerechnet in direktem Zusammenhang mit dem erwarteten Messias gesagt wird (V.16): "Selig ist, wer in den Tagen leben wird und sehen darf das Heil des Herrn."

Aber auch in der Nazareth-Perikope von Lk 4 fällt der Umfang des Zitates auf. Wir sahen bereits, daß die dort vorgelesene Aussage aus Jes 61 primär die Funktion hat, die Taufe Jesu und das Herabkommen des Geistes in einen heilsgeschichtlichen, eschatologischen Rahmen zu stellen. Zur gleichen Zeit jedoch wird die Aufgabe des so zugerüsteten Messias näher angedeutet. In einem anderen Zusammenhang werden wir auf diese Stelle noch zurückkommen; hier sei lediglich darauf hingewiesen, daß das Zitat mit der Verkündigung über das Gnadenjahr des Herrn schließt. Dieser Ausdruck weist auf jeden Fall für das Bewußtsein des Lukas sehr deutlich auf eine neue Zeit, die qualifiziert wird durch das Adjektiv δεκτον = angenehm. Es besteht kaum Zweifel darüber, daß diese Ausdrucksweise an das von Gott eingesetzte Jubeljahr von Lev 25,10 erinnert [13]. Lukas schreibt sein Evangelium aus dem Glauben heraus, daß in Jesus dieses Jubeljahr in seiner eschatologischen Fülle angebrochen ist [14].

In diesem Zusammenhang ist es denn auch nicht zufällig, daß Lukas wiederholt das Verb ευαγγελιζεσθαι = 'die gute Botschaft verkündigen' gebraucht: so bereits in 1,19 und 2,10. Er benutzt

---

13 In der LXX wird dieses ἐνιαυτὸς ἀφέσεως genannt. Doch wird im Zusammenhang mit bestimmten, in der rechten Gesinnung gebrachten Opfern auch von δεκτὸν ἐναντίον κυρίου gesprochen; so Lev 1,3f; 17,4; 19,5; 22,19; Jes 56,7; 60,7. Weiter ist es in diesem Zusammenhang vielsagend, daß Lukas gerade vor der Aussage über das angenehme Jahr des Herrn einen Satz aus Jes 58,6 einfügt: "und Zerschlagene in Freiheit zu entlassen."

14 Es ist nicht unmöglich, daß schon in Jes 61 die Tatsache eine Rolle spielt, daß das in der Tora genannte Jubeljahr in der Geschiche Israels nicht oder kaum funktioniert hat. Vgl. H.J.Kraus, Gottesdienst in Israel, München 1962, 92. Nach Jer 34,8-22 gilt Gleiches auch irgendwie für das Sabbatjahr.

diesen Ausdruck im Zusammenhang mit der Predigt des Täufers (3,18) wie auch für die Predigt Jesu (4,18.43). Verschiedene Ausleger meinen, dieser Vorzugsausdruck des Lukas [15] habe keine prägnante Bedeutung mehr und sei nahezu zu einem Synonym für 'verkündigen' geworden [16]. Meiner Meinung nach dürfen wir ruhig annehmen, daß Lukas sich des inneren Zusammenhangs dieses Wortes mit dem 'Evangelium' sehr wohl bewußt gewesen ist. Gerade die Prophetenzitate in 4,18 und 7,22 werden es gewesen sein, die den Inhalt dieses Verbs bestimmt haben. Es ist nämlich auffallend, daß Lukas demgegenüber das Substantiv εὐαγγελιον in seiner Evangelienschrift vermeidet [17] und es konsequent reserviert für die Apostelgeschichte [18]. Den Begriff 'Evangelium' hantiert er erst dort, wo er historisch gesehen seinen Ort hat: in der alten Kirche und ihrer missionarischen Verkündigung. Aber der Vollzug der Verkündigung der Frohen Botschaft (nämlich von Gottes Heil schaffender Offenbarung, vgl. Jes 40,9; 52,7; 61,1) geht dem apostolischen Zeitalter bereits voran und weist auf das Auftreten Jesu und des Täufers [19], der in seinem Dienst so eng mit Jesus verbunden war [20]. Die Gute oder Frohe Botschaft bezieht sich nachdrücklich auf die qualitativ neue Situation, die durch das Kommen Christi verwirklicht wird: die Realität des durch ihn gebrachten Heils.

---

15 Im Doppelwerk des Lukas kommt es 1ox + 15x vor, in allen anderen Evangelien nur noch Mt 11,5 in einem Logion aus Q, das auch in Lk 7,22 steht.

16 So R.Bultmann, Theologie des Neuen Testaments, Tübingen 1953, 86f; U.Becker, ThBNT I 300 s.v. εὐαγγελιον. G.Strecker, EWNT II 174f unterscheidet zwischen einem terminologischen und einem unterminologischen Gebrauch von εὐαγγελιζεσθαι. Im ersten Fall bezieht es sich auf die apostolische Christuspredigt; im zweiten Fall gibt es ein breites Bedeutungsspektrum einschließlich der Bedeutung: das eschatologische Heil ankündigen, so 4,18 und 7,22.

17 Man achte auch darauf, daß er bei der Übernahme von Mk 10,29 den Ausdruck "um meinetwillen und um des Evangeliums willen" ersetzt durch die Worte "um des Reiches Gottes willen".

18 Vgl. Apg 15,7 und 20,24.

19 Auch in Lk 3,18 halten wir gegenüber R.Bultmann, o.c. (Anm.16), 86, und H.Conzelmann, Die Mitte der Zeit, Tübingen [6]1977, 17, mit H.Schürmann in seinem Lukaskommentar daran fest, daß auch der Täufer auf seine Weise an der Verkündigung der guten Botschaft der Erfüllung Teil hatte. Schürmann weist mit Recht darauf hin, daß auch Lk 3,18 gesehen werden muß gegen den Hintergrund von Mk 1,1: ἀρχὴ τοῦ εὐαγγελιου.

20 Vgl. W.G.Kümmel, "Das Gesetz und die Propheten gehen auf Johannes", in: Verborum Veritas, FS für G.Stählin, Wuppertal 1970, 95f. M.Dömer, o.c. (Anm.1), 28, weist in diesem Zusammenhang auf das Zitat aus Jes 40 in Lk 3,6: "... infolge dieser Erweiterung wird das Zitat nicht mehr nur auf den Täufer bezogen, sondern

1.4. Das Erfüllungsmotiv in den Aussendungsreden

Im Rahmen eines größeren Blocks, in dem er Markus auf dem Fuße folgt (Lk 8,4 - 9,17; vgl. Mk 4,1 - 6,44), hat Lukas auch die Aussendung der zwölf Jünger (Lk 9,1-10a; vgl. Mk 6,6b-31) in sein Evangelium aufgenommen. Dabei hat er jedoch einige Änderungen angebracht, die im Zusammenhang mit unserer Frage nicht unerwähnt bleiben dürfen. Die gesperrt gedruckten Wörter in der hier folgenden Aufstellung geben die Hinzufügungen an.

1. Er gab ihnen G e w a l t u n d Vollmacht über alle bösen Geister und d a ß s i e K r a n k h e i t e n h e i l e n k o n n t e n, (V.1).

2. E r s a n d t e s i e a u s z u p r e d i g e n d a s R e i c h G o t t e s u n d z u h e i l e n (V.2).

3. Wo Markus berichtet, daß die Jünger ausgingen und predigten, man solle Buße tun, erzählt Lukas, daß sie ausgingen und d a s E v a n g e l i u m p r e d i g t e n (V.6).

4. Lukas läßt den ausführlichen Bericht des Markus über den Tod von Johannes dem Täufer aus. Es fällt bei ihm also nicht derselbe Schatten auf die Aussendung, wie das bei Markus der Fall war. Er folgt ihm lediglich in den drei einleitenden Versen (Lk 9,7-9; vgl. Mk 6,14-16), spricht in dem Zusammenhang jedoch über die Verlegenheit oder Unruhe des Herodes, über dessen Frage "Wer ist dieser?" und über sein Verlangen, Jesus zu sehen (V.7-9).

Wir fassen zusammen: Ihre Ermächtigung durch Jesus wird durch einige Hinzufügungen erweitert, und der dunkle Schatten der Grausamkeit des Herodes weicht. Dem stehen dann die zwei positiven Satzteile gegenüber: sie haben den Auftrag, das Reich Gottes anzusagen und Kranke zu heilen, und weiter: daß sie ausgingen, das Evangelium verkündigten und überall Heilungen vollbrachten.

Wenn wir all den Stellen bei Lukas nachgehen, an denen über das Reich Gottes gesprochen wird, dann zeigt sich schnell, daß der Sinn dieses Ausdrucks nicht immer derselbe ist. An sehr vielen Stellen wird über das Reich Gottes als eine primär zukünftige Größe gesprochen, so z.B. in 9,27; 12,32; 18,29; 19,11; 21,31; 22,16.18.29; 23,51. Dem stehen aber auf jeden Fall einige Stellen

---

Johannes und sein Wirken erscheinen ... in Beziehung gesetzt zu dem von Gott gesandten Heil, nämlich Christus."

gegenüber, wo mit Nachdruck über die Gegenwart des Reiches Gottes gesprochen wird. Zu nennen sind hier vor allem 4,43 [21]; 8,1 [22]; 9,60 [23]; 10,9.11; 11,20 [24]; 16,16 [25]; 17,21 [26]. In dieselbe Richtung zielt ohne Zweifel auch die Notiz von 9,2 über die Aussendung der Jünger; vor allem die Verbindung des gegenwärtigen Reiches mit den Wundern Jesu als göttlicher Hilfe an Hilflose ist für Lukas bezeichnend. In dem Abschnitt 1.7. werden wir näher sehen, wie konkret die Vorstellung des Evangelisten mit Bezug auf das Gottesreich ist. Damit stimmt auch eine andere Kombination überein, die wir in V.6 finden, nämlich zwischen 'das Evangelium verkünden' und 'genesen' [27].

Von einer zweiten Aussendung, diesmal von siebzig Jüngern, berichtet Lukas in Kapitel 10. Elemente dieses Kapitels stammen anscheinend aus der Logienquelle; sie sind bei Matthäus in die Aussendungsrede von Kapitel 10 inkorporiert. Wir beschränken uns darauf, einige redaktionelle Besonderheiten und Hinzufügungen, die keine Parallelen haben, zu nennen. In V.9 ergänzt Lukas den Satz, in dem der Inhalt der Verkündigung angegeben wird, um ein Element: "Das Reich Gottes ist nahe z u e u c h gekommen." Und in V.11 hören wir, daß die Jünger selbst im Falle der Nichtaufnahme noch zu den Einwohnern einer solchen Stadt sagen sollen: "Doch sollt ihr wissen, daß euch das Reich Gottes nahe gewesen ist." Von

---

21 εὐαγγελίζεσθαι τὴν βασιλείαν τοῦ θεοῦ ist eine redaktionelle Umschreibung des in Mk 1,38 absolut gebrauchten κηρύσσειν und kommt ausschließlich bei Lukas (4,43; 8,1) und in der Apostelgeschichte (8,12) vor. Die Hinzufügung ὅτι ἐπὶ τοῦτο ἀπεστάλην erinnert wörtlich an 4,18 = Jes 61,1 mit den verschiedenen Aussagen, die alle auf die Gegenwart Bezug haben.

22 κηρύσσειν καὶ εὐαγγελίζεσθαι τὴν βασιλείαν τοῦ θεοῦ, ein relativ selbständiger Satz, im Anschluß an den ausführlichen Abschnitt über die Vergebung für die Sünderin, 7,36-50.

23 Nur Lukas fügt der Aussage Jesu in Q "Laßt die Toten ihre Toten begraben" den Satz hinzu: σὺ δὲ ἀπελθὼν διάγγελε τὴν βασιλείαν τοῦ θεοῦ. Genau wie an den zwei anderen Stellen im N.T. (Apg 21,36 und Röm 9,17) deutet dieses Verb die Verkündigung von etwas an, was zur selben Zeit da ist.

24 = Mt 12,27; das Austreiben der bösen Geister durch den Finger (Mt: Geist) Gottes ist ein Beweis für die Gegenwart des Reiches (ἔφθασεν. Lukas hat diese Aussage wohl unverändert aus Q übernommen, während Matthäus 'Finger' durch 'Geist' ersetzt haben dürfte. Sachlich macht dies jedoch keinen Unterschied. Vgl. für 'Finger' Ex 8,15; 31,18; Ps 8,4; für 'Hand' z.B. Ex 7,4f; 9,3. Für die Verbindung oder Identifizierung von 'Hand' und 'Geist' Gottes siehe z.B. Ez 8,3.

25 Von der Zeit des Johannes an wird das Reich Gottes als Evangelium verkündigt (εὐαγγελίζεσθαι), und jedermann drängt sich mit Gewalt hinein.

26 Für eine nähere Besprechung dieses Textes siehe den Abschnitt 1.5.

27 Die Verbindung zwischen κηρύσσειν, εὐαγγελίζεσθαι und βασιλεία τοῦ θεοῦ (9,2.6) war auch bereits in 8,1 aufgefallen.

großer Bedeutung sind weiter einige Aussagen, die entweder keine
Parallelen habe oder aber eine Parallelaussage, die bei Matthäus
in einem anderen Kontext steht.

Allererst müssen hier die Aussagen Jesu bei ihrer Rückkehr
genannt werden:

1. "Ich sah den Satan vom Himmel fallen wie einen Blitz" (V.18).

2. "Sehet, ich habe euch Vollmacht gegeben, zu treten auf Schlan-
gen und Skorpione und über alle Gewalt des Feindes" (V.19). Hier
wird auf eine unmißverständliche Weise über die Entthronung des
Teufels gesprochen und über das Teilhaben der Jünger an der Macht
Christi, und das heißt irgendwie auch: an der Königsherrschaft Gottes.

An zweiter Stelle weisen wir auf das Wehe über die Städte Galiläas
(V.13-15), auf den Lobpreis im Zusammenhang mit denen, die als
Kinder die Botschaft angenommen haben (V.21f) [28], und auf die
Seligpreisung der Jünger: "Selig sind die Augen, die sehen, was
ihr seht" (V.23) [29]. Angesichts des total anderen Platzes, den
diese Aussagen bei Matthäus einnehmen, dürfen wir vermuten, daß
Lukas sie absichtlich in diesem Kapitel über das segensreiche
Wirken der Jünger aufgenommen hat. Auf diese Weise verstärkt er
den Gesichtspunkt der konkreten Wirklichkeit, in der alle stehen,
die durch die Verkündigung der Frohbotschaft und durch die Offenbarung der Heil schaffenden Macht Jesu in das Reich Gottes hinein-
geholt werden. Es ist eine Wirklichkeit, die enthüllt ist und gesehen werden kann. Sie haben in dieser Hinsicht denn auch eine
privilegierte Position inne gegenüber Propheten und Königen aus
der Zeit des Alten Testaments; jene hätten gern gesehen und gehört,
was sie als neue Wirklichkeit im eigenen Leben erfahren dürfen
(V.24).

Nach diesen analytischen Betrachtungen wollen wir noch einmal
die eindrucksvolle Komposition dieses ganzen Kapitels auf uns ein-
wirken lassen:

1. Die Aussendung mit dem zweifachen Nachdruck auf die Nähe des
Reiches (V.1-12);

2. das Wehe über die Städte Galiläas (V.13-15);

---

28 Diese Wehrufe und diesen Lobpreis hatte Matthäus mit dem Abschnitt über
Johannes den Täufer verbunden (11,20-27).

29 Diese Seligpreisung kommt bei Matthäus im Anschluß an das Gleichnis vom
Sämann (13,16) vor.

3. die Einheit zwischen Gesandten und dem Sender (V.16);

4. der begeisterte Bericht bei ihrer Rückkehr (V.17);

5. die Aussagen Jesu über die Entthronung des Satans und über die Macht, an der die Jünger teilhaben (V.18-20);

6. der Lobpreis Jesu mit dem Nachdruck auf das Positive: die Offenbarung der neuen Wirklichkeit an die Unmündigen (V.21f);

7. die Seligpreisungen der Jünger, weil sie diese neue Wirklichkeit sehen, hören und erleben (V.23);

8. ihre bevorrechtete Position in dieser Hinsicht gegenüber den Propheten und Königen des Alten Testaments (V.24).

Dieses ganze Kapitel ist ein großartiges Zeugnis über die Gegenwart des Reiches Gottes im Wirken Jesu und der von ihm ausgesandten Jünger.

1.5. 'Heute' als Schlüsselwort bei Lukas

Nachdem wir in verschiedenen Zusammenhängen einen deutlichen Nachdruck auf die Gegenwart des Reiches Gottes entdeckt haben, wollen wir jetzt noch einige markante Aussagen Jesu näher betrachten, Aussagen, die diese inzwischen gewonnene Einsicht bestätigen.

An erster Stelle darf auf den für Lukas typischen Gebrauch des Wortes 'heute' [30] hingewiesen werden. Schon in der Geburtsgeschichte Jesu begegnen wir dem proklamatorischen Satz: "Heute ist euch der Heiland geboren" (2,11). Dem entspricht der Nachdruck auf das Heute in der Synagoge von Nazareth: "Heute ist diese Schrift vor euren Ohren erfüllt" (4,21). Auch die Antwort Jesu auf die Drohung des Herodes (13,31-33) erweckt den Eindruck, dieselbe Tendenz zu verfolgen. Jesus läßt sich nicht einschüchtern, um dann vorläufig oder endgültig mit seinen Aktivitäten aufzuhören, sondern er antwortet: "Seht, ich treibe böse Geister aus und mache gesund heute und morgen ..." Der Ausdruck 'heute' bezeichnet die Zeit seines ununterbrochenen Wirkens, das Heute der Befreiung und des Heils. Es ist die von Gott bestimmte und durch ihn garantierte Zeit, in der niemand ihn daran hindern kann, das zu vollführen, was ihm aufgetragen ist und was er tun muß (δει) . In dem Bericht über Zachäus (19,1- 10) wird zweimal das Wort 'heute' gebraucht: "Ich muß heute in deinem Hause einkehren" (V.5) und: "Heute ist

---

30 Vgl. H.Flender, Heil als Geschichte in der Theologie des Lukas, München 1968, 135. Die hier folgenden Texte haben keine Parallelen in den anderen Evangelien.

diesem Hause Heil widerfahren" (V.9). Das Heute ist also auf besondere Weise durch die Verfügung Gottes qualifiziert. Übrigens korrespondieren diese Verse mit 2,11. Schließlich darf in diesem Zusammenhang auch das Kreuzeswort Jesu genannt werden: "Heute wirst du mit mir im Paradiese sein" (23,43). Genau wie viele andere (was dies betrifft, kann von einer Parallelität zwischen 19,1-10 und 23,39-43 gesprochen werden) darf er die Gegenwart des Heils - sei es sterbend - erfahren. Dabei fällt in dem Gespräch zwischen Jesus und diesem Mörder auf, daß dessen Bitte sich auf die Zukunft des messianischen Reiches richtet, daß ihm aber von Jesus dann nicht nur ein 'Gedenken' für die Zukunft in Aussicht gestellt wird, sondern daß sich jetzt alles auf das Heute konzentriert. Das Heute des Reiches Gottes wird für diesen sterbenden Sünder noch am selben Tage erfahren werden als paradiesische Freude [31].

1.6. "Das Reich Gottes ist mitten unter euch."

Im vorigen Absatz haben wir bereits auf einige Stellen hingewiesen, an denen mit großer Deutlichkeit über die Gegenwart des Reiches gesprochen wurde. Auf eine dieser Stellen, nämlich 17,21, müssen wir hier noch ausführlicher eingehen: "Das Reich Gottes ist mitten unter euch." Dieses Wort Jesu hat die Ausleger immer wieder vor schwere Fragen gestellt [32]. Nun werden wir in einem anderen Zusammenhang den Kontext dieser Aussage aus der eschatologischen Rede von Lk 17 noch näher behandeln. Doch ist es hier der angewiesene Ort, anzugeben, auf welche Weise wir zu einer nach unserer Meinung befriedigenden Auslegung dieses Logion kommen können. Wir gehen davon aus, daß 17,20-37 global gesehen als Einheit betrachtet werden muß. Zugleich fällt jedoch eine gewisse Verschiebung auf. Die gerade zitierte Aussage Jesu aus V.21 gehört zu seiner Antwort auf eine Frage vonseiten der Pharisäer; ab V.22 richtet er sich

---

31 In dieselbe Richtung weisen selbstverständlich auch die Worte über das angenehme Jahr des Herrn in 4,19 und die Wehrufe Jesu über Jerusalem (19,41-44), in denen er sich darüber beklagt, daß sie "an diesem Tage" nicht verstanden haben, was zu ihrem Frieden dient und die Zeit nicht erkannt haben, in der Gott nach ihnen umsah. Siehe meinen Aufsatz: Friede im Himmel, Die lukanische Redaktion von Lk 19,38 und ihre Deutung, ZNW 76, 1985, 170-186.

32 Vgl. H.N.Ridderbos, De komst van het Koninkrijk, Kampen 1950, 398-401; R. Schnackenburg, Der eschatologische Abschnitt Lk 17,20-37, in: Schriften zum Neuen Testament, München 1971, 220-243; J.Zmijewski, Die Eschatologiereden des Lukasevangeliums, Bonn 1972, 362-397.

demgegenüber ausdrücklich an seine Jünger. Nun besteht aller Grund
zu der Vermutung, daß wir hier mit der redaktionellen Hand des
Lukas zu tun haben. Er will ein überliefertes Gespräch Jesu mit
seinen Jüngern in seinem Evangelium aufnehmen. Darin ging es um
die Frage, wann das Reich Gottes kommen würde. Nun würde Lukas ein
Gespräch über das noch in der Zukunf liegende Kommen bzw. die
Vollendung des Reiches gewiß gern wiedergeben; nur muß er die
Gewähr haben, daß dabei die gegenwärtige Wirklichkeit dieses
Reiches nicht ins Gedränge kommt. Das ist, so dürfen wir vermuten,
der Grund dafür gewesen, daß er die folgenden redaktionellen
Änderungen angebracht hat.

Er läßt einen Pharisäer die Frage stellen; für den ist das
Reich Gottes in der Tat eine Sache der Zukunft. Auf diese Weise
hat Lukas die Möglichkeit, in die Antwort eine Aussage Jesu
einzufügen, die er aus anderen Zusammenhängen kennt. M.a.W.:
Die Frage nach der Zukunft ist nur dann eine richtige, aus dem
Glauben gestellte Frage, wenn ausgegangen wird von der Tatsache,
daß das Reich Gottes in Christus bereits wirklich und gegenwärtig ist. Erst von dieser Voraussetzung aus kann für das Verständnis des Lukas die Antwort Jesu über die Zukunft (V.22ff)
recht verstanden werden. Von diesem vermutlichen redaktionellen
Eingriff her wird nun der ganze Zusammenhang deutlicher. Die
anfängliche Antwort von V.20b und 21a, die eigentlich auf die
Zukunft abzielt, wird vorerst auf die Gegenwart bezogen und zu
dem Zweck durch die Versicherung ergänzt, daß das Reich Gottes
mitten unter ihnen oder in ihrem Bereich ist. Danach wird derselbe Anfang der Antwort Jesu noch einmal wiederholt (V.23), um
den abgerissenen Faden wieder aufzunehmen. Ursprünglich werden
also die folgenden Sätze eine Einheit gebildet haben: "Das
Reich Gottes kommt nicht so, daß es berechnet werden kann; man
wird auch nicht sagen: siehe hier oder da (V.20b,21a); denn wie
der Blitz aufleuchtet und von einem Ende des Himmels bis zum
anderen scheint, so wird auch der Sohn des Menschen sein an
seinem Tage" (V.24).

Die Frage nach dem Reich Gottes ist legitim auch eine Frage
nach dem Tag des Menschensohnes, das heißt als Frage nach dem Ende
dieser Zeit und nach der neuen Welt. Wer jedoch dabei seine Gegen-
wartsdimension verwahrlost, der fragt gleichsam als Pharisäer;
der stellt damit eine Frage, die vom Glauben an Christus absieht.

Die Ausssage Jesu, die hier jetzt in V.21b steht, darf inzwischen nicht so ausgelegt werden, als ob dabei über das Gottesreich "inwendig in euch" gesprochen würde. Vielmehr geht es um seine Realität innerhalb ihres Bereiches, in ihrer Welt; es berührt ihre Existenz und ihren Auftrag, und sie haben Teil an dem, was darin geschieht [33]. Es ist die Realität seiner Anwesenheit und seines Werkes in ihrer Mitte.

1.7. Der Umfang des Heils

Wir sprechen schon geraume Zeit über das durch Christus ge- brachte Heil Gottes als über eine neue Wirklichkeit, die gesehen und erfahren werden kann, eine Wirklichkeit, in der und von der aus Menschen leben können. Lukas hat aber zugleich auf alle mög- liche Weise deutlich gemacht, worin dieses Heil besteht, wie konkret und wie sichtbar es wohl ist. Wir weisen zuerst auf vier Stellen, an denen die verschiedenen Gesichtspunkte dieses Heils ausführlich und inhaltlich umschrieben werden. Es sind: 1,46-56, der Lobgesang des Zacharias; 4,18f ,das Zitat aus Jes 61,1-2a und 58,6 während des Synagogengottesdienstes in Nazareth; 6,20-23, die Seligpreisungen, die nach V.20 ausdrücklich an die Jünger gerichtet sind und sie anders als bei Matthäus, anders als im Alten Testament und anders als an den übrigen Stellen im Lukasevangelium in der zweiten Person anreden als Arme, Hungrige, Weinende und Verfolgte; und schließlich 7,22f, die Antwort Jesu auf die Frage des Täufers, in deutlicher Anlehnung an Aussagen aus Jes 29,18f; 35,6 und andere Stellen. In allen vier Fällen geht es um grundlegende Veränderungen für den Einzelnen und für die Gemeinschaft, um eine Wiederherstellung der von Gott gewollten Lebensqualität.

Der Lobgesang der Maria nimmt genau wie der der Hanna in 1 Sam 2 die ganze Hoffnung Israels in sich auf. Es ist, als ob alles, was je in der Botschaft der Propheten laut geworden war und was in Israels Psalmen ein betendes Echo gefunden hatte, in größt- möglicher Konzentration in einem einzigen Lied zusammengefaßt ist. Gott hatte durch seine Gebote das Leben in Israel so geordnet, daß niemand unterdrückt, verachtet oder verlassen sein sollte. Gerech- tigkeit, Barmherzigkeit und Güte waren die tragenden Säulen der göttlichen Tora gewesen. Gott hatte dadurch anfänglich eine neue

---

33 Zu dem Ausdruck ἐντὸς ὑμῖν ziehe man die Wörterbücher zu Rate.

Realität auf Erden geschaffen. Aber die vielen Klagen derer, die trotzdem noch Unrecht leiden mußten, und der flammende Protest in der Predigt der Propheten zeugen miteinander davon, wie weit die Wirklichkeit in Israel noch von Gottes Absichten entfernt war. So werden schon in vielen Psalmen die Augen des Beters und der Mitsänger auf die Zukunft gerichtet. Und Israels Propheten durften über eine bessere Wirklichkeit sprechen, über ein kommendes Heil, über Befreiung und Vergebung, über Erbarmen für Elende und Hilfe für Hilflose. Dem, was diese Propheten über Gottes Willen und über Gottes Plan für die Zukunft gesagt haben, schließt Jesus sich deutlich an. Auf die Lesung von Jes 61 läßt er die Worte folgen: "Heute ist dieses Schriftwort vor euren Ohren erfüllt." Und wenn der Täufer aus seinem Gefängnis fragt, ob er es ist, der da kommen soll, oder ob sie auf einen anderen warten sollen, dann antwortet Jesus wieder mit einem fast wörtlich übernommenen Prophetenspruch. Immer wieder geht es um konkretes Heil für nicht weniger konkrete Arme, Blinde, Taube, Lahme und Aussätzige, um Lebende und Tote, um Sünder und Bettler.

Dies alles wird anschaulich gemacht in den vielen Wundern Jesu und in seinen Begegnungen mit verschiedenartigen Menschen. Er unterscheidet niemals zwischen Menschen, die durch eigenes sündiges Leben verachtet worden oder in Not geraten sind (z.B. die Zöllner aus 5,27f; 18,13f; 19,1-10; die Sünderin aus 7,36-39 oder den verlorenen Sohn aus 15,11-32) un denen, die als Arme, Verachtete, Trauernde, Kranke oder Lahme leiden und die bei alledem oft noch am meisten gebückt gehen unter der Lieblosigkeit und Härte der anderen Menschen. Wir nennen als besonders sprechendes Beispiel den armen Lazarus aus 16,19-31.

Selbst auf die Gefahr hin, daß wir den Schein erwecken, wir würden an anderen Gesichtspunkten zu schnell vorbeigehen, wollen wir unsere Aufmerksamkeit ganz besonders auf das Recht der Armen richten, das von Lukas so sehr in den Mittelpunkt gerückt wird, und dem entsprechend auf Jesu Warnungen vor dem Reichtum [34]. Die Armen kommen im Lobgesang der Maria, in den Seligpreisungen und in den Zitaten von 4,18f und 7,22f vor. In Kapitel 12 steht inmitten einiger Aussagen über das Unbesorgtsein (V.7.11.22-24) der Ab-

---

34 Vgl. hierzu vor allem C.H.Lindijer, De armen en de rijken bij Lucas, 's Gravenhage 1981.

schnitt über den reichen Toren (V.13-21). In 16,19-31 wird der reiche Mann als abschreckendes Beispiel gezeichnet. Gegenüber seiner Härte und Lieblosigkeit steht die grenzenlose Liebe Gottes in 15,11-32; gegenüber seiner knechtischen Abhängigkeit vom Mammon steht das Beispiel des ungetreuen Haushalters (16,1-9), der im letztmöglichen Augenblick zumindest e i n s gelernt hat, nämlich, daß man mit Geld immerhin noch etwas Gutes tun kann . Gegenüber den Pharisäern, die in 16,14 als geldgierig apostrophiert werden, steht der Aufruf, treu zu sein mit dem ungerechten Mammon (V.11). Es ist durchweg nicht genügend beachtet worden, daß dieses sorgfältig komponierte Kapitel in den Aussagen Jesu von V.16 und 17 seine Mitte hat, von der aus jeder Teil seine Bedeutung empfängt. In dem Wort von V.16, daß seit der Zeit von Johannes dem Täufer das Evangelium vom Reich Gottes gepredigt wird, liegt gewiß der Nachdruck auf der Gegenwart des Reiches Gottes, zumal es heißt, daß jedermann sich mit Gewalt hineindrängt. Der Hauptakzent liegt jedoch auf dem nächsten Satz: "Es ist aber leichter, daß Himmel und Erde vergehen, als daß ein Tüpfelchen vom Gesetz fällt." Es gibt kein besseres und durchschlagenderes Argument für die Gültigkeit der Gebote Gottes und für die Dringlichkeit des Gehorsams ihnen gegenüber als das der Gegenwart des Reiches. Das kleine Wörtchen δε gibt an, daß das Gebot der Liebe und Barmherzigkeit durch diese Gegenwart des Reiches Gottes in seiner Gültigkeit geradezu wiederhergestellt wird. In 19,1-10 lesen wir einen erzählerischen Kommentar hierzu: Nachdem Jesus in dem Hause des Zachäus eingekehrt ist und dieser die Herrschaft der Liebe und Barmherzigkeit Gottes erfahren hat, werden Liebe und Barmherzigkeit aufs neue die Norm für seinen Umgang mit dem Geld.

In Kapitel 18 erzählt Lukas über die Begegnung mit dem reichen Obersten. Das Reich Gottes blieb für ihn eine verborgene Größe, weil er meinte, mit den Geboten Gottes schon längst fertig zu sein, ohne daß sie sein Leben verändert hatten. Unter solchen Umständen spitzt Jesus die Gebote auf solch eine Weise zu, daß selbst ein Blinder etwas davon erkennen muß: Verkaufe alles, gib, was du hast! In dem allem läßt Lukas sich nicht von einem Armutsideal leiten, um dann Besitz als Sünde hinzustellen. Es ist gerade bemerkenswert, daß er anders als Matthäus (26,11) die Aussage Jesu von Mk 14,8 ("Arme habt ihr immer bei euch ...") nicht übernommen hat. Deshalb geht man auch an dem , worum es Lukas geht, vorbei, wenn man dies in dem Verzicht auf jeglichen Besitz als grundlegendes Gebot Jesu für das Leben sucht. Vielmehr läßt Lukas sich durch das Zeugnis des Gesetzes, der Psalmen und der Propheten leiten. Das wird selbst noch deutlich am Ende des Gleichnisses vom reichen Mann und dem armen Lazarus: "Sie haben Moses und die Propheten; laß sie die hören" (16,29).

Auf diese Kontinuität zwischen dem Alten Testament und der Erfüllung in Jesus Christus legt Lukas einen besonders deutlichen Nachdruck. Sein Evangelium ist nicht nach dem Schema von Verheißung und Erfüllung strukturiert. Viel eher könnte man in dem Sinne von einer Erfüllung sprechen, daß zur vollen Offenbarung und gänzlich zu seinem Recht kommt, was sich anfänglich in der Zeit des Alten Testaments bereits anbahnte. Deshalb kann auch nicht von einem Bruch zwischen dem Alten und dem Neuen Testament die Rede sein, auch nicht zwischen der Zeit Johannes des Täufers und der Zeit Jesu [35]. Vielmehr strömt Gottes Heil durch die Jahrhunderte hindurch, wenn auch alles wartet auf das entscheidende Heilswerk Jesu, der der Christus Gottes ist. Die Hymnen von Lk 1 und 2 sind deutliche Zeugnisse sowohl für das erste, die Kontinuität des Heils, als auch für das zweite, die heilsgeschichtlich entscheidende Stunde in dem Kommen Jesu. Das jetzt anbrechende Heil (1,69; 2,11.30; 3,6) können sie ohne weiteres besingen mit Worten und Psalmen, mit denen Israel in der Zeit des Alten Testaments gleichfalls das Heil Gottes besungen hatte, das in seiner Mitte offenbar geworden war. Nun besteht kein Zweifel darüber, daß auch nach Lukas dieses Heil durch Christus eine neue und entscheidende Dimension erhält, daß die Funktion Jesu mit Bezug auf die Verwirklichung dieses Heils einzigartig ist und daß von hier aus auch eine neue Zukunftsperspektive entsteht. Dadurch wird aber die Tatsache, daß der Rahmen und der Ort für dieses Heil bereits in der Gottesoffenbarung des Alten Testaments beschrieben ist, nicht im geringsten berührt. Gerade diese Bindung an das Alte Testament kann uns auch vor Spiritualisierung und Doketismus bewahren. Das Heil will sichtbar sein (2,30; 3,6).

Wer über den Umfang des Heils und über seine konkrete Gestalt

---

35 Gegen H.Conzelmann, o.c. (Anm.19), 16f und passim. Siehe auch die Kritik auf Conzelmann bei W.G.Kümmel, o.c. (Anm.20) und die dort genannte Literatur. Mit W.Wink, John the Baptist in the Gospel tradition, Cambridge 1968, erklärt er ἀπὸ τότε in 16,16 mit Recht inklusiv.

spricht, darf auch nicht an der Tatsache vorbeigehen, daß in dem
Doppelwerk des Lukas mit großer Konsequenz und Selbstverständlichkeit Mann und Frau nebeneinander genannt werden [36]. In Kapitel 1
steht der Lobgesang der Maria neben und vor dem des Zacharias; in
Kapitel 2 wird der Abschnitt mit dem Lobgesang des Simeon erweitert
durch einige Verse über die Prophetin Hanna; neben den zwölf
Jüngern stehen in 8,1-3 die Frauen, die ihm folgen; bei der Auferstehung des Jünglings in Nain steht dessen Mutter im Mittelpunkt
der Erzählung: sie wird wirksam getröstet (7,11-17); und in demselben Kapitel läßt Jesus sich durch eine Sünderin salben (7,36-50),
wie er sich zuvor am Tisch schon durch einen Zöllner und Sünder
hatte bedienen lassen (5,29); in 11,27 ruft eine Frau: "Selig ist
der Leib, der dich getragen hat ..."; neben dem Gleichnis über den
Mann und sein verlorenes Schaf steht das über die Frau und ihre
verlorene Drachme (15,4-10); in der eschatologischen Rede von
Kapitel 17 werden nebeneinander zwei schlafende Männer und zwei
mahlende Frauen genannt (17,34f); im nächsten Kapitel stehen eine
bittende Witwe und ein betender Zöllner nebeneinander als Beispiele für Menschen, denen Gott seine Hilfe und sein Heil schenkt;
bevor Jesus seine Rede über den Untergang des Tempels und des Tem-
pelkults beginnt, stellt er eine Frau zum Vorbild, die zeigt, was
wahrer Gottesdienst ist, indem sie alles gibt, was sie hat (21,
1-4); auf dem Wege nach Golgatha (23,26f) wird neben Simon von
Kyrene eine Gruppe von weinenden Frauen genannt als Vertretung der
vielen Menschen in Jerusalem, die noch bis zum letzten Tage ihm
anhingen (19,48) und frühmorgens in den Tempel kamen, um ihn zu
hören (21,38); Männer und Frauen stehen auf einigem Abstand und
erleben mit, wie Jesus am Kreuz stirbt (23,49); und während ein
Mann, Joseph von Arimathia, Jesus provisorisch in sein eigenes
Grab legt, sind auch Frauen anwesend; sie gehen danach nach Hause,
um die Spezereien für die Salbung und das endgültige Begräbnis
vorzubereiten (23,50-56); schließlich sind die Frauen die ersten
Zeugen am Ostermorgen, und erst danach werden Petrus und die Emma-
us-Jünger genannt (Kap.24).

Wir können diese Aufzählung noch weiter fortsetzen und auf
eine Anzahl sehr bemerkenswerter Stellen in der Apostelgeschichte

---

36 Sie auch H.J.Cadbury, The making of Luke-Acts (1927), London [2]1968, Kap. 18.
W.Schmithals, Das Evangelium nach Lukas, Zürich 1980, 13, nennt Lukas "Evangelist
der Frauen".

hinweisen. Nach 1,13f sind es die Apostel und einige Frauen, die
in Jerusalem zusammen sind. Nicht weniger als fünfmal wird ausdrücklich über Männer und (bzw. sowohl als auch) Frauen gesprochen
(5,14; 8,3.12; 17,4.12). Neben Ananias steht Saphira (5,1-11),
neben dem kranken Aeneas die gestorbene Dorkas (9,32-43), neben
Lydia der Kerkermeister in Philippi (16,14-30), neben dem Dionysius
die Damaris, neben dem Aquila die Prscilla (18,2.26) oder umgekehrt
(18,18); auf dem Wege nach Jerusalem wird Paulus gewarnt von den
Töchtern des Philippus und von Agabus, also von Prophetinnen und
einem Propheten (21,9f). Vor allem aber ist hier das Prophetenzitat
aus der Pfingstpredigt des Petrus zu nennen, daß Gott seinen Geist
ausgießen werde auf seine Knechte und auf seine Mägde, sodaß ihre
Söhne und ihre Töchter weissagen werden (2,17f).

Die Frage nach den Motiven des Lukas, der Frau so nachdrücklich einen ebenbürtigen Platz neben dem Mann zu geben, ist noch
nicht endgültig geklärt. Manche denken an eine antignostische
Tendenz in den Schriften des Lukas [37]. In einigen gnostischen
Strömungen wurde nämlich der Frau ein wichtiger Platz gegeben [38].
Während Lukas an anderen Stellen den Gnostizismus grundsätzlich be-
kämpfen mußte, wäre es gewiß denkbar, daß er in dieser Hinsicht
zeigen wollte, daß die Position der Frau nach dem kirchlichen
Evangelium nicht weniger anerkannt war als in den durch ihn be-
kämpften gnostischen Kreisen. Doch ist das alles etwas hypotheti-
sch. Wir haben eine bessere Basis, wenn wir allererst davon ausgehen, daß die Tradition hinter den Erzählungen unserer Evangelien
viele Beispiele enthielt, in denen Frauen eine nicht weniger
wichtige Rolle spielten als Männer. Vermutlich werden jedoch auch
hier wieder alttestamentliche Aussagen Einfluß gehabt haben auf
die Art, wie diese Tradition benutzt wurde. In den Quellen über
die Geburt Jesu fand Lukas beispielsweise den Lobgesang der Maria
und darin die weitgehende Übereinstimmung mit dem Lied der Hanna
aus 1 Sam 2; und in den Worten aus Joel 3,1, die er im Rahmen der
Pfingstereignisse zitiert, wurde zweimal nacheinander angekündigt,
daß im Zeitalter des Geistes Männer und Frauen zusammen, durch
denselben Geist erfüllt, zugerüstet werden sollten zu demselben
Dienst. Auf jeden Fall bekommt man aus Stellen wie Lk 8,1-3 und

---

37 Diese Tendenz wird aus anderen Gründen auch von Ch.H.Talbert, o.c. (Anm.1)
verteidigt.
38 Vgl. E.Pagels, De gnostische evangelien, Amerongen 1980, 41-59.

Apg 5,14 - um nur diese als Beispiele anzuführen - den Eindruck,
daß der Verfasser auf Grund der alttestamentlichen Aussagen zu
solchen redaktionellen Pointen gekommen ist. Das bedeutet also,
daß dieser Nachdruck auf die Position der Frau tatsächlich zusammenhängt mit dem Wesen und Umfang des Heils, das als gegenwärtig
erfahren wird.

2   Der Platz Israels im Heilshandeln Gottes

2.1. Jerusalem, das Land und das Volk

Wir haben im Vorübergehen schon einmal darauf hingewiesen,
daß Lukas in seinem doppelten Werk die Kontinuität des Evangeliums
gegenüber dem Alten Testament und gegenüber dem jüdischen Volk
deutlich zum Ausdruck kommen läßt. Das ist kein Zufall und auch
keine Äußerlichkeit, sondern hängt mit der tiefsten Intention des
Evangelisten zusammen. Obwohl das Evangelium sich an einen Griechen richtet und auch in die Richtung der Kirche in der hellenistischen Welt geschrieben sein dürfte, kann doch gesagt werden,
daß Lukas von allen synoptischen Evangelisten am wenigsten vom
Heidentum aus geschrieben hat [39]. Wir beschränken uns darauf, die
augenfälligsten Besonderheiten zu nennen.

Allererst spielen im ganzen Evangelium die Stadt Jerusalem
und der Tempel eine hervorgehobene Rolle. Dort fängt alles an
(1,9), und dort hört es auf (24,53). Im Tempel wird das erste Lied
auf die Geburt Jesu gesungen (2,29-32), und beim Einzug in Jerusalem wird er durch eine große Schar von Jüngern willkommen geheißen
(19,37). Durch das ganze Evangelium hindurch läßt sich dieser
tempelzentrische Zug entdecken. Als zwölfjähriges Kind geht Jesus
dorthin und erinnert Maria und Joseph daran, daß er sein muß in
dem, was seines Vaters ist (2,49). Die letzte Versuchung findet
beim Tempel statt, und dort muß der Versucher dann auch vorläufig
aufhören, ihn zu belästigen (4,9-13). Schon in 9,51 findet sich
die Notiz, daß Jesus beschlossen hatte, nach Jerusalem zu gehen.

---

39 J.Drury, Tradition and design in Luke's gospel, London 1976, 98: "Luke is
the least gentile gospel of all synoptics ..."; M.Tolbert, Das Hauptinteresse des
Evangelisten Lukas, in: Das Lukasevangelium (W.d.F. 280), Darmstadt 1974, 343:
"... die Einbettung der frühesten Kirche in das Judentum (wird) immer wieder hervorgehoben."

Der Weg dorthin (9,51 - 19,28) ist geradezu eine Aneinanderreihung
von heilbringenden Aktivitäten, auch wenn in dem Teil das drohende
Gericht über Stadt und Volk schon einige Male durchklingt (10,
13-15; 11,29-32.37-54; 13,28f.33-35). Trotzdem aber werden sowohl
die Reise dorthin als auch die letzten Tage in Jerusalem bestimmt
durch das Evangelium für sein Volk. Den Abschnitt über die Verflu-
chung des Feigenbaums (Mk 11,12-14.20-26) suchen wir bei Lukas
(anders als bei Matthäus) vergebens [40]. Die Tempelreinigung wird
äußerst schlicht erzählt, beschränkt sich auf die Vertreibung der
Kaufleute (19,45), wird fortgesetzt mit einer Notiz über Jesu täg-
liche Lehre im Tempel (V.47), die bei Markus fehlt, und schließt
mit der sehr positiven Mitteilung, daß alles Volk ihm anhing
(V.48; vgl. auch 21,38). Und das nächste Kapitel beginnt mit der
Mitteilung, daß Jesus in der Woche täglich im Tempel lehrte und
das Evangelium verkündigte (διδασκειν + ευαγγελιζεσθαι). Wir nannten bereits die Stellen 19,48 und 21,38, wo das Volk in seiner
Offenheit für das Evangelium und in seiner Sympathie für Jesus
gezeichnet wird. Dieser Sprachgebrauch ist typisch für Lukas. Das
Volk hat bei ihm deutlich die Bedeutung des Volkes Gottes [41]. Das
zeigt sich auch an Stellen wie 20,6 und 23,35a (hier läßt Lukas
die negative Notiz von Mk 15,29 aus); aber auch bereits in 3,21
und 7,29 wird über das Volk in diesem positiven Sinn gesprochen.

2.2. Die Leiter Israels

Um so mehr fällt dann an verschiedenen Stellen auf, wie sehr
ein Gegensatz besteht zwischen dem Volk, das für das Evangelium
offen ist, und den Leitern, nämlich den Hohenpriestern, Schriftgelehrten und Obersten, die immer mehr zu Feinden Jesu werden (7,29f;
11, 49; 20,1-6; 23,35). Diese sind es, die, gänzlich isoliert vom
Volk und entgegen dessen Gefühlen, die Todesstrafe für Jesus von
Pilatus erzwingen. Pilatus bezeugt (nur bei Lukas dreimal, 23,4.
20.22), daß Jesus unschuldig ist, und will ihn freilassen. Sie
hingegen tragen von Anfang an die volle Verantwortung. In 23,1
lesen wir: "... und sie führten ihn vor Pilatus." In diesem Satz,

---

40 Dafür hat er an anderer Stelle ein Gleichnis aufgenommen, das umgekehrt
gerade von beharrlichen Bemühungen um Israel und erst danach vom Gericht spricht
(13,6-9).
41 Vgl. G.Rau, Das Volk in der lukanischen Passionsgeschichte, ZNW 56,1965,
41-51. "It is favourable to Jesus", so I.H.Marschall in seinem Kommentar zu 19,48.

den Lukas von Markus übernommen hat, hat er bezeichnenderweise das Wort παρεδωκεν (= sie lieferten ihn aus) weggelassen; vgl. Mk 15,1. Demgegenüber schreibt nur Lukas: "Und Pilatus urteilte, daß ihre Bitte geschähe" (23,24); in dem darauf folgenden Vers 25 ändert Lukas den Satz von Mk 15,15b (... und ließ Jesus geißeln und überantwortete ihn, daß er gekreuzigt würde) so, daß die Verantwortung nun ganz bei ihnen zu liegen kommt: "Aber Jesus übergab er (παρεδωκεν) ihrem (!) Willen" (vgl. Apg 3,13). Die Soldaten, die nach Mk 15,16-20a Jesus mißhandelten und ihn danach abführten, um ihn zu kreuzigen (V.20b), kommen bei Lukas nicht einmal mehr vor. Grammatisch gesehen ist das Subjekt von V.26 kein anderes als die jüdischen Leiter, denen Pilatus in V.25 ihren Willen gegeben hatte. Die Soldaten werden nur beiläufig später in dem Bericht noch wieder genannt (V.36 und 47).

2.3. Israel ist und bleibt der erste Adressat des Evangeliums.

Dieser Nachdruck auf die besondere Verantwortung und Schuld der Leiter Israels bei der Kreuzigung Jesu bedeutet nun jedoch keineswegs, daß Lukas von einer Verwerfung dieser führenden Schicht Israels durch Gott ausging wegen der Tatsache, daß sie Christus verworfen hatten. Das Evangelium, für das das Volk immer offene Ohren und Herzen gehabt hatte, war nach dem Kreuzestod ausdrücklich auch für sie bestimmt, die sich daran direkt oder indirekt schuldig gemacht hatten. Das macht der Evangelist in dem zweiten Teil seines Werkes, in der Apostelgeschichte, deutlich. Auch dieser fängt in Jerusalem an; der erhöhte Christus beginnt in dieser Stadt durch die Ausgießung des Heiligen Geistes ein neues Kapitel in der Heilsgeschichte. Von Gottes Seite aus bleibt die Kontinuität gehandhabt. Die Pfingstpredigt des Petrus, die auch für Lukas als repräsentativ gelten dürfte, macht deutlich, daß Gott hier die Prophetie des Joel erfüllt und daß dieses prophetische Wort primär seinem Volk Israel gilt (V.16-21). Die Anwesenden werden zwar als Schuldige angeredet (V.23 und 36; vgl. 3,14f); aber der auferstandene Christus ist gerade und an erster Stelle für sie da (V.36 und 38); sie sind trotz allem die Adressaten der Zusagen Gottes (V.39). Und Lukas stellt es so dar, daß zu den dreitausend Menschen, die an dem Tage zum Glauben kamen, auch Bürger aus Jerusalem gehörten, die für den Tod Jesu verantwortlich oder daran mitschuldig geworden waren. In genau dieselbe Richtung weist auch der Missionsbefehl

von Lk 24,47 und Apg 1,8; die Jünger werden nicht nur und nicht an
erster Stelle zu Aposteln für die Völker gemacht. Die Mission in
der Welt, die eine Einheit bildet, muß in Jerusalem anfangen.
Israel ist und bleibt die erste Adresse für die Verkündigung des
Evangeliums.

Hiermit dürfte es auch zusammenhängen, daß Lukas, konsequent
wie er war, das ganze Auftreten Jesu innerhalb der Grenzen des
Volkes Israel lokalisiert. Alle Berichte des Markus über Aktivitäten Jesu außerhalb der Grenzen des Wohngebietes Israels läßt er
aus. Das Bekenntnis des Petrus findet nicht in Cäsaräa-Philippi
statt, sondern wird - sei es auch nur formell - geographisch mit
dem Ort der Speisung verbunden (9,38). Die Erzählungen von Mk 7,24
- 8,26, die sich in großem Umfang ausdrücklich außerhalb Israels
abspielten, übernimmt er nicht. Bei der Genesung einer Frau (13,16)
und bei seinem Besuch an Zachäus (19,9) wird ausdrücklich gesagt,
daß auch diese Kinder Abrahams sind. Auch bei Lazarus wird, gleichsam selbstverständlich, davon ausgegangen (16,22). Im Falle des
Hauptmanns zu Kapernaum (7,1-10) konnte naturgemäß nicht geleugnet
werden, daß dieser ein Ausländer war; doch wird die ganze Erzählung eingebettet in das jüdische Milieu: jüdische Älteste kommen
zu Jesus; und das Argument für ihre Bitte um Hilfe ist, daß der
Hauptmann es wert ist, denn er hat ihre Synagoge gebaut, und er
hat das Volk Israel lieb. Er ist also zumindest ein 'Gottesfürch-
tiger', ein Halbproselyt. Daß Lukas den Konflikt mit Gruppen aus
dem jüdischen Volk soweit wie möglich ausläßt, erkennen wir auch
daran, daß er die Warnung von Mt 8,12 ("aber die Söhne des Reiches
werden ausgestoßen werden ..."), die dort mit der Geschichte von
dem Hauptmann zu Kapernaum verbunden sind, in abgeänderter Form
übernimmt (13,23-30) und das Gespräch über 'rein und unrein' aus
Mk 7,1-23 ebenfalls in vollem Umfang überschlägt.

2.4. Israel und der Heilsplan Gottes

Bei dem allem spielt der Faktor der göttlichen Führung in der
Geschichte eine besondere Rolle. Mehr als alle andere Evangelisten
läßt er immer wieder durchschimmern, daß alles, was den Weg Jesu
betrifft, mit dem Rat Gottes zu tun hat; es muß so geschehen.
Hinweise in die Richtung finden wir in allen möglichen Zusammenhängen, besonders nachdrücklich und vielfältig jedoch in dem Osterbe-
richt (siehe 24,6f.25f.44-46). Aber auch schon vorher hat Lukas

durch wichtige redaktionelle Änderungen der von ihm übernommenen Tradition Ausdrücke hinzugefügt, die darauf hinweisen, daß nun in Erfüllung geht, was Gott in Aussicht gestellt hat (siehe 18,31; 22,22;.35-38). Dieses selbe Ziel verfolgt er auch in der Apostelgeschichte. Besonders deutlich und geladen ist die Aussage von 2,23: "Ihn, der durch Ratschluß und Vorsehung Gottes dahingegeben war ..." [42] (vgl. auch 3,18; 13,29; 17,3; 26,23). Wir dürfen uns durch die typisch lukanische Terminologie nicht dazu verleiten lassen, von einer "hellenistisch-römisch interpretierten Vorsehungsgeschichte" zu sprechen [43]. Lukas verfolgt kein anderes Ziel als allein dies: Nachdruck zu legen auf die Kontinuität des Heilshandelns Gottes. Dazu gehört der vielfältige Hinweis auf die Heilsgeschichte des Alten Testaments, auf die prophetischen Heilsankündigungen, auf die fromme Heilserwartung und auf Jerusalem als das Zentrum von dem allem durch die Jahrhunderte hindurch. Es geht ihm nicht um eine abstrakte Vorsehung, sondern um die Sicht auf das jetzt realisierte Heil als Verwirklichung dessen, was Gott bereits seit langem In Aussicht gestellt hatte und was in der Geschichte Israels auch bereits als Heil offenbar geworden, erfahren und besungen war. Dieser Strom von Verheißung und anfänglichem Heil mündete jetzt inmitten des Volkes Israel in das Auftreten und Wirken Jesu ein, um auf dem Wege seines Leidens und Sterbens und seiner Auferstehung auf unvergleichliche und definitive Weise Realität zu werden.

Natürlich kann auch Lukas nicht leugnen, daß Israel in seiner großen Mehrheit das Evangelium nicht angenommen hat. Erste Hinweise in die Richtung finden wir schon in 4,28 und 7,29f. Auch der ältere Bruder im Gleichnis von Lk 15 repräsentiert jenen Teil Israels, der gerade an der Barmherzigkeit Gottes Anstoß nimmt. Weiter übernimmt Lukas sowohl das Wehe über die Städte Galiläas (10,12-15) als auch das über Jerusalem (selbst dreimal: 13,34f; 19,41-44; 23,28-31). Im nächsten Abschnitt dieser Studie, in dem die eschatologische Rede von Lk 21 zur Sprache kommt, werden wir sehen, wie sehr dies alles in der Geschichtsbetrachtung des Lukas einen Platz bekommen hat. Auf jeden Fall bleibt der Heilsplan Got-

---

42 Man beachte die folgenden Wörter : πρόγνωσις, ὡρισμένη, βουλή.
43 So S.Schulz, Die Stunde der Botschaft, Hamburg-Zürich ²1970, 276-280. Er ist der Meinung, daß eine Schicksalsideologie an die Stelle der alttestamentlichen Erwählungstheologie getreten ist.

tes bestehen, auch wenn Menschen das Gnadenjahr (wörtlich: das angenehme Jahr) des Herrn (4,19) nicht schätzen, sondern verwerfen,
was Gott ihnen zugedacht hatte (7,30). Letztendlich wird ihre
Ablehnung des Evangeliums sogar der Weg werden, auf dem die Botschaft Christi die heidnischen Völker erreichen wird (Apg 13,46).
Es läßt sich in diesem Zusammenhang auch eine deutliche Verschiebung feststellen. In Aussagen Jesu über die weitere Zukunft hat
das Gericht über Jerusalem einen festen Platz, obwohl dieses
Gericht eher einen episodischen als einen definitiven Charakter
hat [44].

Weiter ist auffallend, daß Jerusalem in der Apostelgeschichte
je länger je mehr seine zentrale Bedeutung verliert. Es bleibt
zwar die erste Gemeinde. Lukas erzählt von dem Wunder der Geistes-
gabe und Entstehung der Gemeinde von Jerusalem in größter Ausführlichkeit; und er erinnert immer wieder daran, daß alles von dieser
Muttergemeinde ausgegangen ist; selbst die Mission unter den Völkern wird in Jerusalem legitimiert, noch bevor Paulus auftritt
(11,18); und in Jerusalem müssen die notwendigen Beschlüsse gefaßt
werden, wenn infolge dieser Mission unter den Völkern die ersten
Probleme auftauchen (Kap.15). Doch nimmt die Bedeutung Jerusalems
ab. Wenn Paulus dort später gefangengenommen wird, hören wir von
der Gemeinde nichts mehr. Wie ganz anders wird über sie in 4,23-37
erzählt! Ist Israels Rolle für Lukas dann doch zu Ende gegangen?
Diese Folgerung kann weder aus dem Evangelium noch aus der Apostelgeschichte gezogen werden. In Apg 10,36 sagt Paulus, daß Gott die
Predigt zu den Kindern Israel sandte und in ihr den Frieden verkündigen ließ, den Jesus Christus bringen wird. In 13,23 lesen wir im
Rahmen einer längeren Ansprache des Paulus den Satz: "Aus dessen
(nämlich Davids) Geschlecht hat Gott, wie er verheißen hat, kommen
lassen Jesus, dem Volk Israel zum Heiland." Vonseiten der Kirche
besteht, soweit wir das dem Lukas entnehmen können, keinerlei
feindselige Stimmung oder Spannung mit Bezug auf Israel. Noch in
23,6, sagt Paulus: "Ich bin ein Pharisäer ...", und in seiner Ansprache vor Festus (25,8) erklärt er, er habe weder an der Juden
Gesetz noch an dem Tempel noch an dem Kaiser sich versündigt.
Allerdings suchen wir bei Lukas vergeblich nach einem Ringen, wie
wir das bei Paulus in Röm 9-11 antreffen. In der Art, wie Lukas

---

44 Vgl. H.Baarlink, o. c. (Anm.31), 186.

sich erzählend mit Israel befaßt, liegt eine gewisse Ruhe, um nicht zu sagen eine Distanz. Das kann allerdings auch mit persönlicher Veranlagung zu tun haben oder mit einem historischen Interesse, auch wenn es übertrieben ist, ihn an erster Stelle einen Historiker zu nennen. Er ist sehr deutlich und primär Evangelist für seine Zeit, und er gibt dem Evangelium einige unverwechselbare Züge, die eng mit der Verkündigung zusammenhängen [45]. Eher als von einem eigentlich historischen Interesse könnte man von einer geschichtstheologischen Tendenz sprechen, trachtet er doch danach, ein möglichst abgerundetes und sinngebendes Bild der Geschichte (besser: der Heilsgeschichte Gottes) zu entwickeln. Aber trotz einer gewissen distanzierten Betrachtungsweise mit Bezug auf Israel ist und bleibt die Zukunft dieses Volkes offen, eben weil die Tür des Evangeliums nach Israel hin offen bleibt [46].

3 Die Zukunftserwartung

3.1. Allgemeine Andeutung

Wenn wir von der Tatsache ausgehen, daß die Gegenwart des Heils und des Reiches Gottes bei Lukas sozusagen der Tenor seines doppelten Werkes ist, dann kann die Frage gestellt werden, ob die Zukunftsperspektive bei ihm dann wohl noch zu ihrem Recht kommen kann [47]. Es kommt noch hinzu, daß an einigen Stellen (Lk 16,22;

---

45 So auch S.Schulz, o.c.., 251: "Die ... Historisierung des Lukas geschieht nicht um der Historisierung willen, sondern ist Verkündigung als Anrede in der Gegenwart. ....eins seiner entscheidenden hermeneutischen Mittel." Vgl I.H.Marshall, Luke - Historian and Theologian, Exeter [2]1979, 218. Für die Frage nach der sog. Historisierung bei Lukas lese man auch die zwei folgenden Aufsätze, die zugleich die Diskussion zu dieser Frage während der letzten Jahrzehnte gut zusammenfassen: W.C.van Unnik, Luke - Acts, A Storm Center in Contemporary Scholarship, in: L.E. Keck and J.L.Martyn (ed.), Studies in Luke - Acts, FS für P.Schubert, London [3]1978, 15-32; W.G.Kümmel, Lukas in der Anklage der heutigen Theologie, ZNW 63,1972, 149-165.

46 Der Standpunkt von J.Zmijewski, o.c. (Anm.32), 216-221. und von R.Maddox, The purpose of Luce - Acts, Edinburgh 1982, 43f ("the Jews are excluded") muß mit Nachdruck zurückgewiesen werden. Beide gehen von einem vermeintlichen Gegensatz aus zwischen Lukas, für den keinerlei Hoffnung für Israel übriggeblieben sei, und Paulus, der nach Röm 11,25 mit einer Bekehrung Israels rechne, da ihre Verhärtung nach dem Eingehen der Fülle der Heiden aufhören werde.

47 Ph.Vielhauer, Zum 'Paulinismus' der Apostelgeschichte, EvTh 10, 1950-51, 14, spricht von einem gänzlich uneschatologischen Denken des Lukas und betrachtet die Apostelgeschichte als "Symptom eines uneschatologischen und weltförmig gewordenen Christentums". Im selben Sinn, wenn auch weniger absolut, äußert sich E.Käsemann in dem Aufsatz: Das Problem des historischen Jesus, in: Exegetische Versuche und Besinnungen I, Göttingen 1964, 198. Mit Bezug auf die betreffenden Texte in der

23,43; Apg 7,55-59) eine sogenannte vertikale Eschatologie die Perspektive der zukünftigen Vollendung um ihre Bedeutung zu bringen scheint.

Wir müssen hier an erster Stelle unterscheiden zwischen der Tatsache, daß die Gegenwart des Gottesreiches in der Tat besonderen Nachdruck empfängt, und dem Gedanken, daß Erfüllung und Vollendung zusammenfallen. Wir werden nachher auf die Reden Jesu näher eingehen, die sich ausdrücklich mit den Fragen der Vollendung befassen; über sie wird jedenfalls deutlich als über ein zukünftiges Geschehen gesprochen. Wir dürfen auch erinnern an die Frage der Jünger in Apg 1,6 über die Zeit der Wiederaufrichtung des Reiches für Israel, eine Frage, die beantwortet wird mit dem Hinweis darauf, daß der Vater Zeit und Stunde in seiner Macht bestimmt hat. Aber noch abgesehen von diesen und ähnlichen Aussagen dürfen wir nicht übersehen, daß Lukas in der Beschreibung der apostolischen - und also implizit seiner eigenen - Zeit [48] alles andere als ein Schwärmer ist. Er ist sich der Tatsache sehr wohl bewußt, daß die Zeit Jesu und die der ältesten Gemeinde in der Vergangenheit liegt und daß die Kirche in der darauffolgenden Zeit alle Ursache hat, sich in Bescheidenheit daran zu orientieren. Der Nachdruck auf die Gegenwart des Reiches ist eher ein Grund zur Einkehr als zum Rühmen.

Daneben besteht auch die Frage nach der Verschiebung von einer horizontalen, auf die Zukunft gerichteten Eschatologie nach einer vertikalen, auf den Himmel bezogenen Erwartung. Zum ersten Mal hat unseres Wissens J.Weiß diese Meinung verteidigt [49], und bis in die jüngste Zeit sind ihm einige darin gefolgt [50]. Wenn man bei dieser Verschiebung nicht nur an eine unterschiedliche Akzentuierung, sondern an eine regelrechte Alternative denkt, dann muß dieser Gedanke zurückgewiesen werden. Die Hoffnung auf die Zukunft des Reiches schließt nirgendwo im Neuen Testament die Überzeugung aus, daß die Gläubigen auch im Tode in Gottes Hand sind (vgl. Phil

---

Apostelgeschichte gibt R.Maddox, o.c., 129-132, eine fundierte Widerlegung dieser Meinung.

48 Man achte in diesem Zusammenhang auf die Abschiedsrede des Paulus in Milet, Apg 20,18-35.

49 J.Weiß, Die Predigt Jesu vom Reich Gottes (1903), Göttingen, [4]1968, 37 u.67.

50 C.K.Barret, Stephen and the Son of Man, in: Apophoreta, FS für E.Haenchen, BZNW 30, Berlin 1964, 35f; H.Flender, o.c. (Anm.30), z.B. auf S. 55 und 87. Nach Flenders Meinung schließt dies jedoch nicht aus, daß Lukas auch eine futuristische Eschatologie kannte.

1,21-23; Mt 10,28; Joh 11,25;   Offenb 7,14-17; 14,13). Davon gehen
auch die obenerwähnten Stellen bei Lukas aus. Das Gleichnis vom
armen Lazarus (16,19-31) und der Bericht über das Sterben des
Stephanus (Apg 7,55-59) schließen sich, was das betrifft, eng an
bei der Erwartung, die allgemein im Judentum bestand. Die Zusage
an den Mörder (23,43) ist meiner Meinung nach selbst primär von
dem Nachdruck her zu erklären, den Lukas auf das Heute des Heils
legt.

    Was Lukas betrifft, könnten wir selbst von einem deutlichen
Nachdruck auf die Leiblichkeit sprechen, auch in der Erlösung. Das
fällt vor allem auf in der Art, wie er über die Erscheinungen des
Auferstandenen erzählt (24,30.35.39.40.41-43). Und wenn er die
Apostelgeschichte mit einem Bericht über die Himmelfahrt Jesu
eröffnet, legt er wiederum Nachdruck auf die zukünftige leibliche
Wiederkunft, versichert ihnen doch der Engel: "Dieser Jesus,
welcher von euch ist aufgenommen gen Himmel, wird so kommen, wie
ihr ihn habt gen Himmel fahren sehen" [51].

    Wer das Lukasevangelium untersucht, wird selbst zu dem Schluß
kommen können, daß dieser Evangelist auf die Perspektive der Vollendung des Reiches Gottes besonderes Interesse richtet. Im Markusevangelium gibt es lediglich einen zusammenhängenden Teil, der als
eschatologische Rede gelten kann; und auch Matthäus hat, wie wir
sahen, die ganze Predigt Jesu, sofern sie auf das Eschaton Bezug
hat, als eine große und großartige Komposition dargeboten. Demgegenüber finden sich bei Lukas, abgesehen von kürzeren wehklagenden
oder warnenden Aussagen, wenigstens drei Reden Jesu, in denen er
über die Zukunft und dann vor allem über die große Zukunft der
Vollendung gesprochen hat. Diesen Abschnitten - es sind vor allem
17,20-37; 19,12-27 und 21,5-36 - werden wir uns weiter unten zu-
wenden.

    Nur wenn wir diese Zukunftserwartung gebührend beachten und
der Versuchung widerstehen, vorschnell an Gegensätze zu denken,
können wir bei Lukas von vertikaler Eschatologie im Sinne einer
Akzentsverschiebung sprechen. In sicherer Hinsicht findet eine
Individualisierung der Erwartung statt. In einer Anzahl von Gleichnissen, die wir nur bei Lukas finden, steht das menschliche Los
nach dem Tode im Mittelpunkt: der reiche Tor (12,16-21), der

---

51 οὗτος ... οὕτως ... ὃν τρόπον ἐθεάσασθε , 1,11.

reiche Mann (16,19-31) und der ungerechte Haushalter (16,1-9). Daneben wird auch in anderen Aussagen Jesu, die bei Lukas wie in den übrigen Evangelien vorkommen, der Frage nach der Zukunft des Menschen nach dem Tode besondere Aufmerksamkeit gewidmet; siehe z.B. 12,4f (Parallele Mt 10,28); 21,19 (Parallele Mk 13,13b; Mt 24,13). Es ist nicht unwahrscheinlich, daß diese Individualisierung der Eschatologie [52] auf irgendeine Weise zusammenhängt mit dem Fortschreiten der Geschichte und mit den Fragen, die gerade dadurch entstanden, daß Christen starben, bevor die erwartete Vollendung eingetreten war (vgl. in diesem Zusammenhang auch 1 Thess 4,13; 2 Petr 3,4). Es braucht nicht zu erstaunen, daß neben dem Ende der Geschichte und neben der Parusie Christi das Interesse für das Ende des eigenen Lebens einen größeren Platz einnahm. Hieß es in Mk 13,13 noch: "Wer aber beharrt bis ans Ende, der wird gerettet", so lesen wir bei Lukas an der entsprechenden Stelle: "Wenn ihr beharrt, werdet ihr euer Leben gewinnen." Der Aufruf, zu beharren bis ans Ende, wurde später weniger in Zusammenhang gesetzt mit der Wiederkunft Christi und um so mehr bezogen auf das Ende des eigenen Lebens und das Erlangen des Lebens in der Stunde des Todes.

3.2. Aufschub und Wachsamkeit

In verschiedenen Zusammenhängen des Lukasevangeliums kommt die Frage nach dem Warten auf die Wiederkunft und nach einem augenscheinlichen Aufschub der Parusie zur Sprache. Wir nennen allererst das Gleichnis von den anvertrauten Pfunden (19,11-27). Dieses Gleichnis stammt aus der Logienquelle. Matthäus hat es zusammen mit dem über die zehn Brautmädchen in Kapitel 25 aufgenommen und auf diese Weise eng mit der eschatologischen Rede von Kapitel 24 verbunden. Lukas hingegen hat dieses Gleichnis mit einer eigenen Einleitung versehen (V.11) und damit eingeführt als eine Antwort Jesu auf die Annahme der Jünger, "das Reich Gottes werde sogleich offenbar werden". Das bedeutet also: Jesus wendet sich mit diesem Gleichnis gegen die Erwartung einer nahe bevorstehenden Vollendung [53]. Daß dies die Absicht des Lukas ist, erhellt aus der Weise, wie

---

52 Siehe J.Dupont, L' après-mort dans l'oevre de Luc, Rev.Theol.Louv. 3,1972, 3-21; derselbe, Die individuelle Eschatologie im Lukasevangelium und in der Apostelgeschichte, in: Orientierung an Jesus, FS für J.Schmid, Freiburg 1973, 37-47; G.Schneider, Parusiegleichnisse im Lukas-Evangelium, Stuttgart 1975, 78-84.

die Geschichte erzählt wird. Das Gleichnis von den anvertrauten
Pfunden wird nämlich erweitert durch das Stilelement, daß der Mann
in ein fernes Land zog, um für sich die königliche Würde in Empfang
zu nehmen und danach zurückzukehren [54]. Es ist deutlich, daß dies
mehr Zeit beansprucht, als die einfachen Aussagen von Mt 25,14
(und auch Mk 13,34) erforderten. Der Mann reist nicht nur in ein
fernes Land; die Rückkehr hängt u.a. auch von der Zeit ab, die
dieses In-Empfang-nehmen der Königswürde und -krone fordern wird,
und irgendwie auch von den unerwarteten Hindernissen, die durch
den Protest der Bürger und durch ihre Delegation, die sie zum
Kaiser schicken, entstehen. Gegenüber der Tradition (vgl. Mt 25,
19: nach langer Zeit) ist zwar nicht ein neues Strukturelement eingefügt worden, wohl aber ist dem Gesichtspunkt der Zwischenzeit
zwischen dem Weggehen und der Rückkehr ein gewisser Nachdruck
verliehen. Daß das Element der Parusieverzögerung schon vor Lukas
ein integraler Bestandteil der Tradition war, wird von vielen erkannt [55]. Und dies trifft nicht nur auf diesen Abschnitt zu,
sondern nicht weniger auch auf Aussagen wie die in 12,39f.42-46.
Doch zeigt es sich, daß die Umstände, die zu einem Aufschub der
Rückkehr führten, für ihn zur Hauptsache geworden sind [56]. Ein
deutliches Beispiel für die Tatsache, daß die Zwischenzeit vor der
Parusie einen wichtigen Platz in der Besinnung erhalten hat, wird
auch aus 22,69 deutlich. Die Antwort Jesu an den Hohenpriester
spricht nicht wie in Mk 14,62 über das Erscheinen des Menschensoh-

---

53 Vgl. J.Jeremias, Die Gleichnisse Jesu, Göttingen [6]1982, 56f; G.Schneider,
o.c., 41.

54 Diese hier verarbeitete Erzählung stimmt bis in Details überein mit den
Geschehnissen um Archelaus, den Sohn von Herodes dem Großen, der nach dem Tode
seines Vaters erst Ethnarch von Judäa, Samaria und Idumäa war. Augustus hatte ihm
jedoch die Königskrone versprochen. Deshalb ging Archelaus nach Rom; dort aber
wurde er später von einer jüdischen Delegation beim Kaiser angeklagt: "Wir wollen
nicht, daß dieser König über uns sei." Nun wurde er vor den Kaiser zitiert,
abgesetzt und nach Gallien verbannt. Siehe Fl.Josephus, Antiquitates XVII 299-355.
daß dies alles nicht nahtlos in das Gleichnis integriert worden ist, zeigt V.27.
Nach der Bestrafung des Knechtes, der sein Pfund weggesteckt hatte (V.22-26), erweckt die Strafe über die Bürger, die ihn nicht als König akzeptieren wollten, den
Eindruck, als ob sie etwas nachhinkt. Siehe auch H.Weder, Die Gleichnisse Jesu als
Metaphern, Göttingen 1980, 194f und die dort aufgeführte Literatur.

55 Siehe G.Schneider, o.c. (Anm.52), 17f und 37-42 und die dort erwähnte Literatur; weiter S.Schulz, Q - die Spruchquelle der Evangelisten, Zürich 1972, 293f.

56 mit G.Schneider, o.c., 42; H.Conzelmann, o.c. (Anm.19), 112, spricht von
einer dreifachen Abgrenzung: gegen die apokalyptische Berechnung im allgemeinen,
gegen die Verknüpfung mit dem Schicksal Jerusalems und gegen eine Berechnung auf
Grund der Auferstehung Jesu.

nes zur Rechten Gottes und sein Kommen mit den Wolken des Himmels; die Wiedergabe bei Lukas lautet: "Aber von nun an wird des Menschen Sohn sitzen zur rechten Hand der Kraft Gottes [57].

Nun hat man es wiederholt so dargestellt, als ob dieses Interesse für die gedehnte Zeit im Gegensatz stehen würde zu der Erwartung der nahen Parusie [58]. Es müßten schon von den Texten selbst her Argumente genannt werden können, wenn wir diesem behaupteten Gegensatz zustimmen könnten. Aus der Tatsache, daß jemand wie Lukas ungefähr fünfzig Jahre nach dem Auftreten Jesu in der Darbietung seines Evangeliums dem Phänomen eines sicheren Aufschubs Aufmerksamkeit schenkt, darf ohne weiteres noch nicht abgeleitet werden, daß er also auch im Hinblick auf die Zukunft mit langen Perioden gerechnet hat. Aus den schon eher genannten Aussagen in 12,35-48 zeigt sich, daß der Aufruf zur Wachsamkeit bei Lukas einen breiten Platz einnimmt und daß die geforderte Wachsamkeit gerade mit der Tatsache zusammenhängt, daß Christus jeden Augenblick (jede Nachtwache, V.38; jede Stunde, V.39f und 46) zurückkommen kann. "Der Sohn des Menschen kommt zu einer Stunde, da ihr es nicht meint."

In der Rede von 17,20-37, die aus einem anderen Grunde schon eher unsere Aufmerksamkeit forderte [59], entdecken wir auch wieder das Element des Plötzlichen und Unerwarteten, das wie ein roter Faden den Abschnitt bestimmt. Das Aufleuchten eines Blitzes hat stets etwas Bestürzendes, weil man nicht darauf vorbereitet ist (V.24); so hat auch die Sintflut die Zeitgenossen des Noah überrumpelt (V.27); und ebenso unerwartet kam in der Zeit des Lot das Gericht über Sodom (V.29). Darauf läßt Lukas die Antwort Jesu folgen, die wir aus Mk 13,15f kennen: "An demselben Tage, wer auf dem Dach ist und hat seinen Hausrat im Hause, der steige nicht herab ..." (V.31). Und auch die letzten Verse nehmen je auf eigene Weise den Gedanken an das Unerwartete wieder auf: Die Frau des Lot hatte nicht gedacht, daß in dem Augenblick das Gericht Gottes kommen würde (V.32); so kann auch die Ruhe der zwei schlafenden

57 Vgl. K.Schubert, Kritik der Bibelkritik, dargestellt an Hand des Markusberichtes vom Verhör Jesu vor dem Synhedrion, in: Redaktion jnd Theologie des Passionsberichtes nach den Synoptikern (W.d.F. 481) Darmstadt 1981, 324: "... die für Lukas typische Entschärfung der frühchristlichen Parusieerwartung ..."

58 Vgl. z.B. H.Conzelmann, o.c. (Anm.19), 127: "Lukas (hat) auf das Festhalten an der Naherwartung entschlossen verzichtet ..."

59 Siehe auch sub 1.6.

Männer oder der zwei mahlenden Frauen (V.34f) trügerisch sein, weil plötzlich der Augenblick des letzten Gerichts kommen kann. Der Nachdruck auf den unerwarteten Zeitpunkt der Vollendung und der damit gepaart gehende Aufruf zur Wachsamkeit sind gerade dann gut zu verstehen, wenn wir davon ausgehen dürfen, daß Lukas einerseits an der Erfahrung eines gewissen Aufschubs teilhat, andererseits aber an der Überlieferung der Predigt Jesu festhält, in der stets wieder die Vollendung als nahe charakterisiert wird. Lukas hat anscheinend auch keinerlei Mühe gehabt, in 21,31f die Aussagen von Mk 13,29f zu übernehmen. Auch wenn wir die Worte über "dieses Geschlecht" nicht einfach als Andeutung jener Generation auffassen, so geht es dort doch ohne jeden Zweifel sehr wohl um die Nähe des Reiches Gottes.

3.3. Wachsamkeit und Verantwortung

Die eschatologische Predigt Jesu, wie Lukas sie wiedergibt, enthält jedoch nicht nur einen Aufruf zur Wachsamkeit in dem Sinne, daß die Menschen bereit sein sollen, weil der Zeitpunkt der Wiederkunft Christi unerwartet und plötzlich eintreten wird. In dem Falle würde die Interimperiode lediglich die Bedeutung eines Wartezimmers für die Ewigkeit haben. Das würde aber nicht nur im Gegensatz zu dem gesamtbiblischen Zeugnis über die positive Bedeutung des irdischen Lebens stehen; es würde auch schwerlich in Einklang gebracht werden können mit der Art, auf die Jesus zum radikalen Gehorsam und zum Tun des Willens des Vaters aufgefordert hat. Aber nun zeigt sich bei einem andächtigen Lesen der betreffenden Abschnitte, daß namentlich bei Lukas dieser positive Gesichtspunkt des Lebens in der Verantwortung gerade im Zusammenhang mit der eschatologischen Perspektive den vollen Nachdruck empfängt. J.Jeremias hat darauf hingewiesen, daß in der Überlieferung der Gleichnisse Jesu eine allmähliche Verschiebung vom Eschatologischen zum Paränetischen festgestellt werden kann [60]. Dies ist zwar im allgemeinen nicht etwas, was sich ausschließlich bei Lukas findet [61]. Wohl aber können wir gerade bei ihm von einer primär ethischen Paränese sprechen. Wachsamkeit wird durch ihn immer wieder als Verantwortlichkeit interpretiert.

---

[60] o.c. (Anm.53), 113.
[61] Siehe den Teil über Markus, Abschnitt 6.1.

In die Richtung wies bereits die eschatologisch-ethische
Ermahnung von Johannes dem Täufer in 3,10-14. Die Tatsache, daß
Johannes auf das nahe Gericht des nach ihm Kommenden hingewiesen
hatte, war für ihn anscheinend kein Hindernis, sondern eher ein
Ansporn gewesen, auf die verschiedenen Fragen "Was müssen wir denn
tun?" mit einer ethischen Ermahnung zu antworten. Daß dieser
Aufruf zu tätiger Liebe und Barmherzigkeit, und damit gepaart
gehend die Warnung vor Reichtum, Egoismus und Lieblosigkeit, das
ganze Evangelium mit bestimmt, haben wir bereits gesehen. Wir
beschränken uns deshalb hier auf einige eschatologische Abschnitte,
die z.T. schon zur Sprache gekommen sind.

In dem Abschnitt 12,35-40, der teilweise Übereinstimmung
zeigt mit Mt 25,1-11 und 24,42-44, geht es noch speziell um die
Wachsamkeit im Zusammenhang mit dem plötzlichen Kommen des Bräuti-
gams. In der darauffolgenden Perikope (V.42-46, so auch in der
Parallele von Mt 24,45-51) liegt der Nachdruck hingegen auf der
Art, wie die Knechte des Herrn sich in der Zwischenzeit betragen,
auf Treue und verständige Haushalterschaft (V.42). Was in V.43 mit
dem Ausdruck "also tun" gemeint ist, wird auf indirekte Weise
inhaltlich näher angegeben, wenn in V.45 das tadelnswerte Betragen
des anderen Knechtes angeprangert wird [62]. Dieser hatte aus dem
Ausbleiben seines Herrn die eigenen Folgerungen gezogen: das
Schlagen von Sklaven und Sklavinnen, Prasserei und Sauferei. Die
Art, in der Lukas vor allem diesen letzten Teil redigiert hat, ist
nun aber besonders interessant. Allererst leitet er diese ethische
Ermahnung ein durch eine Frage des Petrus, der als Vertreter und
Sprecher der Zwölf auftritt, ob Jesus dieses Gleichnis nur für sie
erzählt oder auch für andere. Und weiter fügt er dem Abschnitt
zwei Verse hinzu, in denen er auf die besondere Verantwortlichkeit
jener hinweist, die den Willen des Vaters kannten (V.47f). In
beiden Fällen wird es Lukas um die Anwendung der aus der Logienquelle übernommenen Lehre Jesu für seine eigene Zeit gehen. Die
Unterscheidung zwischen "uns" und "allen" in V.41 will den Leser
darauf vorbereiten, daß die Ermahnung und die Warnung aus diesem
Gleichnis ihre Gültigkeit behalten haben und in dem Augenblick, in
dem Lukas dies schreibt, unvermindert aktuell sind. Auf gleiche
Weise wird in V. 47 die Paränese nachdrücklichst auf die Gemeinde

---

62 χρονίζει ὁ κύριός μου in Lk 12,45 und in Mt 24,48 (Q).

seiner Zeit bezogen, sind sie doch die Knechte, die den Willen des Herrn kennen, nämlich seinen Aufruf, in der Zeit zwischen Erfüllung und Vollendung als Haushalter des Herrn in glaubwürdiger Barmherzigkeit zu leben und in der Bereitschaft zum Dienen, in Übereinstimmung mit ihrem Herrn, von dem bereits in V.37 gesagt war, er werde bei seinem Kommen auftreten als der Dienende (vgl. 22,27). Der Abschnitt schließt mit der Regel des göttlichen Richters: "Welchem viel gegeben ist, bei dem wird man viel suchen, und welchem viel anbefohlen ist, von dem wird man viel fordern."

Eine gleiche Tendenz entdecken wir in dem Gleichnis von den anvertrauten Pfunden in 19,11-27. In V.13 steht, daß der abreisende Herr nicht nur seinen Knechten sein Eigentum anvertraut (wie in Mt 25,15), sondern, daß er ihnen auch ausdrücklich den Auftrag gibt, damit zu handeln "bis daß ich wiederkomme". Damit ist die Verbindung zwischen Eschatologie und Haushalterschaft von Anfang an ausdrücklich gelegt. Und bei seiner Rückkehr läßt derselbe Herr, der inzwischen König geworden ist, seine Knechte "rufen, welchen er das Geld gegeben hatte, daß er erführe, was ein jeglicher erhandelt hätte." In beiden Fällen hat Lukas die Verantwortung der Knechte mit der deutlichen Willensbekundung ihres Herrn verbunden. Verantwortung bedeutet: Antwort geben auf den zuvor gegebenen und darum bekannten Auftrag. Damit stimmt die nur bei Lukas vorkommende Aussage des Herrn in V.22 überein: "Aus deinem Munde richte ich dich." Zusammen mit dem Gebot kennt der Knecht auch sehr wohl die damit verbundenen Versprechen und Drohungen. Es fällt denn auch auf, daß sowohl der Gewinn als auch der Lohn und die Strafe bei Lukas viel deutlicher zum Ausdruck gebracht werden als das bei Matthäus und sehr wahrscheinlich auch bei Q der Fall war. Jeder Knecht hat ein Pfund erhalten, aber der erste hat einen Gewinn von 900 % erzielt; ihm werden nicht nur die zehn Pfunde als Lohn gegeben, sondern daneben auch noch zehn Städte. Dem steht der dritte gegenüber, der sein Pfund verborgen hatte. Die Strafe, die er empfängt, wird auf eine Weise umschrieben, die zu dem Motiv des unbeliebten Königs paßt; er wird den Feinden gleichgestellt, die nicht wollten, daß er König über sie werden würde, und vor seinen Augen niedergemacht.

In diesem Zusammenhang wollen wir auch schon auf den Schluß der eschatologischen Rede von Kapitel 21 hinweisen, die im nächsten Paragraphen eingehender besprochen wird. In Markus 13 schließt

diese Rede mit dem Aufruf zur Wachsamkeit im Zusammenhang mit der
Tatsache, daß der Zeitpunkt der Wiederkunft Christi unbekannt
(V.33) und plötzlich (V.36) sein wird. Lukas hingegen schließt mit
der Mahnung: "Hütet euch aber, daß eure Herzen nicht beschwert
werden mit Fressen und Saufen und mit Sorgen der Nahrung und
dieser Tag nicht schnell über euch komme wie ein Fallstrick"
(V.34). Das Element des Unerwarteten wird bei Lukas, anders als
bei Markus, in direkten Zusammenhang gebracht mit dem sittlichen
Betragen der Gläubigen. Und in V.36 wird aus dem Aufruf zur Wachsamkeit im Zusammenhang mit dem unbekannten Zeitpunkt (Mk 13,33)
eine Ermahnung zur Wachsamkeit "allezeit" [63]. Auf dem Wege dieser
sittlichen Wachsamkeit werden sie allen Gerichten Gottes entkommen
und stehen vor des Menschen Sohn.

3.4. Geschichte und Vollendung, die eschatologische Rede in Kapitel 21

Deutlicher als in den anderen Evangelien wird bei Lukas die
Perspektive sichtbar: von der Erfüllung her über den Lauf der
Geschichte in die Richtung der Vollendung. Zwar war diese Perspektive irgendwie auch schon bei Markus anwesend, doch ist erst bei
Lukas eine durchgehende Linie zu erkennen, auf der nacheinander
bestimmte Geschehnisse ihren Platz bekommen. Um diese eher lineare
Struktur in seiner Darbietung des Evangeliums ins Visier zu bekommen, ist es nötig, die eschatologische Rede von 21,5-36 sorgfältig mit der von Markus 13 zu vergleichen. Dabei fallen nämlich
eine große Anzahl redaktioneller Änderungen auf, die zusammen der
Sicht auf die Zukunft einen eigenen Charakter geben. Wir nennen zuerst diese redaktionellen Eingriffe der Reihe nach.

1. Während Markus die eschatologische Rede Jesu von dem vorangehenden Kapitel trennt, verbindet Lukas sie gerade sehr eng mit dem,
was er in Kapitel 20 erzählt hat. Die mit 21,5 anfangende Rede
findet demnach im Tempel statt; die in 20,45 genannten Menschen
werden als Zuhörer vorausgesetzt.

2. Der Übergang in Mk 13,3 auf einen anderen Ort und ein anderes
Publikum fehlt bei Lukas.

---

63 Wie sehr der Charakter dieser Ermahnung sich ändert, wird vor allem deutlich,
wenn wir den griechischen Text vergleichen.
Mk: ἀγροπνεῖτε· οὐκ οἴδατε γὰρ πότε ὁ καιρός ἐστιν.
Lk: ἀγροπνεῖτε δὲ ἐν παντὶ καιρῷ.

3. Die Doppelfrage von Mk 13,4 wird bei Lukas zu einem parallelismus membrorum, ohne daß zwischen den beiden Teilen der Frage noch
ein Bedeutungsunterschied bestehen bleibt. Dadurch wird das Vorzeichen der Vollendung zu einem Vorzeichen für den Untergang Jerusalems.

4. In V.8 wird der Inhalt der Verführung verengt zu einer Frage
nach der Zeit; die 'Naherwartung' der damaligen Zuhörerschaft wird
deutlich abgelehnt; Jesus warnt davor, ihnen zu folgen.

5. Die zwei Zeitandeutungen [64], die der Version des Markus hinzugefügt werden, bilden eine Verlängerung von V.8.

6. V.10 wird, anders als bei Markus, durch eine neue Einführungs-
formel von V.9 getrennt. Das Ziel ist deutlich: hier kommt das in
V.7 gemeinte Vorzeichen zur Sprache. Man achte auch auf die deutliche Ausführung in die Richtung kosmischer Erscheinungen (V.11).

7. Die in den Versen 12-19 genannten Ereignisse beziehen sich V.12
zufolge noch auf eine Periode vor der Zeit, für die bestimmte
Vorzeichen des Falles Jerusalems angekündigt werden.

8. Die Art, wie in diesen Versen über die Geschehnisse vor dem
Fall Jerusalems gesprochen wird, gibt Anlaß zu der Vermutung, daß
sie in Übereinstimmung mit dem, was in der Apostelgeschichte erzählt wird, redigiert worden sind [65].

9. In V.13 werden diese bereits erfahrenen Geschehnisse "ein Zeug-
nis für euch" genannt [66], ein Beweismittel, daß alles nach dem
Plan Gottes verläuft (V.9). Dazu passen auch die ermutigenden
Worte aus V.18f.

10. Von V.20 an folgt unter Erwähnung technischer Details die
Ankündigung des Falles der Stadt Jerusalem, von dem in V.11 die
Vorzeichen genannt waren. Von Bedeutung ist dabei, daß der Ausdruck "Greuel der Verwüstung" aus Mk 13,14 seine apokalyptische Bedeutung einbüßt und jetzt nur noch dazu dient, die historische

---

64 ταῦτα ... πρῶτον und εὐθέως.

65 ἐπιβάλλειν τὰς χεῖρας   Apg 4,3; 5,18; 12,1; 21,27.
   διώκειν   7,52 (Stephanus); 9,22.26 (Paulus).
   φυλακή   5,19.22.25; 8,3; 12,4.5.6.10.17; 16,23f.
                          27.37.40; 22,4; 26,10.
   παραδιδόναι εἰς φυλακάς   8,3; 22,4.
   σοφία ἧ οὐ δυνήσονται ἀναστῆναι   6,10.
   θανατώσουσιν ἐξ ὑμῶν   hier auf die Jünger bezogen, 2.Person, und
                          dann:einige unter euch, vgl. 7,58; 12,2.
   θρὶξ ἐκ τῆς κεφαλῆς ὑμῶν   Vgl. die Bewahrung der Apostel in verschie-
   οὐ μὴ ἀπόληται.   denen Fällen, weiter wörtlich 27,34.

66 Anders Mk 13,9: εἰς μαρτύριον αὐτοῖς.

Tatsache des Wüst-seins der Stadt anzudeuten [67].

11. Bei dem Aufruf zur Flucht in V.21-23 fällt das Folgende auf:

a. Der Nachdruck auf die Flucht in die Gegend außerhalb Judäas wird verstärkt; Mk 13,15 bekommt bei Lukas an einem anderen Ort (in 17,31) einen Platz.

b. Die Tage werden als "Tage der Vergeltung" für das jüdische Volk charakterisiert, und es wird hinzugefügt, daß damit erfüllt wird "alles, was geschrieben ist". Hier scheinen Elemente aus Jes 61,2b eingefügt worden zu sein, die in 4,19 ausgelassen waren [68].

c. Das Wehe bezieht sich jetzt auf das jüdische Volk (V.23), während für die Christen die Aussage von V.18 gilt.

d. Die Bitte von Mk 13,18 fehlt.

e. Anstelle der "Bedrängnis" (Mk 13,19) wird hier in V.23 über "große Not" gesprochen, die die Folge ist von dem "Zorn über dieses Volk" [69].

12. In V.24 wird das Los der besiegten und verstreuten Juden umschrieben und ausdrücklich zeitlich begrenzt. Die Zeiten der Heiden sind hier nicht eine Andeutung für die Periode der Heidenmission, sondern beziehen sich auf die Zeit, in der jene über die Juden herrschen und sie unterdrücken [70].

13. Mk 13,21-23 wird nicht übernommen. Die zyklische Struktur jenes Kapitels wird durch einen linearen Aufbau ersetzt.

14. Die Verse 25-28 sprechen über das Gericht Gottes über die Völker und geben an, was geschieht, wenn die Zeiten der Heiden erfüllt sind. Genau wie bei dem Gericht Gottes über Israel wird auch hier das göttliche Eingreifen durch Vorzeichen eingeleitet. Während Markus hier die Aussagen Jesu über die Parusie des Menschensohnes eingefügt hatte, um die Vollendung in ihrer heilbringenden Bedeu-

---

67 Ch.H.Dodd, The fall of Jerusalem and 'the Abomination of Desolation', in: More New Testament Studies, Manchester 1968, 69-82, ist im Gegenteil der Meinung, der Textzusammenhang des Lukas bilde eine ursprüngliche Einheit, unabhängig von den Ereignissen um 70 und unter Benutzung der prophetischen Sprache des A.T. Demgegenüber habe Markus diese aus einer Parallelquelle stammende Prophetie aktualisiert, indem er ἐρήμωσις von Dan 9,31 und 12,11 her ausgeweitet habe zu βδέλυγμα ἐρημώσεως.

68 Siehe näher H.Baarlink, Ein gnädiges Jahr des Herrn - und Tage der Vergeltung, ZNW 73, 1982, 204-220.

69 ἀνάγκη μεγάλη ist eher mit dem Gericht und Zorn Gottes verbunden vgl. ὀργή, V.23c, während bei θλῖψις eher gedacht werden muß an das, was jemandem von weltlichen Mächten angetan wird. Vgl. auch J.Zmijewski, o.c. (Anm.32), 187 und die dort aufgeführte Literatur.

70 Gegen J.Zmijewski, 206, 214, 218f und R.Maddox, o.c. (Anm.46), 120.

tung anzudeuten (V.27 wird durch Lukas nicht übernommen), fällt
bei Lukas aller Nachdruck auf das Gericht des Menschensohnes über
die Völker der Welt (V.25b-26a kamen bei Markus nicht vor).

15. V.28 (nur bei Lukas) macht deutlich, daß dies alles die Gläubigen nicht trifft und bildet darin eine Parallele zu V.18f.

16. Die Verse 29-33 werden durch eine neue Einleitungsformel
gegenüber dem Vorangehenden verselbständigt. Dadurch bildet der
Satz aus V.28c den eigentlichen Schluß der eschatologischen Rede:
"daß sich eure Erlösung naht". Der Nachdruck auf die Nähe des Reiches in der eigenen Fassung von V.31f kommt also gerade in der
lukanischen Redaktion besonders deutlich zum Ausdruck.

17. Den Schlußteil von Mk 13, nämlich die Verse 33-37, übernimmt
Lukas nicht. Zu seiner linearen Perspektive passen besser ermah-
nende Schlußsätze mit einem ethischen Inhalt.

Wenn wir dies alles übersehen und auswerten, erhalten wir ein
Gesamtbild, in dem die verschiedenen redaktionellen Einzelheiten
ihren sinnvollen Platz haben.

(1) Die Rede Jesu über die Zukunft bildet einen Teil seiner Unterweisung in oder bei dem Tempel. Sie ist an alle die gerichtet, von
denen Lukas erzählt, daß sie in jenen Tagen auf die Lehre und Evan-
geliumsverkündigung Jesu hörten und positiv darauf reagierten
(19,48; 20,1.19.45; 21,38).

(2) Der Anlaß zu dieser Rede besteht darin, daß einige die Größe
und Schönheit des Tempels rühmen. Jesus kündigt seinen Untergang
an und spricht von da aus über die folgende Reihenfolge der künfti-
gen Ereignisse: Erst wird eine Zeit begrenzter Verfolgungen über
die Gemeinde kommen (V.12-19), so wie Lukas darüber auch hier und
dort in der Apostelgeschichte schreiben wird; danach werden Kriege,
Unruhen, Aufstände, Hungersnöte, Pestepidemien und zur selben Zeit
furchterregende Erscheinungen und Zeichen am Himmel den Untergang
des Tempels ankündigen [71].

(3) Der Untergang Jerusalems ist Gericht Gottes über Israel und
Ausdruck seines Zornes; dieses Gericht bzw. dieser Zorn hat jedoch
nicht einen definitiven, sondern einen zeitlich begrenzten Charakter: solange Gott es den Heiden erlaubt.

---

71 Auf jeden Fall hat auch Josephus, De Bello Judaico VI 285-309, (geschrieben
zwischen 75 und 79 n.Chr.) sehr ausführlich über eine große Anzahl von Vorzeichen
erzählt. Vgl. H.Baarlink, o.c. (Anm.68), 217.

(4) In der zeitlichen Verlängerung dessen liegt Gottes Gericht über die Völker, die die Juden unterdrückt haben werden (vgl. V.25 mit V.24). Angst und Ratlosigkeit erfüllen dann die Völker, die als Feinde Gottes angedeutet werden. Sie werden mit dem kommenden Menschensohn konfrontiert werden.

(5) Innerhalb dieser Perspektive von der Erfüllung her über die Geschichte in die Richtung der Vollendung wird zwar von schrecklichen Ereignissen und Entwicklungen gesprochen; aber die Gläubigen (= die Zuhörer Jesu und die Leser des Evangeliums!) werden unter diesen verschiedenen Umständen getröstet: kein Haar von ihrem Haupt wird verlorengehen (V.18); durch ihr Beharren werden sie das Leben gewinnen (V.19); selbst die Verfolgungen werden begrenzt bleiben (einige von euch, V.16); in den Jahren um den Fall Jerusalems werden Wehe, Not und Zorn sie nicht treffen (V.23f); und auch wenn gegen das Ende der Zeiten das Gericht Gottes die Völker treffen wird, so wie es vorher Israel bereits getroffen hat, dürfen die Gläubigen wiederum ihre Häupter erheben, darum, daß sich ihre Erlösung naht (V.28). Für sie hat die Erscheinung des Menschensohnes ausschließlich den Charakter der Erlösung.

(6) Gegenüber den Verführern, die schon vor dem Fall Jerusalems über die Nähe der Vollendung sprachen (V.8), handhabt Christus auch nach der Redaktion des Lukas seine Aussagen über die Nähe des Reiches, wie sich das deutlich zeigt in den Versen 28 und 29-32[72]. Aber auch Lukas bemüht sich nicht, diese Perspektive der Vollendung des Reiches inhaltlich näher zu füllen. Es soll genügen, daß die Gläubigen auf dem Wege der Beharrung das Leben finden (V.19) und daß der Tag der Vollendung der Tag der definitiven Erlösung ist (V.28). Der Glaube ist nicht darauf angewiesen, daß das Unaussprechliche näher umschrieben wird. Wohl jedoch ist es für ihn von großer Bedeutung zu wissen, daß die Geschichte nach dem von Gott entworfenen Plan verläuft (so ausdrücklich in den Versen 9,22 und 24) und daß an der Gültigkeit und Verwirklichung der Heilspläne Gottes nicht gerüttelt werden kann: "Himmel und Erde

---

72 Was die Aussage in V.32 über "dieses Geschlecht" betrifft, das nicht vergehen wird, bis daß es alles geschehe, sind viele Forscher der Meinung, daß zumindest Lukas dabei nicht an die Begrenzung auf eine Generation gedacht hat. So z.B. W. Marxsen, Der Evangelist Markus, Göttingen 1959, 133; J.Zmijewski, o.c. (Anm. 32), 281f. Demgegenüber halten R.Geiger, Die lukanischen Endzeitreden, Bern-Frankfurt 1973, 235, sowie V.Hasler, EWNT I 1980, 579-581 s.v. γενεά an der Bedeutung dieses Wortes als Generation fest.

werden vergehen; aber meine Worte vergehen nicht" (V.33).

4   Exkurs über die Eschatologie in der Apostelgeschichte

4.1. Einleitung

Am Ende dieses Teiles wollen wir in Form eines Exkurses näher auf die Frage eingehen, wie die eschatologische Botschaft des Evangeliums in der Apostelgeschichte durchwirkt. Wir dürfen uns mit dieser Behandlungsweise begnügen, weil wir es auch hier mit Lukas als Verfasser zu tun haben. Er hatte auf die Struktur und Gestalt des Evangeliums einen nicht zu unterschätzenden Einfluß gehabt. Auch wenn dieses Evangelium gewiß ganz und gar durch Jesus und seine Botschaft bestimmt ist und wenn zudem der Verfasser auch zeigt, den Stoff von der inzwischen schriftlich fixierten Tradition übernommen zu haben, seine redaktionelle Arbeit ist dennoch ein nicht zu übersehender Faktor gewesen. Wir dürfen erwarten, daß dies auch gilt mit Bezug auf den zweiten Teil seines Werkes. Schließlich hat er beide Teile auf vielfältige Weise miteinander verbunden und aufeinander bezogen. Wir begnügen uns vorläufig damit, drei wichtige Faktoren zu nennen, die beim Lesen des ersten Kapitels auffallen; wir werden später sehen, daß hier noch wesentlich mehr genannt werden könnte.

(a) Sowohl sein Evangelium als auch die Apostelgeschichte sind dem edlen Theophilus gewidmet.

(b) In Apg 1,1 erinnert der Verfasser daran, daß er sein erstes Buch geschrieben hat über alles, was Jesus angefangen hat zu tun und zu lehren. Das bedeutet anscheinend, daß er nunmehr erzählen will, was Jesus nach seiner Erhöhung tun und lehren, wie er durch seinen Geist und durch das Zeugnis seiner Jünger sein Werk auf Erden fortsetzen würde. Allein schon aus diesem Grunde entspricht die Überschrift 'Apostelgeschichte' nicht dem Wesen dieses Buches.

(c) Lukas, der ganz deutlich bei den Gebildeten seiner Zeit in die Schule gegangen war, wußte auch sehr wohl, daß man zu Anfang eines zweiten Teils bei dem anknüpfte, was zum Schluß der ersten Buchrolle erzählt worden war [73]. Es war gebräuchlich, die letzte Erzählung

---

73 Die Maximumlänge von 10 Metern zwang jeden Verfasser, falls er mehr zu schreiben gedachte, eine zweite Rolle mit einzuplanen.

des vorigen Teils mit einem Satz wieder in Erinnerung zu rufen [74].
Lukas tut das auch, aber merkwürdigerweise tut er es anders: er
erzählt die Himmelfahrt Jesu ziemlich ausführlich, nun aber nicht
am Ende seines Evangeliums, um dann in Apg 1 mit einem Satz daran
anzuknüpfen und davon auszugehen, sondern umgekehrt: die kurze
Erwähnung steht in Lk 24,51 und die ausführlichere Erzählung in
Apg 1,1-11. Anscheinend will er damit sagen: Die Himmelfahrt
gehört zu dem, worüber ich jetzt berichten will.

Es ist also von Anfang an deutlich, daß Lukas es ist, der
hier den Stoff ordnet. Und das berechtigt uns zu unserem Vorgehen
in diesem Exkurs: Wenn wir im Vorangehenden Erkenntnisse gewonnen
haben mit Bezug auf die Weise, auf die Lukas die eschatologische
Botschaft den Lesern seiner Zeit durchgibt und akzentuiert, dann
darf erwartet werden, daß sich diese Einsicht im zweiten Teil
seines Werkes bestätigt. Andererseits ist es auch keine überflüssi-
ge Sache, diesen Fragen gesondert nachzugehen. Wir haben uns zwar
bei der Behandlung seines Evangeliums schon einige Male veranlaßt
gesehen, Stellen aus der Apostelgeschichte in unsere Betrachtung
einzubeziehen. Es muß jedoch bedacht werden, daß dieses zweite
Buch allein schon seines Inhalts wegen und auch im Zusammenhang
mit andersgearteten Quellen einen ganz eigenen Charakter zeigt.
Wir verfügen auch über keinerlei direkte Parallelen, die wir zum
Vergleich heranziehen könnten. Was mag Lukas wohl bewogen haben,
dieses Buch zu schreiben, und zwar in der Form, in der wir es
jetzt vor uns haben [75]? Wir hoffen, daß wir durch eine nähere Analyse der verschiedenen Aussagen imstande sein werden, darauf eine
Antwort zu geben.

4.2. In der Verlängerung des Evangeliums

Wir erbitten zuerst die Aufmerksamkeit für ein paar bemerkenswerte Parallelen zwischen den ersten Kapitel im Lukasevangelium
über das Auftreten Jesu und der ersten Kapitel der Apostelgeschich-

---

74 Als Beispiele nennen wir: Fl. Josephus Contra Apionem, Teil 2: "Im vorigen
Buch, wertester Epaphroditus, habe ich dir von unserer Vergangenheit erzählt ...";
Philo, Ut omnes probus liber sit, die Fortsetzung einer älteren, verlorengegangenen
Schrift: "Unser voriges Buch, o Theodotus, handelte über die Behauptung, daß jede
unansehnliche Person ein Sklave ist." Andere Beispiele nennt H.J. Cadbury, The
style and litterary method of Luke, Cambridge 1920, Kap. XV.

75 Für eine eingehende Behandlung der verschiedenen Fragen, die hiermit zusammenhängen, verweisen wir vor allem nach G.Schneider, Die Apostelgeschichte 1.Teil
(Herder), Freiburg 1980, 139-145 und der dort genannten Literatur.

te über das Auftreten der Apostel. Es lassen sich ohne weiteres an
nicht weniger als zwölf Punkten Übereinstimmungen feststellen; und
wer sie sorgfältig betrachtet, wird mit uns wahrscheinlich wohl
überzeugt sein, daß hier schwerlich Zufall im Spiel sein kann [76].

Lukas		Apostelgeschichte	
3,16	Der nach mir kommt, wird euch mit dem Heiligen Geist taufen.	1,5	Joh. taufte mit Wasser, ihr aber sollt mit dem H.G.getauft werden.
3,21b	Jesus betet.	1,14	Die Jünger beteten.
3,22	Der H.Geist kam herab.	2,3	Der Heilige Geist kam herab.
3,22b	sichtbar und hörbar	2,3	sichtbar und hörbar
3,21a	Jesus wird getauft.	2,4	Sie wurden alle getauft (wörtl. erfüllt) mit dem Heiligen Geist.
4,16ff	Jesus tritt auf und predigt in Nazareth.	2,14ff	Petrus tritt auf und predigt in Jerusalem.
4,18-19	Taufe mit dem H.Geist erklärt von Jes 61,1f her. Es spricht der gesandte Verkündiger.	2,17-21	Taufe mit dem H.Geist erklärt von Joel 3,1-5 her. Es spricht der gesandte Verkündiger.
4,19	Verkündigung des Gnadenjahres des Herrn	2,21	Verkündigung der Rettung für alle, die den Namen des Herrn anrufen.
4,20-21	Aller Augen sind auf ihn gerichtet; die Schrift ist erfüllt vor ihren Ohren.	2,33	... was ihr hier seht und hört.
4,22-23	Es wird über Jesu große Taten gesprochen.	2,22-35	Es wird über Jesu Auferstehung gesprochen.
4,24-27	Kein Prophet ist geehrt in seiner Vaterstadt.	2,36	... den ihr gekreuzigt habt.
4,28-30	Zorn, Ablehnung und der Versuch, ihn zu ermorden.	2,37-41	Umgekehrt (!!): Offenheit, Verkündigung, Umkehr und Taufe.

In Apg. 1,5 entdecken wir eine deutliche und absichtliche An-
knüpfung an die Taufe mit dem Heiligen Geist durch Christus, wie
Johannes der Täufer diese bereits angekündigt hatte (Lk 3,16). Man
muß also das Evangelium lesen, um zu wissen, was in der Apostelgeschichte erzählt werden wird. In Lk 3 und 4 haben wir mit einer
deutlichen Komposition des Lukas zu tun. Die Erwähnung der Taufe
Jesu (mit Wasser) in einem Nebensatz und darauf die Worte "und als
er betete" führen zu dem Hauptthema hin, zu der Taufe mit dem Heiligen Geist als Zurüstung zu seinem Dienst als Heiland der Welt.
Danach und aus diesem Grunde tauscht Lukas die Proklamation von Mk

---

76 Vgl. Ch.H.Talbert, Litterary patterns, theological themes and the genre of
Luke-Acts, Soc.of Bibl.Lit., Scholar Press 1974, der auf eine große Anzahl auffal-
lender Parallelen weist.

1,14f gegen den Abschnitt über Jesu Auftreten in Nazareth (aus Mk
6,1-6) ein. Ihm war sehr daran gelegen deutlich zu machen, was
diese Taufe mit dem Heiligen Geist bedeutete. Das Zitat aus Jes
61,1-2a gibt die Erklärung: Der Geist befähigte ihn, sein Werk auf
Erden zu verrichten, sodaß dadurch das Heil Gottes sichtbar und
tastbar wurde und das Reich Gottes sich als Wirklichkeit präsen-
tierte. Zugleich läßt er schon in diesem ersten Abschnitt erkennen,
worauf es hinauslaufen sollte: auf ihre Ablehnung und den Versuch,
ihn zu töten.

Apg 1 und 2 verlaufen weitgehend parallel zu Lk 3 und 4; und
doch sind es nicht in jeder Hinsicht Parallelen; vielmehr ist es
das Ergebnis dessen, was Lukas im Evangelium erzählt hat. Er, der
selbst durch den Geist befähigt wurde zu seinem Dienst, rüstete
jetzt die Seinen aus durch d e n Geist, über den er nunmehr verfügt
(vgl. 1,2.4.8; 2,33). Die Jünger wurden darauf vorbereitet, Zeugen
Jesu zu werden; durch ihr Zeugnis präsentiert Christus sich selbst
und sein Werk in der neuen Zeit nach seiner Auferstehung und
Himmelfahrt. Die gesandten Verkünder von Apg 2 stehen im Dienst
des einen gesandten Verkünders von Lk 4. Bemerkenswert ist weiter,
daß auch jetzt in einer gleich darauf folgenden Predigt eine
Aussage aus den Propheten des Alten Testaments dazu dienen muß,
das Wesentliche dessen, was geschehen ist, näher zu erläutern.
Nachdem der Geist des Herrn auf ihn herabgekommen und das Ziel
dieses Herabkommens erreicht war, konnte derselbe Geist ausgegossen
werden auf alles Fleisch. Dadurch werden sie alle befähigt zu
ihrem prophetischen Dienst. Jes 61,1-2a und Joel 3,1-5 sprechen
inhaltlich von denselben Dingen. Einmal ist es der Knecht, der von
seinem eigenen Auftrag zeugt, das andere Mal ist es Gott, der über
seine 'Knechte und Mägde' spricht. Hier ist, theologisch gesehen,
alles bis ins kleinste sorgsam komponiert: bevor wir Menschen mit
dem Geist Gottes erfüllt werden, muß erst der Eine durch diesen
Geist befähigt werden, sein irdisches Werk zu vollenden. Aber
nachdem er trotz und inmitten aller Bedrohung und Ablehnung sein
Werk vollführt hat, ist jetzt eine Situation entstanden, die neue
Perspektiven sichtbar werden läßt: Apg 2,37-41 weist in die entge-
gengesetzte Richtung von Lk 4,28-30. So wird das zweite Buch des
Lukas nicht eine Wiederholung des ersten unter Auswechslung von
Namen; es ist vielmehr eine Fortsetzung auf einer anderen Ebene,
ohne daß (von Ausnahmen abgesehen) auch nur ein Name ausgewechselt

zu werden braucht. Wenn wir fragen, was in diesen beiden kongruen-
ten Reihen das Konstante ist, dann kann vom Text her auf jeden
Fall geantwortet werden: es ist derselbe Name (Apg 4,12), es ist
derselbe Geist, und es ist dasselbe Heil, von dem etwas sichtbar
und hörbar wird.

4.3. Das eschatologische Heute

Diese Zeit, die durch die Himmelfahrt Jesu und durch die Ausgießung des Heiligen Geistes eingeläutet wird, wird nun durch
Lukas angedeutet mit dem Ausdruck "die letzten Tage" (2,17). Um
diese Wörter erweitert er nämlich das Zitat aus Joel 3. Damit
charakterisiert er sehr nachdrücklich die Zeit, in der der erhöhte
Christus durch seinen Geist auf Erden sein Werk fortsetzt, als
eschatologische Zeit, als Endzeit. Zwar gab auch Joel 3 dazu wohl
Anlaß, geht es doch dort um Geschehnisse, die "nach diesem" eintreffen werden, Geschehnisse, die wegen ihrer Beschreibung zum
Teil an den Untergang der Welt denken lassen und die dem "großen
und schrecklichen Tag des Herrn" vorangehen werden. Wenn Lukas
diese Prophetie jedoch aufnimmt, um damit das Pfingstgeschehen zu
deuten, fallen zwei Dinge auf. Einerseits legt er den Akzent auf
'die letzten Tage' der Weltgeschichte [77]; andererseits macht er
keinen Versuch, diese letzten Tage auf das Ende zu beziehen und im
Zusammenhang mit dem Ende der Welt näher zu füllen. Die in V.18f
genannten Vorzeichen des Endes haben, wie es scheint, keine eigene
Funktion, weder in diesem Kapitel noch auch im Ganzen der Apostelgeschichte. Sie werden mitzitiert im Kontext von V.17f über die
Ausgießung des Geistes und von V.20 mit der für die ganze Apostelgeschichte bezeichnnenden Aussage: "Wer den Namen des Herrn anrufen
wird, der wird errettet werden." Sie dienen zwar als nähere Quali-
fikation der mit Pfingsten anfangenden Endzeit, der Zeit des

---

77 Der Ausdruck kommt im Pentateuch zweimal vor, nämlich in Gen 49,1 und Num
24,14. In den prophetischen Büchern sind es vor allem Stellen wie Jes 2,2 und Mi
4,1, wo dieser Ausdruck deutlich als 'ein Terminus der prophetischen Eschatologie'
gebraucht wird; vgl C.Westermann, Genesis (Bk AT), Teil 3, Neukirchen 1982, 253.
In der jüdischen apokalyptischen Literatur hängt der Ausdruck 'in den letzten
Tagen' eng mit der Tatsache zusammen, daß die Weltzeiten ihrem Ende entgegeneilen
und daß Gottes Gericht und die Erscheinung des Erlösers an der Schwelle zu der
kommenden Welt stattfindet; vgl. 4 Esra 9,59; 10,44.46; 12,32; 13,1.25, dies alles
im Zusammenhang mit 7,50. Wie sehr die Vision des Esra (einem Zeitgenossen des
Lukas), der seine Schrift (ebenfalls) etliche Zeit nach dem Fall Jerusalems geschrieben hat (10,48), durch die Erwartung des sehr nahen Endes bestimmt wurde,
wird vor allem aus 4,44-50 ersichtlich.

Geistes; aber dann ist das Interesse auch voll und ganz auf jene neue Zeit gerichtet, ohne daß diese durch den Gedanken an das Ende ihres eigenen Gewichtes beraubt oder apokalyptisch dargestellt wird.

Der Verfasser durchschreitet in diesem Buch eine Zeit von beinahe dreißig Jahren. Über das sich nähernde Ende wird in all diesen Kapiteln nicht gesprochen. Es ist umgekehrt so, daß die Apostelgeschichte einen völlig offenen Schluß hat. Am Ende von Kapitel 28 hat der Verfasser sein Ziel erreicht. Andererseits aber könnte die Erzählung ohne weiteres über den Rand des Buches hinaus weitergehen: über den weiteren Weg des Paulus und über den Weg der Kirche nach dessen Tod. An einer Stelle geschieht das auch, dort nämlich, wo Paulus Abschied nimmt von den Ältesten von Ephesus und wo er sie dann im Hinblick auf die weitere Zukunft warnt: "denn das weiß ich, daß nach meinem Abscheiden unter euch greuliche Wölfe kommen werden, die die Herde nicht verschonen werden; auch aus euch selbst werden Männer aufstehen, die da verkehrte Lehren reden, die Jünger an sich zu ziehen" (20,29f). Dort wird nicht argumentiert mit "den letzten Tagen", sondern mit "meinem Abscheiden". Aus der Tatsache, daß und aus der Art, wie Lukas diese Abschiedsrede des Paulus aufnimmt, werden wir zumindest sein Interesse entnehmen können für den eigenen Platz, den nicht nur die frühapostolische Zeit der Tage um Pfingsten, sondern auch die nachapostolische Zeit, die Zeit des Lukas selbst, einnimmt [78].

Dies alles bedeutet keineswegs, daß die eschatologische Perspektive, die Aussicht auf den Jüngsten Tag und das Endgericht, in der Apostelgeschichte fehlen würde. Auf dem Areopag schließt die Predigt des Paulus ausgerechnet mit der Verkündigung, daß Gott "einen Tag gesetzt (hat), an welchem er richten wird den Erdkreis mit Gerechtigkeit durch e i n e n Mann, den er dazu bestimmt hat ..." (17,31). Die Ankündigung des kommenden Gerichts ist dort

---

78 Diese Abschiedsrede zeigt formkritisch gesehen alle Merkmale der sog. Abschiedsreden, in denen beinahe immer die folgenden Motive vorkommen: die Nähe des eigenen Todes, die Sammlung eines Kreises von vertrauten Menschen, Paränese, prophetische Rede über die Zukunft, wobei auf aktuelle Gefahren hingewiesen wird, die Rede über eigene Integrität u.s.w. Vgl J.Roloff, Die Apostelgeschichte (NTD 5), Göttingen [17]1981, 302, der folgende Beispiele nennt: Gen 47,29-49; Jos 23, 1-24.30; 1 Sam 12,1-25; Tob 14,3-11; 1 Makk 2,49-70; Jub 20,1-20; 21,1-25; 22,7-30; 4 Esra 13; Syr Bar 31-34. Roloff schreibt: "Der Sitz im Leben der Abschiedsreden ist die geschichtliche Ortsbestimmung der Institutionen bzw. Gruppe durch die Besinnung auf das ihr anvertraute Erbe."

genau wie später bei Felix (24,25) der Punkt, an dem die spöttische
und abwehrende Reaktion einsetzt. Aber auch das Umgekehrte geschieht. Gerade auf die Erwähnung, daß Gott Christus angestellt
hat als Richter über die Lebenden und die Toten (10,42), folgt die
Notiz, daß der Heilige Geist auf alle fiel, die dem Wort zuhörten
(V.44). In einem allgemeineren Sinn wird auch an anderen Stellen
über die Auferstehung der Toten gesprochen (17,28; 23,6); dabei
bekommen wir den Eindruck, daß dieser Ausdruck dort als Andeutung
von allem dient, was am Jüngsten Tage geschehen wird [79].

Wenn wir die Apostelgeschichte in ihrer Gesamtheit überblik-
ken, können wir zu dem Schluß kommen, daß dort die auf die große
Zukunft gerichtete Eschatologie eher vorausgesetzt wird, als daß
sie die Struktur und die Zielsetzung dieses Buches bestimmt [80].
Mit Recht ist gesagt worden, daß die Eschatologie dort deutlich
der Christologie untergeordnet ist [81]. Das Werk Christi einschließlich der Ausgießung seines Geistes durch ihn kann mit gutem Grund
als das zentrale Thema der Apostelgeschichte betrachtet werden.
Durch diesen Mittelpunkt werden die literarische und die theologische Struktur des Buches bestimmt. Demgegenüber können alle
Fragen mit Bezug auf die Vollendung des Reiches getrost der Vorsehung Gottes überlassen werden. Den Jüngern, die danach fragen,
wird zu verstehen gegeben, daß sie ihre Aufmerksamkeit lieber auf
die Aufgabe richten sollen, zu der sie nunmehr durch den Geist
befähigt werden (1,7f).

Diese Zukunft bleibt jedoch weiterhin eng verbunden mit
Christus, der jetzt hier sein Werk fortsetzt. Es ist bemerkenswert,
daß die Vollendung dort, wo sie zur Sprache kommt, auf verschiedene
Weise mit dem Christus der Gegenwart in Zusammenhang gesehen wird.
Der Tag des Gerichts ist der Tag dessen, den Gott auferweckt hat
von den Toten (17,31). Über jenen Tag wird allerdings auch, gleichsam programmatisch, in der Stunde seiner Himmelfahrt gesprochen
(1,4.6); und Petrus legt diesen Zusammenhang auch in seiner Predigt
"Ihn muß der Himmel aufnehmen bis auf die Zeit, da alles wiederge-
boren wird ..." (3,21). Und schließlich bleibt in Kapitel 2 der

---

79 Vgl auch Lk 14,14; 20,36.
80 Vgl H.J.Cadbury, 'Acts and Eschatology', in: The background of the New Testament, FS für Ch.H.Dodd, Cambridge 1956, 300-321, vor allem 310.
81 Vgl. J.Ernst, Herr der Geschichte, Perspektiven der lukanischen Eschatologie,
Stuttgart 1978, 112.

deutliche Zusammenhang bestehen zwischen der Ausgießung des Geistes (des Geistes Christi! V.32f) und dem "großen und gewaltigen Tag des Herrn" (V.20). Dadurch ist der Rahmen gegeben, durch den das heilsgeschichtliche Heute der Apostelgeschichte bestimmt wird: einerseits das Heilshandeln Gottes in der Auferstehung Christi, in seiner Erhöhung durch die Himmelfahrt und durch die Gabe des Geistes, über den er nunmehr verfügt, andererseits durch den Jüngsten Tag. Eine andere grundlegende Begrenzung dieser Zeit der letzten Tage gibt es nicht, auch wenn die frühapostolische Zeit um Pfingsten deutlich einen besonderen Platz einnimmt. Es ist deutlich die Absicht des Lukas gewesen, sich auf dieses Heute als Zeit des Heils zu konzentrieren und - mehr erzählend als argumentierend - das Wesen dieser Gegenwart näher anzugeben.

4.4. Die Frage nach der vertikalen Eschatologie

Bei der Behandlung des Evangeliums wurden wir bereits mit der Frage konfrontiert, ob bei Lukas davon gesprochen werden kann, daß die auf die Zukunft gerichtete Enderwartung durch den Gedanken an die Erfüllung im Augenblick des Sterbens ersetzt wird. Wir haben allen Anlaß, diese Frage hier noch einmal zu stellen [82]. Einerseits verbietet die gerade genannte Reihe von Aussagen über das kommende Gericht und über die dann stattfindende Auferstehung der Toten einen solchen Gedanken. Andererseits drängt sich uns die Frage nach der sogenannten vertikalen Eschatologie an zwei Stellen in der Apostelgeschichte auf. Allererst weisen wir auf die Worte des Paulus, mit denen dieser die Gemeinden von Lystra, Ikonium und Antiochien getröstet hat: "daß wir durch viel Trübsal in das Reich Gottes eingehen müssen" (14,22). Nun kommt das Wort 'Reich Gottes' in der Apostelgeschichte nur selten vor; und wo es gebraucht wird, hat es meistens eine sehr allgemeine Bedeutung (1,3; 8,12); an anderen Stellen ist es beinahe zu einem Wechselbegriff für 'Evangelium' geworden (19,8; 20,25; 28,23.31). In den Abschiedsworten von 14,22 wird mit 'Reich Gottes' jedoch nicht direkt die Vollendung gemeint noch auch die Gegenwart des Reiches hier und jetzt auf Erden, sondern die Wirklichkeit, die sich der Gemeinde erschließt, die mit dem Martyrium in Berührung kommt: die Seligkeit bei Chri-

---

82 Vgl. Ph.Vielhauer und E.Käsemann, o.c. (Anm.47) und die dort genannte Widerlegung durch R.Maddox.

stus von der Stunde des Sterbens an. Dasselbe entdecken wir in
7,55, wo Stephanus in der Stunde seiner Steinigung sagt: "Siehe,
ich sehe den Himmel offen und des Menschen Sohn zur Rechten Gottes
stehen." Man hat immer wieder auf diesen Text hingewiesen als
einzige Ausnahme auf die Regel, daß nur Jesus über (sich als) den
Menschensohn spricht [83]. Ist es ausschließlich eine Selbstandeutung? Da scheint unser Text doch einige Unsicherheit zu schaffen.
Oder ist ein frühes Bekenntnis, das Jesus als Menschensohn bekannt
hat, sehr bald durch andere Titulaturen ersetzt, und zwar so
konsequent, daß in den Evangelien keine einzige Spur davon übriggeblieben ist? Diese letzte Hypothese wahrscheinlich zu machen,
bleibt jedoch eine schwierige Sache. In dem Fall würde man Apg
7,56 als Rest einer sehr alten Tradition betrachten müssen. Doch
auch diese Lösung befriedigt nicht. Es bleibt nicht nur die Verlegenheit bestehen, daß die Evangelien nirgendwo ein Menschensohnbe-
kenntnis enthalten, auch nicht rudimentär. Andererseits fällt auf,
daß Apg 7,56 neben vielen anderen typisch lukanischen Aussagen
steht, in denen ein besonderes Interesse für das Los der Gestorbenen vor der Wiederkunft Christi ans Licht tritt.

Gegenüber diesen Hypothesen, die eher als Ausdruck der Verlegenheit denn als Resultat der Untersuchung einschlägiger Texte
gelten können, sollten wir unsere Aufmerksamkeit auf einen hinter-
gründigen Zusammenhang zwischen Lk 22,69 und Apg 7,56 richten. Lk
22,69 enthält die Antwort Jesu auf die Frage des Hohenpriesters
nach seiner Messianität. Bei Markus (14,62) lautete diese Antwort:
"Ich bin's, und ihr werdet sehen des Menschen Sohn sitzen zur
rechten Hand der Kraft und kommen mit des Himmels Wolken." Lukas
läßt zwei Elemente dieser Antwort weg: "ihr werdet sehen" und "und
kommen mit des Himmels Wolken". Bei ihm lautet die Antwort: "Aber
von nun an wird des Menschen Sohn sitzen zur rechten Hand der
Kraft Gottes." Damit verselbständigt Lukas das Sitzen Christi zur
Rechten Gottes im Himmel. Sein Interesse gilt anscheinend etwas
anderem: "Von nun an" beginnt eine Zeit, die dadurch charakterisiert wird, daß Jesus als der Sohn des Menschen zur Rechten Gottes
sitzt.

Dem schließt sich nach meiner Überzeugung die Aussage von Apg
7,56 nahtlos an. Das Handeln des verherrlichten Christus besteht

---

83 Vgl. z.B. F.Hahn, Christologische Hoheitstitel, [2]1964, 38.

vorläufig nicht in seinem Kommen mit den Wolken des Himmels; das
kommt später. Von aktueller Bedeutung jetzt ist, daß der Sohn des
Menschen (er sitzt) aufsteht und durch Stephanus als im offenen
Himmel stehend gesehen wird, offenbar, um den gleich sterbenden
Märtyrer zu empfangen. Dieser neue Sprachgebrauch kann traditions-
geschichtlich abgeleitet werden von der Aussage über den kommenden
Menschensohn in seiner Herrlichkeit; sachlich gesehen ist er aber
auch die Konsequenz aus dem Glauben, daß Jesus jetzt der erhöhte
Herr ist, als der erhöhte Herr sein Werk auf Erden fortsetzt und
als der erhöhte Herr am Ende wiederkommen wird. Sobald die Zeit
zwischen seiner Erhöhung und Parusie sich dehnt, liegt es nahe,
daß die Bedeutung des Glaubens an den erhöhten Herrn für das Heute
der lebenden und sterbenden Gläubigen einen breiteren Platz einnimmt und auch terminologisch zum Ausdruck kommt. Es ist auch
verständlich, daß Lukas, der ein besonderes Interesse für den
Fortgang der Zeiten hat, dieses Element auch redaktionell in
seinem Doppelwerk zum Ausdruck bringt.

4.5. Die Bedeutung Jerusalems

Es hängt eng mit der Intention des Lukas zusammen, daß er so
ausführlich über das berichtet, was am Pfingsttage und in der
ersten Zeit danach in Jerusalem geschah. Wenn wir das Buch insgesamt überblicken, bekommen wir den Eindruck, daß es ihm um den Weg
des Evangeliums von Jerusalem nach Rom geht. Um so mehr fällt dann
aber das Interesse auf, das er in der Apostelgeschichte auf das Geschehen in Jerusalem verwendet. Es kommt aber noch eine Besonderheit hinzu, die oft übersehen wird. Lukas hat nämlich in den
ersten Kapiteln der Apostelgeschichte zwei Reihen von Perikopen
und Motiven aufeinander folgen lassen, die wiederum eine bemerkenswerte Übereinstimmung zeigen. Diese betrifft eine große Anzahl von
Einzelheiten; dabei ist im allgemeinen auch die Reihenfolge dieselbe. [84].

1,12-26	Die Gemeinde im Gebet zusammen	4,24-31
2,1-13	Sie wurden alle erfüllt mit dem Geiligen Geist.	4,31b
2,14-40	Petrus redet freimütig / Sie reden das Wort	4,31c
(V.29!)	Gottes mit Freimut.	

---

84 Vgl. die in Anm 76 erwähnte Studien von Ch.H.Talbert.

2,36-39 (+3,19f)	Bekehrung und Vergebung für Israel	5,31
2,41;	Tausende / viele Männer und Frauen werden gläubig.	5,14
2,42-47	Das gemeinsame Leben der Gemeinde in Zeugnis und	4,32-35
2,43a	Furcht kommt über alle.	5,5.11
2,43b	Viele Zeichen und Wunder geschehen.	5,12a
3,1-11	Petrus und Johannes heilen einen Lahmen;/ Petrtus heilt Kranke.	5,16
3,12-26	Petrus spricht in den Hallen Salomos. / Sie alle sind zusammen in den Hallen Salomos.	5,12b
4,1-7	Die Apostel werden gefangengenommen durch die Sadduzäer; Arrest bis zum nächsten Tag, dann vor den Hohen Rat gebracht.	5,17-28
4,19	Man muß Gott mehr gehorchen als den Menschen.	5,29
4,8-12. 19.20	Die Verteidigung des Petrus	5,30-32
4,13-17	Die Beratung des Hohen Rates	5,3-39
4,21-23	Die Apostel werden befreit.	5,40-42

Wenn wir diese beiden Reihen miteinander vergleichen, fällt uns eine weitgehende Übereinstimmung auf. Beide Teile zeigen deutlich dasselbe Gefälle, und in beiden Teilen wird uns ein Bild gezeichnet von der Gemeinde in Jerusalem als Ort, in dem das Heil Christi deutlich Gestalt annimmt. Und gerade die Tatsache, daß der Verfasser hierüber in zwei aufeinander folgenden Kompositionen erzählt, macht uns auf das aufmerksam, was für Lukas offenbar von so großer Bedeutung ist.

Hier wird ein Bild einer betenden Kirche entworfen, die erfüllt wird mit dem Heiligen Geist. Durch die Wirkung des Geistes Gottes werden Menschen befähigt und motiviert, daß sie freimütig Zeugnis ablegen von Christus und seinem Werk für das Heil der ganzen Welt, aber dann mrimär und nachdrücklich für das Volk Israel. Dieses Zeugnis bewirkt, daß viele zum Glauben kommen und durch die Taufe Glieder der Gemeinde werden. Auf diese Gemeinde richtet sich das Interesse des Lukas. In ihrer Mitte bekommt die tätige Liebe einen breiten Platz. Spontan geben Glieder ihren Besitz weg für die Armen. Es scheint einen Augenblick lang ein Stückchen Himmel auf Erden zu sein, ein Stückchen Vollendung in dieser brüchigen Welt. In dieser Gemeinde geschehen auch Wunder. Hier nennt Lukas sie Zeichen, Zeichen der Wirklichkeit des Heils. Er übernimmt damit einen Ausdruck, dem wir in den Evangelien ausschließlich bei

Johannes begegnen. In seinem Evangelium hatte Lukas genau wie Markus die Frage nach Zeichen im Sinne von Wundern als Fragen von Ungläubigen und Gegnern aufgenommen; und Jesus hatte sie stets abgewiesen (11,16.29.30). Hier in der Apostelgeschichte wird wiederholt über Wunder als Zeichen gesprochen (2,22.43; 4,16.22.30; 5,12; 6,8; 7,36; 8,6.13; 14,3; 15,12). Und da dieser Sprachgebrauch über viele Kapitel verteilt vorkommt, kann man ihn auch schwerlich auf das Konto der Quellen setzen. Wir dürfen vielmehr annehmen, daß Lukas hier gerade allen Nachdruck auf die Tatsache legen will, daß alle diese Wunder deutliche Zeichen davon sind, daß das Heil Christi nun auch präsent ist inmitten seiner Gemeinde und daß diese Gegenwart sich auch zeigt in dem, was in dieser betenden und durch seinen Geist beseelten Gemeinde geschieht.

Zugleich lebt diese Gemeinde aber auch in einer Welt, in der noch nichts vom Reich Gottes sichtbar ist, die im Gegenteil ablehnend und feindlich gegenüber Christus und seiner Gemeinde steht. Die Gemeinde nimmt diese Herausforderung an und zeigt ihr Teilhaben an der Erfüllung in Christus dadurch, daß sie zum Leiden und zur Gefangenschaft bereit ist. Die Gegenwart des Heils offenbart sich in ihrem Leben und durch sie gegenüber anderen dadurch, daß sie in ihrem Zeugnis (martyria) bereit ist zum Martyrium. Darin und in diesem Sinne ist die Gemeinde Ort des Heils; und die Zeit, in der sich dies alles ereignet, kann umschrieben werden als diese Tage, die alle Propheten angekündigt haben (3,24) und die namentlich für Israel bestimmt sind als "die Zeit der Erquickung" (3,20).

4.6. Bleibende Priorität für Israel

Der erste Teil der Apostelgeschichte wird deutlich beherrscht durch den besonderen Platz, den Israel einnimmt, wenn es darum geht, daß der erhöhte Christus hier auf Erden sein Heil verwirklicht. Seinen Jüngern gibt Christus vor seiner Himmelfahrt ausdrücklich den Auftrag, allererst in Jerusalem und in ganz Judäa seine Zeugen zu sein (1,8). Die Ausgießung des Heiligen Geistes geschieht am jüdischen Wochenfest (Pfingsten); die Prophetie Joels spricht von "euren Söhnen und euren Töchtern, euren Jünglingen und euren Alten" (2,17); die Zuhörer werden angeredet als "Männer von Israel" (2,22); es geht um Christus, den Sohn Davids (V.29-32); das ganze Haus Israel muß es wissen (V.36); und dann sind es Juden, die fragen: "Was sollen wir tun" (V.37)? Ihnen wird der Weg der Umkehr, des Glaubens und der Taufe verkündigt (V.38); und sie bilden mit dreitausend Seelen die erste christliche Gemeinde (V.41). Die Gültigkeit des Bundes Gottes und ihre Teilhabe an diesem Bund wird trotz ihrer Beteiligung an der Kreuzigung Jesu (2,23; 3,13-15.17) ausdrücklich gehandhabt und bildet den größten Ansporn, sie zum Glauben an Christus aufzurufen (2,38f; 3,19.25). Nirgends kommt diese Priorität Israels deutlicher zum Ausdruck als in der Aussage des Petrus: "Für euch zuerst hat Gott seinen Knecht Jesus erweckt und hat ihn zu euch gesandt, damit er euch segnet und sich jeder von seinen bösen Taten abwendet" (3,26; vgl. auch 5,31).

Nun wird immer wieder behauptet, daß dieses alles nur episodische Bedeutung habe und daß nach Lukas diese Priorität aufgehört habe zu bestehen, als Israel immer mehr zur Ablehnung Christi gekommen sei. Man beruft sich dabei gern auf Texte wie 13,46 [85] und 28,25-27 [86]. In 13,46 lesen wir, daß Paulus in Antiochien (Pisidien) zu seinen jüdischen Zuhörern sagt: "Euch mußte zuerst das Wort Gottes gesagt werden; nun ihr es aber von euch stoßt und achtet euch selbst nicht wert des ewigen Lebens, siehe, so wenden wir uns zu den Heiden." Und in 28,25-27 hören wir, wie Paulus zu den Juden sagt: "Sehr recht hat der Heilige Geist gesagt durch den Propheten Jesaja zu euren Vätern und gesprochen ..." und darauf folgt der Ausspruch von Jes 6,9f über die verhärtende Funktion und Wirkung der prophetischen Predigt.

Zuerst wollen wir die falsche Berufung auf 13,46 entkräften. Überall, wohin Paulus auf seinen Missionsreisen kam, ging er in die Synagoge. Der Sabbat und die Synagoge gaben ihm immer wieder die erste Gelegenheit für die Verkündigung des Evangeliums. Genau wie die Flüchtlinge aus Jerusalem sich in Antiochien (Syrien) zu Anfang ausschließlich an die Juden gerichtet hatten (11,19f), so richtete Paulus sich auch immer zuerst an sie: auf Zypern (13,5),

---

85 Vgl. H.Conzelmann, o.c. (Anm.19), 176f, wo er von einer "heilsgeschichtlichen Ablösung der Juden" spricht. Auch E.Haenchen, Die Apostelgeschichte (KEK), Göttingen [10] 1956, spricht verallgemeinernd über die Juden Antiochiens, als ob sie alle das Evangelium abgewiesen hätten.
86 Vgl. z.B.F.Hauck, ThWNT V, 754, s.v. παραβολή. Die Gemeinde habe das Problem der ungläubigen Haltung Israel (Sic! ohne jede Einschränkung) gelöst, indem sie zurückgegriffen habe auf die Prädestination. Siehe auch Ch.Burchard, Der dreizehnte Zeuge, Göttingen 1970, 176f; seiner Meinung nach ist die ökumenische Kirche, an die Lukas denkt, eine Kirche ohne Juden. Er verbindet dies mit einer Exegese von Lk 21,24, die wir abgelehnt haben.

in Antiochien (Pisidien) (13,14.42.44), in Ikonium (14,1), in
Philippi (16,11), in Thessalonich (17,1), in Beröa (17,10), in
Athen (17,16), in Korinth (18, 4) und in Ephesus (19,8; übrigens
wird dasselbe auch von Apollos gesagt, 18,26). Die Regel "erst den
Juden" ändert sich also nach 13,46 keineswegs. Es kommt jedoch
hinzu, daß diese Verkündigung des Evangeliums in der Synagoge in
den meisten Fällen auch dazu führt, daß Juden zum Glauben kommen.
Und das gilt nicht nur an Orten wie Ikonium (14,1), wo eine große
Menge, sowohl Juden als auch Griechen, zum Glauben kamen, von
Thessalonich (17,4), wo einige von den Juden zum Glauben kamen,
und von Beröa (17,10f), wo sich die Juden noch günstig von denen
aus Thessalonich unterschieden, weil sie das Wort aufnahmen, ganz
willig, und forschten täglich in der Schrift, ob sich's also
verhielte. Dasselb gilt auch für Antiochien (Pisidien) selbst. Es
ist gerade bezeichnend, daß Lukas allererst von den dortigen Juden
erzählt: "da baten die Leute, daß sie am nächsten Sabbat ihnen von
diesen Dingen wiederum sagen sollten" (13,42). Viele von den Juden
und gottesfürchtigen Judengenossen werden durch sie ermahnt, "daß
sie bleiben sollten in der Gnade Gottes" (13,43). Wenn danach in
V.45 Juden auftreten, die "voll Neid (wurden) und widersprachen
dem, was von Paulus gesagt ward, und lästerten", dann sind das
ganz deutlich andere; und an ihre Adresse ist danach das viel
zitierte Wort des Paulus von V.46 gerichtet. Lukas macht also zur
selben Zeit zwei Dinge deutlich: an erster Stelle, daß das Evangelium vorrangig an Israel gerichtet ist und in Israel zum Glauben
führt; an zweiter Stelle, daß in Israel immer wieder Widerstand
gegen das Evangelium entsteht und daß dieser Widerstand dazu
dient, daß der Heilsplan Gottes mit Bezug auf die Völker in Erfüllung geht [87]. Das Erstgenannte ist für die Konzeption des Lukas
über die Erfüllung des göttlichen Heilsplanes von eminenter
Bedeutung. Das Zweite, die Ablehnung des Evangeliums durch viele
Juden, ist für ihn eine feststehende Tatsache, ein Stück Erfah-
rungswirklichkeit, die er theologisch zu interpretieren und in den
Heilsplan Gottes zu integrieren trachtet.

Daneben müssen wir uns mit der Frage beschäftigen, welche
Funktion Jes 6,9f am Ende von Kapitel 28 besitzt. Wir werden noch
in anderem Zusammenhang entdecken, daß dieser letzte Abschnitt aus

---

[87] So auch W.Schrage, ThWNT VII,834, s.v. συναγωγή.

der Apostelgeschichte (28,16-31) sehr sorgfältig redigiert worden
ist. Auffallend ist an erster Stelle, daß Paulus in Rom sogleich
die Vornehmsten der Juden zusammenruft. Von irgendeinem Kontakt
mit der christlichen Gemeinde wird nicht gesprochen. Wenn wir
nicht den Brief an die Römer hätten, aus der Apostelgeschichte
würden wir nicht erfahren, daß es damals in Rom bereits eine
ansehnliche Gemeinde gab.

Bei der ersten Begegnung sieht es noch so aus, als ob es allein um die Frage geht, ob in Rom Beschuldigungen gegen Paulus
angekommen sind. Es zeigt sich, daß dies nicht der Fall ist.
Danach aber (V.23ff) steht die Verkündigung des Reiches Gottes im
Mittelpunkt. Und wiederum ist die Reaktion vergleichbar mit der in
Antiochien und an vielen anderen Orten: "Etliche fielen dem zu,
was er sagte, etliche aber glaubten nicht" (V.24). Sie gehen auseinander, ohne zu einer Übereinstimmung gekommen zu sein. Worüber
sollten sie uneinig sein? Natürlich über die Verkündigung des
Evangeliums durch Paulus. Aber dieses Miteinander-uneinig-sein
wird in den Versen 25-27 mit der Tatsache verbunden, daß Paulus
Jes 6,9f zitiert hatte. Hier erleben wir Lukas in seiner redaktionellen Tätigkeit. Die Naht, die Spur seiner redaktionellen Hand,
ist noch gut erkennbar. Man würde erwarten, daß Paulus eventuell
in ihrer Ablehnung einen Anlaß gesehen hätte, Jes 6,9f zu zitieren. So ist es natürlich auch gemeint. Wenn wir es aber wörtlich
nehmen, ist das Umgekehrte geschehen. Anfänglich war bereits
Glaube da, obwohl noch nicht bei allen; und in der Situation wäre
dann das Zitat die Ursache dafür gewesen, daß sie auseinandergin-
gen, ohne miteinander einig zu werden. Die eigene Absicht des
Lukas jedoch ist eine andere, und es zeigt sich, daß es ihm um den
doppelten Gesichtspunkt geht, den wir bereits in 13,46 entdeckten.

Die Tatsache, daß ein Teil der Juden das Evangelium annimmt,
bestätigt die von Gott gegebene und gehandhabte Priorität Israels
in der Zeit der Erfüllung. Darin kommt von Jerusalem bis Rom und
von den dreißiger Jahren bis um das Jahr 60 (implizit sicher auch
bis in die Zeit des Lukas) keine Veränderung. Die Tatsache aber,
daß ein anderer Teil Israels dieses Evangelium ablehnt, bestätigt
die Wahrheit, die in dem prophetischen Zeugnis über die zunehmende
Verhärtung Israels unter der Predigt der Propheten zum Ausdruck
gebracht war, zugleich aber auch die im ganzen Neuen Testament

anwesende Überzeugung, daß diese Verhärtung dem Evangelium den Weg
zu den Völkern hin geöffnet hatte [88].

4.7. Das Heil für die Welt

Das Buch der Apostelgeschichte beginnt in Jerusalem, und es
schließt in Rom. Lukas beschreibt den Weg des Evangeliums vom Zentrum Israels zur Hauptstadt des weltweiten Römischen Reiches, des
Reiches, das alle Völker umfaßte, die in der damaligen Zeit als
zivilisierte 'Ökumene' galten. Wenn Lukas ein besonderes Interesse
für die Haltung gehabt hätte, die Rom gegenüber dem aufkommenden
Christentum einnahm, dann hätte er seinen Bericht unmöglich ab-
schließen können, bevor der gefangene Apostel vor dem kaiserlichen
Tribunal erschienen war.

Das Zeugnis inmitten der Völker bis ans Ende der Welt hatte
Christus vor seiner Himmelfahrt den Jüngern aufgetragen (1,8); und
am Pfingsttage bekam dieses universale Zeugnis eine zumindest
symbolhafte Erfüllung, indem die in Jerusalem anwesenden Pilger
aus vielen Ländern als Vertreter der Völker von Asien, Afrika und
Europa galten, auch wenn sie selbst fast ausnahmslos Juden waren,
die nur inmitten der Völker wohnten. Bald aber sollte die zentri-
fugale Bewegung die Berichte beherrschen. In Kapitel 6 bekommt der
aus Diasporajuden bestehende Teil der Gemeinde zum ersten Mal die
Aufmerksamkeit. Ihre Glieder sollten die ersten sein, die das
Evangelium über die Grenzen Israels hinwegbrachten: Stephanus,
durch seine Predigt, in der die prophetische Kritik am Kultus in
Jerusalem nachdrücklich auf die eigene Zeit angewandt wurde (6,13;
7,47.53); Philippus, durch seine Predigt in Samarien und in seinem
Zeugnis gegenüber dem Hofbeamten aus dem Süden (8,5-8.26-39); und
dann die verfolgten Christen aus diesem Kreis, die das Evangelium
nach Damaskus, Zypern und Antiochien brachten (9,2; 11,19). Dort

---

88 Das Zitat aus Jes 6,9f ist uns nicht unbekannt. Es kommt erstmals vor im
Anschluß an das Gleichnis vom Sämann. Die Traditionsgeschichte ist zwar kompli-
ziert, inzwischen jedoch nicht unerheblich. Die kurze, deutende Aussage in Mt
13,13 und in Lk 8,10b geht anscheinend auf eine andere Überlieferung zurück als
Markus, der eine komprimierte Form von Jes 6,9f zitiert. Matthäus fügt dieses
Zitat in extenso , komplett mit einer Erfüllungsformel, seinem Vers 13 hinzu.
Lukas läßt die deutliche Anspielung auf das Prophetenwort, die er in Mk 4,12 vorfand, vorerst weg. Es läßt sich vermuten, daß er hier jeden Hinweis auf Jes 6 absichtlich vermieden hat und daß er ebenso absichtlich diesem Wort am Ende seines
Doppelwerkes einen Platz gab. Siehe für diese Frage und andere Beispiele dieser
redaktionellen Technik H.Baarlink, o.c. (Anm.31).

sollte dann auch sehr bald die Misssion unter den heidnischen Völkern beginnen.

Es ist bezeichnend für die Weise, auf die Lukas die Dinge erzählt, daß dabei die Kirche Jerusalems noch immer eine wichtige Rolle spielt. Sie sendet Vertreter nach Samarien (8,14) und Antiochien (11,22), um so den Weg des Evangeliums zu den Völkern hin zu legitimieren. Dasselbe Ziel scheint Lukas in den ausführlichen Berichten über Petrus in Cäsaräa im Hause des Kornelius zu verfolgen. Eineinhalb Kapitel werden damit gefüllt; der Auftrag zur Verkündigung des Evangeliums an die heidnischen Völker, durch Gott selbst in einer Vision wiederholt und verdeutlicht, wird zweimal in aller Ausführlichkeit erzählt, erst in Form einer Erzählung über das, was dem Petrus widerfuhr, danach in der Form eines Berichtes, den Petrus im Kreise der Urgemeinde gab. Diese ausführlich erzählten Geschichten stehen ausgerechnet zwischen den Abschnitten über die Bekehrung des Paulus (9,1-19a) und dessen erstes Wirken in Antiochien (11,19-26). Dadurch macht Lukas deutlich, daß, was die Mission unter den Völkern betrifft, die Initiative bei den versammelten Aposteln und bei der judenchristlichen Gemeinde in Jerusalem lag und daß es über diesen Missionsauftrag keine Meinungsverschiedenheiten gegeben hat. Der Apostelkonvent in Kapitel 15 liegt inhaltlich gesehen genau in der Verlängerung. Die entstandenen Schwierigkeiten, die als begrenzt beschrieben und durch Lukas ein wenig heruntergespielt werden, werden unter ihrer Leitung geregelt.

Damit geht dann aber auch die Rolle Jerusalems ihrem Ende entgegen. Zum Abschluß seiner zweiten Missionsreise fährt Paulus über Ephesus nach Cäsaräa; aber dann lesen wir nur: er "ging hinauf, grüßte die Gemeinde und ging nach Antiochien" (18,22); die Wörter "nach Jerusalem" sind in der Luterbibel sachlich richtig hinzugefügt; sie fehlen jedoch in den Handschriften. Man muß da schon zwischen den Zeilen lesen können, um zu wissen, daß Jerusalem gemeint ist [89]. So belanglos scheint der Platz der Urgemeinde dann zu sein. Am Ende der dritten Missionsreise ist Jerusalem zwar das ausgesprochene Ziel der Reise des Paulus; dort angekommen, verdrängen die Gerüchte um ihn und sein Evangelium jedoch die Freude

---

89 ἀναβάς = hinaufgehend ist die einzige Andeutung seines Besuches an Jerusalem. Mit "der Gemeinde" ohne nähere Bestimmung wird die Gemeinde von Jerusalem gemeint sein.

über den Segen des Herrn, von dem er erzählt (21,19-21); und wenn er kurz darauf gefangengenommen wird, wird die Gemeinde von Jerusalem nicht einmal mehr genannt. Man vergleiche nur dieses Schweigen mit dem, was in 4,23 und in 12,12-17 über sie erzählt wird. Es ist, als ob sie nicht mehr besteht. So sehr ist Lukas dabei, seine Erzählung zu komponieren nach dem Muster: das Evangelium auf dem Wege von Jerusalem nach Rom. Es sind also eher kompositorische Motive als historische Gründe, die diesem weitgehenden Schweigen über die Gemeinde von Jerusalem zugrunde liegen.

Hier ist es an der Zeit, am Ende noch einmal auf eine bemerkenswerte Reihe von Parallelen zwischen dem Evangelium und der Apostelgeschichte hinzuweisen. Paulus steht ganz und gar im Dienst seines Herrn, der ihn zum Zeugen für die Völker (9,15; 22,15.21; 26,16f) berufen hatte. Lukas bringt das dadurch zum Ausdruck, daß er den Weg des Paulus über Jerusalem nach Rom so erzählt, daß darin eine große Anzahl gleicher oder zumindest vergleichbarer Einzelheiten vorkommen. Auch in diesen Fällen gilt, daß die Reihenfolge weithin dieselbe ist; allerdings liegt es an der Art der Geschehnisse selbst, daß diese Übereinstimmung in der Reihenfolge nicht in allen Fällen hergestellt werden kann. Man vergleiche die beiden Reihen der folgenden Tabelle [90].

Lukas		Apostelgeschichte
9,51-52	Jesus / Paulus beschließot, nach Jerusalem zu ziehen.	19,21
9,52	Jesus / Paulus sendet Boten nach Samarian / Mazedonien.	19,22
9,53	Samarien weigert sich. In Ephesus entsteht Widerstand.	19,23-40
13,33	Jesus weiß, was ihn erwartet. / Der Heilige Geist bezeugt Paulus dasselbe; erstes Mal.	20,22-23
13,32	Jesus will erst sein WErk vollenden. / Paulus will seine Laufbahn vollenden.	20,24
21,8-12	Jesus / Paulus spricht über zukünftige Gefahren, interne wie externe.	20,29-30
21,36	Jesus ruft seine Jünger auf zur Wachsamkeit, / Paulus die Ältesten von Ephesus.	20,31a
passim	Jesus spricht mit seinen Jüngern, die ihm die ganze Zeit (drei Jahre?) gefolgt sind. / Paulus erinnert die Ältesten von Ephesus daran, daß er 3 Jahre in ihrer Mitte gearbeitet hat.	20,31b

90 Siehe Anm. 76.

13,31	Jesus / Paulus wird gewarnt, nicht nach Jeru-salem zu ziehen, <u>zweites Mal.</u>	21,4
18,31-33	Die dritte Leidensankündigung Jesu. / Agabus sagt Paulus Leiden in J.vorher, <u>drittes Mal.</u>	21,11
22,42	Dein Wille geschehe! / Der Wille des Herrn geschehe!	21,14
19,37a	Jesus / Paulus wird in Jerusalem empfangen.	21,18
19,37b-38	Menschen preisen Gott und Christus, den messi-anischen König. / Menschen preisen Gott wegen des Segens auf die Völkermission.	21,20
19,45-47	Jesus geht in den Tempel und tritt dort auf mit Vollmacht. / Paulus geht in den Tempel, um dem Gesetz zu genügen.	21,26
19,47a	Verschiedene Tage / Sieben Tage	21,27a
19,47b.	Man versucht, Jesus zu ergreifen. / Man ergreift Paulus.	21,27b
23,18	Hinweg mit diesem! / Weg mit ihm!	21,36
23,5.10.18.21.23	Die Feinde schreien, heftige Beschuldigungen, die Todesstrafe gefordert.	22,22-23
22,63; 23,22	Sie schlugen Jesus. / Sie geißelten Paulus.	22,25
22,66	Am folgenden Morgen wird Jesus / Paulus vor den Hohen Rat gestellt.	22,30
20,27-29	Jesus / Paulus gegenüber den Sadduzäern	23,6-9
23,4.14.22	Dreimal wird Jesus (durch Pilatus) / Paulus (durch Lysias, Festus und Agrippa) unschul-dig genannt.	23,29 25,25 26,31
23,6-12	Jesus vor Herodes / Paulus vor Agrippa II	25, 13-26.32
23,16	Pilatus: Ich will ihn ... losgeben. Agrippa: Er könnte freigelassen werden.	26,32
23,47	Sympathische Haltung des verantwortlichen Hauptmanns gegenüber Jesus / Paulus.	27,3.43

Wenn die beiden Berichte auf diese Weise nebeneinandergestellt werden, macht die konsequente und konsistente Übereinstimmung zwischen ihnen gewiß großen Eindruck. Paulus geht nicht anders als Jesus gefaßt und opferbereit seiner Gefangenschaft entgegen. Ohne daß Paulus dies selbst hätte planen können - er hatte auf den Gang der Dinge doch keinen nennenswerten Einfluß - , führte Gott den Weg dieses seines Dieners so, daß darin der Leidensweg Christi den Weg seines Zeugen bestimmte. Die Wege gehen erst dort auseinander, wo Jesus durch Pilatus in die Hände der jüdischen Leiter gegeben wird, die seinen Tod fordern. Demgegenüber wird Paulus vor ihren Mordplänen bewahrt; zuerst in Jerusalem, wo er sich auf sein römi-

sches Bürgerrecht beruft (22,25) und indem sein Neffe eine Ver-
schwörung gegen ihn vereiteln kann (23,16-22), später in Cäsaräa,
wo er als römischer Staatsbürger von seinen Rechten Gebrauch macht
und sich auf den Kaiser beruft (25,11). Anders als Jesus durfte
Paulus für sein eigenes Recht eintreten. Während der von Gott
beschlossene Weg für Jesus der Weg zum Kreuz war (Lk 13,33; 18,31-
33; 22,22.37), kommen in der Apostelgeschichte immer wieder Aussagen vor, in denen der Weg des Paulus als Weg zu den Völkern beschrieben wird, wenn auch inmitten von vielen Bedrohungen (9,15;
22,15.21; 23,11; 26,16f). Von Apg 1,1 her könnten wir es auch so
formulieren: Jesus, der sein Werk und seine Predigt angefangen
hatte, würde zuvor selbst den Weg zum Kreuz gehen müssen; aber
derselbe Jesus würde als der Auferstandene und Erhöhte sein Werk
fortsetzen. Zusammen mit seinen Zeugen würde er wiederum unterwegs
sein, von Land zu Land, als der Begleiter seiner Zeugen und der
Herr seiner Gemeinde.

Hierdurch wird schließlich auch der eindrucksvolle Schluß der
Apostelgeschichte bestimmt. Einerseits ist Paulus ein Gefangener,
ein Mann in Ketten (28,20); andererseits werden bestimmte Teile
seiner Reise so erzählt, als ob es sich bei ihm um eine angesehene
und hochrangige Person handelt. Auf der Insel Malta z.B. erfährt
er die besondere Fürsorge der Einwohner; er wird behütet vor dem
Gift der Schlange; er wird empfangen auf dem Landgut des Komman-
danten; er bleibt dort drei Tage und genießt dessen Gastfreund-
schaft; er tritt dort auf, um den Vater des Publius und andere
Kranke zu heilen; er wird immer bekannter und erfährt von den
Einwohnern große Ehre; und beim Abschied werden sie mit Geschenken
überhäuft (28,1-11). Ein wenig später kommen sie in Puteoli an;
dort wird er von den örtlichen Christen eingeladen, eine Woche bei
ihnen zu bleiben (V.13f), als ob ein Gefangener so ohne weiteres
eine Einladung annehmen könnte.

Lukas will anscheinend sagen: Die Ketten des Paulus sind nur
Nebensache. Daß er als Gesandter seines Herrn die Hauptstadt des
Imperium Romanum erreicht, das allein ist entscheidend. Und der
Soldat, der ihn dort in Rom in seiner eigenen, gemieteten Wohnung
bewachen muß, tut das alles so unauffällig, als sei er sein Leib-
wächter (V.16 und 30).

So kommen wir zu den letzten Versen und den letzten zwei Wör-
tern, mit denen Lukas den Reisebericht und zugleich das ganze Buch

abschließt. Paulus tut dort in Rom sein Werk als Zeuge seines Herrn und als Prediger des Reiches Gottes m i t a l l e m F r e i m u t und u n g e h i n d e r t . Wir haben inzwischen Lukas mit seiner meisterhaften Beherrschung der Sprache und des Stiles sowie mit seinem entwickelten Gefühl für kompositorische Feinheiten näher kennengelernt. Darum dürfte hier eine Folgerung erlaubt sein: Wir dürfen das letzte Wort aus der Apostelgeschichte mit dem ersten Ereignis verbinden, über das dieses Buch berichtet, und weiter das zweitletzte Wort am Ende mit der zweiten Geschichte am Anfang. Dann spannt sich ein doppelter Bogen über diesen zweiten Teil des lukanischen Werkes. Weil Christus gen Himmel gefahren ist und als König zur Rechten Gottes sitzt, kann Paulus im Zentrum der Völkerwelt ohne irgendeine Behinderung als Zeuge auftreten. Sein Herr nimmt alle Behinderungen weg. Und weil der Heilige Geist ausgegossen ist, allererst auf die von Christus berufenen Zeugen, deshalb kann er mit allem Freimut das Evangelium verkündigen. In seinem mutigen und unerschrockenen Auftreten wirkt sich der Pfingstgeist aus.

Auf diese Weise bezeugt Lukas, indem er dies alles erzählt, eine in dieser Hinsicht realisierte Eschatologie. Er berichtet von dem Heil Gottes gegen den Hintergrund und Horizont der ganzen Welt, von der Gegenwart des Gottesreiches in Jerusalem und in Rom, inmitten des Volkes Israel und der heidnischen Völker, und dies alles trotz vielfältiger Feindschaft und trotz klirrender Ketten. Wohin je ein Zeuge dieses Herrn verschlagen wird, sei es auch als Schiffbrüchiger an den Strand von Malta oder als Gast in die Villa eines Publius, da wird etwas sichtbar von dem Heil, das in Jesu Erdenzeit, aber auch nach Ostern und Pfingsten in dieser Welt eine Wirklichkeit ist, die für den Glauben nicht mehr übersehen werden kann und die sich der ganzen Welt erschließen will.

Literaturverzeichnis

Ambrozic,A., St Mark's concept of the Kingdom of God, Würzburg, 1970.

Baarlink,H., Anfängliches Evangelium, Ein Beitrag zur näheren Bestimmung der theologischen Motive im Markusevangelium, Kampen 1977.

- , - Zur Frage nach dem Antijudaismus im Markusevangelium, ZNW 70, 1979, 166-193.

- , - Ein gnädiges Jahr des Herrn - und Tage der Vergeltung, ZNW 73, 1982, 204-220.

- , - Friede im Himmel, Die lukanische Redaktion von Lk 19,38 und ihre Deutung, ZNW 76, 1985, 170-186.

- , - Vrede op aarde, De messiaanse vrede in bijbels perspectief, (Ex St 2), Kampen 1985.

Bacon,B.W., The 'five books' of Matthew against the Jews, The Expositor, 15, 1918, 56-66.

Balz,H.R., EWNT II, 1229-1233, s.v. οἰκουμένη.

Barret,C.K., Stephen and the Son of Man, in: Apophoreta, FS für E.Haenchen, BZNW 30, Berlin 1964, 32-38.

Barth,G., Das Gesetzesverständnis des Evangelisten Matthäus, in: G.Bornkamm, G.Barth, H.J.Held, Überlieferung und Auslegung im Matthäusevangelium, Neukirchen 7,1975, 54-154.

Bauernfeind,O., Die Worte der Dämonen im Markusevangelium, Stuttgart 1927.

Becker,U., ThBNT I, 295-301, s.v. εὐαγγέλιον.

Beus, Ch. de, Komst en toekomst van het Koninkrijk, Heemstede 1979.

Bornkamm,G., RGG[3] II, 753-766, s.v. synoptische Evangelien.

- , - Jesus von Nazareth, Stuttgart 3,1959.

- , - Enderwartung und Kirche im Matthäusevangelium, in: G.Bornkamm, G.Barth, H.J.Held, Überlieferung und Auslegung im Matthäusevangelium, Neukirchen 7,1975, 13-47.

- , - Der Lohngedanke im Neuen Testament, in: Studien zu Antike und Urchristentum, München 1970, 69-92.

Braun,H., Jesus, Tübingen 1951.

Bultmann,R., Jesus, Tübingen 1951.

- , - Theologie des Neuen Testaments, Tübingen 1953.

- , - Ist die Apokalyptik die Mutter der christlichen Theologie? in: Exegetica, Tübingen 1967, 476-482.

- , - Geschichte der synoptischen Tradition (1921), Göttingen 8,1970.

Burchard,Chr., Der dreizehnte Zeuge, Göttingen 1970.

Burger,Chr., Jesu Taten nach Matthäus 8 und 9, ZThK 70,1973, 272-287.

Cadbury,H.J., The style and litterary method of Luke, Cambridge 1920.

- , - The making of Luke-Acts (1927), London 2,1968.

- , - 'Acts and Eschatology', in: The background of the New Testament, FS für Ch.H.Dodd,Cambridge 1956, 300-321.

Colpe,C. ThWNT VIII, 403-482, s.v. υιος του ανθρωπου.

Conzelmann,H., Theologie als Schriftauslegung, München 1974.

- , - Die Mitte der Zeit, Tübingen 6,1977.

Cope,O.L., Matthew, a scribe trained for the kingdom of God, Washington 1976.

Coppens,J., Les Logia du Fils de 'lhomme dans l'Évangile de Marc, in: M.Sabbe (Hrsg.), L'Évangile selon Marc, Tradition et rédaction, Gembloux 1974, 487-528.

- , - La relève apocalyptique du messianisme royal, in: Le Fils de l'homme Néotestamentaire, Leuven 1981.

Cranfield,C.E.B., St.Mark 13, ScJTh 6,1953, 189-196, 287-303 und 7,1954, 284-303.

Cullmann,O., Parusieverzögerung und Urchristentum (1958), in: Aufsätze 1925-1962, Tübingen-Zürich 1966, 427-444.

- , - Das ausgebliebene Reich Gottes als theologisches Problem (1961), in: idem dito, 445-455.

Dalman,G., Die Worte Jesu, Leipzig 2,1930.

Danker,F.W., Luke 16,16 - An opposition logion, JBL 77, 1958, 231-243.

Delling,G., ThWNT VI, 285-296, s.v. πληρόω.

Dinkler,E., Petrusbekenntnis und Satanswort, in: Zeit und Geschichte, FS für R.Bultmann, Tübingen 1964, 127-153.

Dobschütz,E. von, Matthäus als Rabbi und Katechet, ZNW 27, 1928, 338-348 (jetzt auch in: J.Lange (Hrsg.), Das Matthäusevangelium, W.d.F. 525, Darmstadt 1980, 52-64).

Dodd,Ch.H., Matthew and Paul, in: New Testament Studies, Manchester 3,1967, 53-66.

- , - The fall of Jerusalem and 'the Abomination of Desolation', in: More New Testament Studies, Manchester 1968, 69-82.

Dömer,M., Das Heil Gottes, Studien zur Theologie des lukanischen Doppelwerkes, Köln-Bonn 1978.

Drury,J., Tradition and Design in Luke's Gospel, London 1976.

Dupont,J., L'après-mort dans l'oevre de Luc, Rel.Theol.Louv. 3, 1972, 3-21.

- , - Die individuelle Eschatologie im Lukasevangelium und in der Apostelgeschichte, in: Orientierung an Jesus, FS für J. Schmid, Freiburg 1973, 37-47.

Ebeling,G., Theologie und Verkündigung, Tübingen 2,1963.

Ernst,J., Herr der Gemeinde, Perspektiven der lukanischen Eschatologie, Stuttgart 1978.

Flender,H., Heil als Geschichte in der Theologie des Lukas, München 1968.

Flusser,D., Sanctus und Gloria, in: Abraham unser Vater, FS für O. Michel, Leiden 1963, 129-152.

Frankemölle,H., Friede und Schwert, Frieden schaffen nach dem Neuen Testament, Mainz 1983.

Friedrich,G., EWNT I, 860-867, s.v. δύναμις.

Fuller,R.H., The New Testament in current studies, New York 1962.

Geiger,R., Die lukanischen Endzeitreden, Bern-Frankfurt 1973.

Goppelt,L. Theologie des Neuen Testaments I, Göttingen 1975.

- , - Theologie des Neuen Testaments II, Göttingen 1976.

Gräßer,E., Das Problem der Parusieverzögerung in den synoptischen Evangelien und in der Apostelgeschichte, Berlin 2,1960.

Grundmann,W., Die Arbeit des ersten Evangelisten am Bilde Jesu (1940), in: J.Lange (Hrsg.), Das Matthäusevangelium, W.d.F. 525, Darmstadt 1980, 73-100.

- , - ThWNT IX, 518-576, s.v. χρίω.

Gundry,R.H., The use of the Old Testament in ST. Matthew's Gospel, Leiden 1967, 172-178.

Haenchen,E., Die Apostelgeschichte (KEK), Göttingen 10,1956.

Hahn,F., Christologische Hoheitstitel, Göttingen 2,1964.

- , - Die Nachfolge Jesu in vorösterlicher Zeit, in: Anfänge der Kirche, Evang. Forum 8, ed.P.Rieger, Göttingen 1967, 7-36.

- , - Die alttestamentlichen Motive in der urchristlichen Abendmahlsüberlieferung, Ev Th 27, 1967, 337-374.

- , - Methodische Überlegungen zur Rückfrage nach Jesus, in: K.Kertelge (Hrsg.), Rückfrage nach Jesus, Freiburg 1974, 11-77.

Harder,G., Das eschatologische Geschichtsbild der sog. kleinen Apokalypse Markus 13, Th Viat 4, 1952-53, 71-107.

Hare,D. und Harrington,D., "Make Diciples of All the Gentiles" (Mt 28:19), CBQ 37, 1975, 359-369.

Hasler,V., EWNT I 1980, 579-581 s.v. γενεά.

Hauck,F., ThWNT V, 741-759, s.v. παραβολή.

Held,H.J., Matthäus als Interpret der Wundergeschichten, in: G.Bornkamm, G.Barth, H.J.Held, Überlieferung und Auslegung im Matthäusevangelium, Neukirchen 7,1975, 155-287.

Higgins,A.J.B., The Son of Man concept and the historical Jesus, in: Studia Evangelica V, Berlin 1968, 14-20.

- , - Is the Son of Man problem insolluble? in: Neotestamentica et Semitica, FS für M.Black, Edinburgh 1969, 70-87.

- , - 'Menschensohn' oder 'Ich' in Q, Lk 12,8-9/Mt 10,32-33? in: A.Vögtle (Hrsg.), Jesus der Menschensohn, Freiburg 1975, 117-123.

Hooker,M.D., The Son of Man in Mark, London 1967.

Hoffmann,P., Die Versuchungsgeschichte in der Logienquelle. Zur Auseinandersetzung der Judenchristen mit dem politischen Messianismus, BZ NF 19, 1969, 207-223.

- , - Studien zur Theologie der Logienquelle, Münster 1972.

Horstmann,M., Studien zur markinischen Christologie, Münster 1969.

Hummel,R., Die Auseinandersetzung zwischen Kirche und Judentum im Matthäusevangelium, München 1963.

Jeremias,J., Der gegenwärtige Stand der Debatte um das Problem des historischen Jesus, in: H.Ristow und K.Matthiae (Hrsg.), Der historische Jesus und der kerygmatische Christus, Berlin 3,1962, 12-25.

- , - Die Gleichnisse Jesu, Göttingen 6,1962.

- , - Die Bergpredigt, in: Abba, Studien zur neutestamentlichen Theologie und Zeitgeschichte, Göttingen 1966, 171-189.

- , - Die ältere Schicht der Menschensohnlogien, ZNW 58, 1967, 159-172.

- , - Neutestamentliche Theologie I, Gütersloh 1971.

- , - ThWNT I, 7-9, s.v. Ἀβραάμ.

- , - ThWNT II, 933-936, s.v. Ἠλίας.

- , - ThWNT III, 218-221, s.v. Ἰερεμίας.

Käsemann,E., Das Problem des historischen Jesus, in: Exegetische Versuche und Besinnungen I, Göttingen 1964, 187-214.

Keck,L.E., A future for the historical Jesus, Nashville-New York 1971.

Kilpatrick,G.D., The origins of the Gospel according to St. Matthew, Oxford 1950.

Kingsbury,J.D., Matthew, Structure, christology, kingdom, London 1976.

Klappert,B. und Starck.H. (Hrsg.), Umkehr und Erneuerung, Erläuterungen zum Synodalbeschluß der Rheinischen Landessynode 1980.

Klausner,J., Jesus of Nazareth, London 2,1947.

Klostermann,E., Das Markusevangelium (HNT), Tübingen 5,1971.

Knigge,H.D., The meaning of Mark, Int 22, 1968, 53-70.

Kraus,H.J., Gottesdienst in Israel, München 1962.

Kuhn,H.W., Ältere Sammlungen im Markusevangelium, Göttingen 1971.

Kümmel,G.W., Futurische und präsentische Eschatologie im ältesten Urchristentum, NTS 5, 1958-59, 113-126.

- , - Die Naherwartung in der Verkündigung Jesu, in: Zeit und Geschichte, FS für R.Bultmann, Tübingen 1964, 31-46.

- , - 'Das Gesetz und die Propheten gehen auf Johannes' - Lukas 16,16 im Zusammenhang der heilsgeschichtlichen Theologie der Lukasschriften, in: Verborum veritas, FS für G.Stählin, Wuppertal 1970, 89-102.

- , - Lukas in der Anklage der heutigen Theologie, ZNW 63, 1972, 149-165.

- , - Das Verhalten Jesu gegenüber und das Verhalten des Menschensohnes, in: A.Vögtle (Hrsg.), Jesus der Menschensohn, Freiburg 1975, 210-224.

Lambrecht,J., Die Redaktion der Markus-Apokalypse, Rom 1967.

Lapide,P.E. Der Rabbi von Nazareth, Trier 1974.

Legasse,S., L'antijudaisme dans l'Évangile selon Matthieu, in: M. Didier (Hrsg.), L'Évangile selon Matthieu, Rédaction et Théologie, Gembloux 1972, 417-428.

Lentzen-Deis,F., Kriterien für die historische Beurteilung der Jesusüberlieferung in den Evangelien, in: K.Kertelge (Hrsg.), Rückfrage nach Jesus, Freiburg 1974, 78-117.

Leon-Dufour,X., Les évangiles et l'histoire de Jesus, Paris 1963.

Leroy,H., Jesus, Darmstadt 1978.

Lessing,G.E., "Von dem Zwecke Jesu und seiner Jünger." Noch ein Fragment des Wolfenbütteler Ungenannten, Braunschweig 1778.

Lindijer,C.H., De armen en de rijken bij Lucas, 's Gravenhage 1981.

Lührmann,D., Die Redaktion der Logienquelle, Neukirchen 1969.

Luz,U., Das Zukunftsbild der vormarkinischen Tradition, in: Jesus Christus in Historie und Verkündigung, FS für H.Conzelmann, Tübingen 1975, 347-374.

Maddox,R., The purpose of Luke-Acts, Edinburgh 1982.

Marshall,I.H., Luke - Historian and Theologian, Exeter 2,1979.

Marxsen,W., Der Evangelist Markus, Göttingen 1959.

Meier,J.P., The vision of Matthew, New York 1979.

Meinertz,M., 'Dieses Geschlecht' im Neuen Testament, BZ NF 1, 1957, 283-289.

Michel,O., Der Abschluß des Matthäusevangeliums, Ev Th 10, 1950, 16,26; jetzt in: J.Lange (Hrsg.), Das Matthäusevangelium, w.d.F. 525, Darmstadt 1980, 119-133.

Morgenthaler,R., Statistische Synopse, Zürich 1971.

Mußner,F., Die Mitte des Evangeliums in neutestamentlicher Sicht, Catholica 15, 1961, 271-292.

- , - Was lehrte Jesus über das Ende der Welt? Freiburg 2,1963.

Nickle,K.F., The Synoptic Gospels, Atlanta 1981.

Nolan,A., Jesus before christianity. The gospel of liberation, London 2,1980.

Pagels,E. De gnostische evangelien, Amerongen 1980.

Perrin,N., Was lehrte Jesus wirklich? Göttingen 1972.

Pesch,R., Naherwartungen, Tradition und Redaktion in Markus 13, Düsseldorf 1968.

- , - Das Markusevangelium I (Herder), Freiburg 1976.

- , - Das Markusevangelium II (Herder), Freiburg 1977.

Rad, G.von, Theologie des Alten Testaments II, München 1960.

Rau,G., Das Volk in der lukanischen Passionsgeschichte, ZNW 56, 1965, 41-51.

Rehkopf,F., Grammatik des neutestamentlichen Griechisch, Göttingen 14,1975.

Ridderbos,H.N., De strekking der bergrede naar Mattheüs, Kampen 1936.

- , - De komst van het Koninkrijk, Kampen 1950.

- , - Mattheüs I (KV), Kampen 2,1952.

Riesenfeld,H., Tradition und Redaktion im Markusevangelium, in: Neutestamentliche Studien, FS für R.Bultmann, Berlin 1957, 157-164.

Riesner,R., Jesus der Lehrer, Tübingen 1981.

- , - Der Ursprung der Jesusüberlieferung, Th Z 38, 1982, 493-513.

Roloff,J., Die Apostelgeschichte (NTD), Göttingen 17,1981.

Rothfuchs,W., Die Erfüllungszitate des Matthäusevangeliums, Stuttgart 1969.

Sandmel,S., We Jews and Jesus, London 1965.

Schillebeeckx,E., Jesus, het verhaal van een levende, Bloemendaal 2,1974.

Schlatter,A., Die Geschichte des Christus, Stuttgart 3,1977.

Schmithals,W., Das Evangelium nach Lukas (ZBK), Zürich 1980.

Schnackenburg,R., Der eschatologische Abschnitt Lk 17,20-37, in: Schriften zum Neuen Testament, München 1971, 220-243.

Schneider,G., Parusiegleichnisse im Lukas-Evangelium, Stuttgart 1975.

- , - Die Apostelgeschichte 1.Teil (Herder), Freiburg 1980.

Schniewind,J., Das Evangelium nach Matthäus, (NTD), Göttingen, 5,1950.

Schoon,S., Christelijke presentie in Israel, Kampen 1982.

Schrage,W., ThWNT VII, 798-839 s.v. συναγωγή.

Schubert,K., Kritik der Bibelkritik, dargestellt an Hand des Markusberichtes vom Verhör Jesu vor dem Synhedrion (1972), in: M.Limbeck (Hrsg.), Redaktion und Theologie des Passionsberichtes nach den Synoptikern, (W.d.F. 481), Darmstadt 1981, 316-338.

Schulz,S., Die Stunde der Botschaft, Hamburg-Zürich, 2,1970.

- , - Q - die Spruchquelle der Evangelisten, Zürich 1972.

Schweitzer,A., Geschichte der Leben-Jesu-Forschung, Tübingen 2,1913; jetzt in der Ausgxabe von J.M.Robinson, Siebenstern-Taschenbuch, München-Hamburg 1966.

Schweizer,E., Das Evangelium nach Markus (NTD), Göttingen 12,1968.

- , - Das Evangelium nach Matthäus (NTD), Göttingen 14,1976.

Sevenster,G., De Christologie van het Nieuwe Testament, Amsterdam 2,1948.

Slingerland,H.D., The transjordanian origin of St. Matthew's Gospel, Journal for the study of the T.N. 3, 1979, 18-28.

Stegemann,H., 'Die des Uria', in: Tradition und Glaube, FS für K.G.Kuhn, Göttingen 1971, 246-276.

Stein,R.H., The method and message of Jesus' teaching, Philadelphia 1978.

Stendahl,K., Quis et unde? An analysis of Mt 1-2, in: Judentum - Urchristentum - Kirche, FS für J.Jeremias, BZNW 26, Berlin 1960, 94-105. Jetzt in: J.Lange (Hrsg.), Das Matthäusevangelium , (W.d.F-525), Darmstadt 1980, 296-311.

- , - The school of Matthew and its use of the Old Testament, Uppsala 2,1969.

Strecker,G., Der Weg der Gerechtigkeit, Göttingen 1962.

- , - EWNT II, 173-176, s.v. εὐαγγελίζω.

Stuhlmacher,P., Das paulinische Evangelium, I. Vorgeschichte, Göttingen 1968.

- , - Schriftauslegung auf dem Wege zur biblischen Theologie, Göttingen 1975.

- , - Existenzvertretung für die vielen: Mk 10,45 (Mt 20,28), in: Versöhnung, Gesetz und Gerechtigkeit, Aufsätze zur biblischen Theologie, Göttingen 1981, 27-42.

Talbert,Ch.T., Luke and the Gnostics, Nashville-New York 1966.

- , - Die antidoketische Frontstellung der lukanischen Christologie, in: G.Braumann (Hrsg.), Das Lukasevangelium (W.d.F.280), Darmstadt 1974, 354-377.

- , - Litterary patterns, theological themes and the genre of Luke-Acts (Soc.of Bibl.Lit.), Scholar Press 1974.

Tödt,H.E., Der Menschensohn inder synoptischen Überlieferung, Gütersloh 2,1963.

Tolbert,M., Die Hauptinteressen des Evangelisten Lukas, in: G.Braumann (Hrsg.), Das Lukas-Evangelium (W.d.F.280), Darmstadt 1974, 337-353.

Trilling,W., Das wahre Israel, München 3,1964.

Troeltsch,E., Über historische und dogmatische Methode in der Theologie, in: Gesammelte Schriften II, Tübingen 1922, 729-753.

Unnik,W.C.van, Die Apostelgeschichte und die Häresien, in: Sparsa collecta I, Leiden 1973, 402-409.

- , - Luke-Acts, A storm Center in Contemporary Scholarship, in: L.E.Keck and J.L.Martyn (Hrsg.), Studies in Luke-Acts, FS für P.Schubert, London 3,1978, 15-32.

Vermes,G., Jesus the Jew, Fontana 2,1977.

Vielhauer,Ph., Zum Paulinismus' der Apostelgeschichte, Ev Th 10, 1950-51, 1-15.

- , - Gottesreich und Menschensohn in der Verkündigung Jesu, in: Aufsätze zum N.T., München 1965, 55-91.

Vögtle,A.(Hrsg.), Jesus der Menschensohn, Freiburg 1975.

Volz,P., Die Eschatologie der jüdischen Gemeinde, Tübingen 2,1934.

Walker,R., Die Heilsgeschichte im ersten Evangelium, Göttingen 1967.

Weder,H., Die Gleichnisse Jesu als Metaphern, Göttingen 1980.

Weiß,J., Die Predigt Jesu vom Reiche Gottes (1903), Göttingen 1967.

Westermann,C., Alttestamentliche Elemente in Lk 2,1-20, in: Tradition und Glaube, FS für K.G.Kuhn, Göttingen 1971, 317-327.

- , - Genesis, Teil 3 (BK AT), Neukirchen 1982.

Wink,W., John the Baptist in the Gospel Tradition, Cambridge 1968.

Wolff,H.W., Dodekapropheton 2, Joel und Amos, (BK AT), Neukirchen 1969.

Wrede,W., Das Messiasgeheimnis in den Evangelien (1901), Göttingen 4,1969.

Zmijewski,J., Die Eschatologiereden des Lukasevangeliums, Bonn 1972.

- , - EWNT I, 502-504, s.v. βδέλυγμα.

Stellenregister

A. Altes Testament

Genesis
12,3	79
47,29-49	168
49,1	167

Exodus
7,4	132
8,15	132
9,3	132
9,16	45
31,18	132

Leviticus
1,3	129
17,4	129
19,5	129
22,19	129
25,10	129

Numeri
14,22	71
24,14	167

Deuteronomium
30,4	63
32,5	64

Josua
2,19	92
23,1-24	168
23,30	168

1.Samuel
1,11	125
1,17	125
1,27	125
2	142
2,5	125
2,10	125
12,1-25	168

Psalmen
8,3	73
8,5	14
54,3	45
78,2	82,84,87
,8	64

95,10	64

Jesaja
2,2	167
5,1-7	23
6,3	126
6,9	48,103,175
	176,178
7,14	78,82
8,23	83
8,23-9,1	82,84,100
11,1.10	23
13,10	62
29,13	103
29,18	18,137
34,4	62
35,5f	18
35,6	137
40	130
40,1-11	34
40,3-5	36,126
40,3	34,126,129
40,9-11	35
40,9	13
40,10	36
40,11	36
42	83
42,1-4	23,82,84,86
42,4	102
52,7	34,35,130
52,9	36
53,4	82,84
56,1	36
56,7	89,129
58,6	129,137
60,7	129
61	127,129
61,1f	137,166
61,1	18,128,130,132
61,2	160
62,11	73,88,89

Jeremia
31,15	82
34,8-22	129

Ezechiel
3,12	126
8,3	132
24,23	21
37,24	22

Daniel
7,13	14,16,26,27,43
	51,63
7,14	109
7,18	27
7,27	27
9,27	57
9,31	160
11,31	57
12,7	65
12,11	57,160

Joel
1,15	65
2,1	65
3,1-5	62,127,166
4,14	65

Micha
4,1	167
5,1	22,78,82f,87
5,3	22

Zephanja
1,14f	62

Sacharja
9,9	73,82f,88f
9,10	88
11,12	82

Maleachi
3,1	34
3,23	12

B. Neues Testament

Matthäus		,43	84	,36	21,84,102
1,16	78	,44	117		103,115
,17	79	,46	117	,37	102
,18	78	,48	84,100	10,2	102
,20	78	6,1-18	76,90,100	,5	22,71,96
,21	78,87,92,100		117	,6	92
	106,115	,1-6	68	,7	71f,76,78,85
,22	81	,9-13	100	,8	71
,23	82	,16-18	68	,12	102
2,2	78,92	,19	111	,13	102
,3	80,89,100	,25-34	116	,14-16	94
,4	78	,32	96	,16	71,90,100,102
,5	81	,33	76	,17-22	71,119
,6	22,82f,88,92	7,1	107	,21-23	102
,8	100	,3	111	,23	27,90,92,97
,11	100	,6	68,111	,24	19,112
,15	81,82	,13-20	100	,25	71,90,102
,17	12,82	,15	111	,26	102
,18	82	,16-20	116	,28	84,151,152
,20	92	,17-20	112	,32	16,102,107,112
,21	92	,18	26	,34-36	102
,23	81,82	,21-27	107	,37	112
3,1-6	93	,21	26,111,114	,39	112
,2	72,76,78	,22	114	,40	71
,7-10	89,107	,23	112	,41	112
,7	93	,24-26	112	,42	102,104,112
,8	116	,28	69,81	11,1	69,78
,9	22,94,100	8,9	11	,2-5	85
,10	116	,10	90.92	,2	78
,15	17,84	,11	94,100,103,116	,5	17,18,71,130
4,8-10	16		117	,11-15	76
,13-17	84	,12	22,146	,11	77
,13	83	,17	81,82,83	,12	19,77
,14	32,81,84	,19	97	,14	12
,15	82,83,96,115	,21	97	,15	102
,16	100	,23	101,102	,16-19	90,102
,17	71,72,76,100	,27	101,102	,16	93
,23	70,75,78,85	9,3	88	,19	13
	100	,4	90,102	,20-27	133
5,3-37	68	,6	101	,20-24	90,94
,3-11	76,87	,8	11	,21-24	7
,7	116	,9-13	94,101	,21	102
,10	76,90	,13	84	,25-27	102
,11	16,76,90,100	,14-17	101	,28-30	68
,12	117	,14	102	,28	102,115
,13-16	100	.17	107	,30	103
,17	17,84	,26	87	12,7	84
,19	117	,27	88	,14	91
,20	76,90,100	,33	92,102	,15-21	82
,21-48	76,90,100	,34	7,71,102	,15	83,85
,22	12	,35	70,75,78,85	,16	103
,39-42	84		100	,18	96

,19	103	,28-31	72	,2	115
,21	96	15,8	93,103	,15	117
,23	88	,13	94	,19	96
,24-27	71	,22	88	,20-28	105
,24	7	,24	22,71,88,92	,25	96
,27	132		103	,28	84,115
,28	18,20,77	,28	72	,29-34	73
,31	94	,29-31	88	,30	88
,33	116	,31	72,92	21,1-27	73
,34	94	,38	72	,2	73,83
,37	94	16,1-14	72	,3	83
,41	12,93,94	,1	93	,4	81
,42	12	,4	72	,5	73,82,111
,45	20	,6	93	,7	73,83
13,3-9	112	,11	93	,8	93
,3	113	,12	93	,9	73,89
,6	113	,13-20	77,87	,13	89
,7	113	,16-18	72,78	,14-16	73
,8	116	,17-19	87	,15	73
,10-17	112	,18	21,104	,16	73
,11	20,86,91	,20	85	,18-22	110
,13	178	,27	107,108	,23	95
,15	93,103	17,2	72	,28-32	67,73,95
,16	103,133	,7	72		105,108,110
,17	113	,20	72	,28	26
,19	86	,24-27	68,72,104f	,32	84,95
,24-30	19,24,68,77	18,3	107	,33-46	95,108
	86,91,108,114	,7-9	107	,34	116
,26	116	,12-14	104,107	,38	91
,30	94,107	,14	105	,39	91
,31	19	,15-35	105	,41-46	92
,33	19	,17	21,91,104	,41-44	73,105,110
,34	113	,21	105	,41	23,26,95,99
,35	81,82,84,86	,23-35	108		116
,36-52	68	,25-35	105	,43	23,95f,99,116
,36-43	21,77,86	,27	115	,45	95
	108,114	,28	115	,46	91,93
,38	86,91,94,103	,32-35	107	22,1-14	23,65,95,108
	109,112	,33	116	,1-10	110
,39	81	19,1-12	105	,5	91
,40	81	,1	69,83	,6	91,95
,41	26,94,97,107	,3	91	,7	95
,43	86	,13-15	73,105	,9	20
,44	19	,16-26	105	,10	117
,45	19	,16-22	73	,11-14	73,110
,47-50	19,21,24	,16	91,117	,28	117
	77,108,112	,21	91	,30	117
,49	24,81,94,107	,23-30	73	,37-40	73,105
,51	86	,27-30	105	,37	91
,52	77,92	,28	26,63,92,97	,41-46	77
,53	69,97		107,117	,41	80
14,1	67	,29	108	23,1-39	113
,13-21	103	,30	108	,1-12	119
,14	84,115	20,1-16	67f,105,108	,2-7	105
,21	72	,1-12	73	,8-12	105

- 194 -

,13 95
,33 95
,34 97
,35 95
,36 93
,37-39 92
,37 89,95
24,3 81,119
,5 120
,7 96
,9 96,118,119
,10-12 114,118f
,13 119,152
,14 97,119,120
,15-22 120
,26 120
,27 97
,29-31 120
,30 74,120
,31 120
,33-35 121
,36 120
,37-41 26,121
,37-39 74,107,113
,40-42 74,113
,42-44 156
,42 121
,43 121
,45-51 74,105,156
,48-51 113
,48 156
25,1-13 27,105,108
113,121
,1-11 156
,1 107
,10-12 107
,14-30 105,108,113
121
,14 153
,15 157
,19-30 107
,19 153
,31-46 106,107,114
117
,31 26,107
,32 97,109,114
,34 86,117
,35 26
,44 114
,46 114
26,1 69
,5 93
,11 139
,13 106
,26-29 106

,28 115
,29 86,107
,31 21,106
,39 16
,42 16
,44 16
,47 92
,53 16
,54 17,81
,55 92
,56 81
,63 77
,64 26,74,97,107
27,3-10 74
,9 12,81,82,92
,10 82
,11 92
,17 80
,19 74,92
,20 92
,22 80
,24 92
,25 74,92,93,106
119
,29 92
,37 92
,40 16
,42 80,92
,45 74
,51-53 74
,53 117
,54 74
,57 97
,62-66 67,68
28,11-15 68,92
,18-20 68,98
,19 96,97,98,114
,20 81

Markus
1,1 31,130
,2-15 33
,2-6 93
,2 39
,3 126,129
,7 33
,7 33
,8 90
,10 33
,12 33
,14 33,37,38,39,69
81,84,166
,15 17,20,32,36,76
,22 39,40
,23-28 11,47,48,85

,24 41
,25 48
,26 40
,27 39,40
,30-31 47
,32-34 47,48,84,85
,34 48
,38 132
,40-45 47
2,1-3,6 42
,1-12 41,47
,7 13
,10 15,42,51
,12 39
,13-17 13,42,94
,19 20,53
,27 12
,28 15,44,51
3,1-6 47
,6 37
,7-12 47,48,84,85
,12 48
,13 21
,19 38
,22 7
4,1-20 56
,1 69
,3-9 54
,10-12 48
,10 86
,11 20,86
,12 178
,13 86
,15-19 54
,20 54
,26-29 36,37,86
,26 54
,30-32 37
,33 84
,34 86
,35-41 47
,40 101
,41 11,39
5,1-20 47,85
,1 83
,13 20
,21-25 47
,25-34 47
,35-43 47
,42 39
,43 87
6,1-6 45,166
,2 39
,4 62
,5 56

,6b-31	131	,17	91	,33-37	121,161
,6-30	54	,21	91	,33	158
,6-23	57,62	,22	36	,34	153
,6	57,69	,23-25	25,36	,35-37	27
,7-8	57,59	,29	130	,35	84,121
,7	60	,30	108	14,8	139
,8	60	,32-40	38	,25	24,36,37
,9-13	60	,32	38	,27	106
,10	57,60	,33	15	,41-43	36
,14-29	38	,39	49	,49	17,82
,14-20	57,59	,45	15,16,38	,61	51,77
,14-16	37,131	,46-52	47	,62	15,16,45,63
,14	61,72	11,10	36,37		153,171
,21-23	57,59	,12-14	144	15,1	145
,22	57	,17	89	,15	145
,23	62	,20-26	144	,16-20a	145
,26	55	,28-33	11	,20	145
,27	63	,28	39	,29	144
,30-44	47	,33	38	,32	80
,34	21,103	12,1-12	108	16,8	39
,45-50	47	,8	91		
7,1-23	56,146	,9	22	Lukas	
,5-8	43	,15-21	84	1,1-4	123
,19	44	,24	45	,4	122
,24-30	47	,28	91	,7	125
,31-37	88	,34	36	,9	143
,31-36	47	,35-37	77,80	,13	125
,37	39,40	,37-40	69,118	,15	127,128
8,1-9	47	,37	73	,17	128
,11	45	,41-44	119	,19	125,129
,16	84	13,1	69	,25	125
,22-26	47	,3	158	,30	125
,27-33	16,49	,4-23	19	,35	127,128
,27-30	77	,4	81,119,159	,41	127
,30	87	,5-23	60	,46-55	125
,31-35	38	,6	20	,46-56	137
,31	6,15,49,52	,9-12	119	,47	79,128
,32	85	,9	38,49,159	,48	125
,33	6	,10	49,97,119	,51	125
,34	19,49	,11	38	,67	127,128
,38	15,63	,13	118,119,152	,68	125
9,1	27,46,65	,14	58,159	,69	125,140
,9	46,50	,15	154,160	,80	126,128
,12	15	,18	160	2,1-20	126
,14-29	47,56	,19	160	,10-12	125
,31	15,38	,21-23	160	,10	129
,32	72	,22	20,45	,11	79,126,134
,34-37	69	,24	160		135,140
,39	19,45	,25-28	160	,13	123
,47	25,36	,26	15,26,51	,14	126
10,1-12	56	,27	26	,25-35	128
,1	73,83	,29	155	,25-27	127
,2	91	,30	27,64,65	,29-32	143
,4-6	12	,31	65	,30	140
,14	36	,32	6,27,65	,49	143

3,4-6	128	,52,53	180	,30-33	134		
,4	126	,60	132	,31	181		
,6	126,130,140	10,1-12	133	,32	180		
,8	22	,6	19	,33-35	144		
,10-14	156	,9	132	,33	180,182		
,16	127,165	,11	132	,34	147		
,18	130	,12-15	7,147	14,14	169		
,21	127,144,165	,13-15	133,144	,15-24	23,95		
,22	165	,16.17	134	,18-20	91		
4,9-13	143	,18-20	134	,21-23	23		
,13	20	,18	20,133	15,4-10	141		
,14	128	,19	133	,4-7	21,104		
,16-30	127	,21	128,133,134	,11-32	138,139		
,16	165	,23	133,134	16,1-9	108,139,152		
,18-21	17	,24	133	,11	139		
,18-19	165	,29-37	108	,14	139		
,18	130,132,137f	11,1	127	,16	20,132,139		
,19	135,148,160	,2	127	,17	139		
	165	,5-8	108	,19-31	108,138,139		
,20-21	165	,15	7		151,152		
,21	32,134	,16	174	,22	146,149		
,22-23	165	,20	18,77,132	,29	140		
,24-27	165	,27	141	17,20-37	135,151,154		
,28-30	165,166	,29-32	144	,20	136		
,28	147	,29	174	,21	19,132,135		
,43	130,132	,30	174		136,137		
5,10	21	,31	12	,22	135,136		
,16	127	,37-54	144	,23	136		
,27	138	,49	98,144	,24	136,154		
,29	141	12,4	152	,26-30	26		
6,12	127	,7	138	,26	121		
,20-23	137	,8	17	,27	154		
,22	16	,11	138	,29	154		
7,1-10	146	,13-21	138	,31	154,160		
,9	90	,16-21	108,151	,32	154		
,11-17	141	,22-24	138	,34	141,154		
,22	17,130,137f	,32	21,131	18,1-8	108		
,29	144,147	,35-48	154	,1	127		
,30	148	,35-40	156	,8	26		
,36-50	132,141	,37	157	,13	138		
,36-39	138	,38	154	,29	131		
8,1(-3)	(141f)132	,39	121,153,154	,31-33	181,182		
,10	20,178	,40-45	27	,31	81,147		
9,1-10	131	,41	156	19,1-10	13,134,135		
,1	131	,42-46	153,156		138,139		
,2	131	,42.43	156	,5	134		
,6	131,132	,45	156	,9	22,135,146		
,7-9	131	,46	154	,11-27	152,157		
,18	133	,47	156	,11	131,152		
,26	26	13,6-9	144	,12-27	151		
,27	131	,16	22,146	,13	157		
,28	127	,22	22	,22-26	153		
,38	146	,23-30	146	,22	157		
,51-52	180	,28	22,144	,27	153		
,51	143	,29	22	,33.34	158		

,36	158
,37-38	181
,37	143,181
,41-44	135,141
,45-47	181
,45	144
,47	144,181
,48	141,144,161
20,1-6	144
,1	161
,6	144
,19	161
,27-29	181
,36	169
,45	158,161
21,1-4	141
,5-36	151,158
,5	158
,7	159
,8-12	180
,8	159,162
,9	159,162
,10.11	159
,12-19	159,161
,12.13	159
,17	117
,18	160,162
,19	152,162
,20	159
,21-23	160
,22	162
,23	81,160,162
,24	160,162,175
,25-28	160
,25-27	26
,25	161,162
,26.27	161
,28	161,162
,29-33	161
,29-32	162
,31	131,156,161
,32	162
,33	162,163
,36	127,180
,38	141,144,161
22,16	131
,18	131
,22	147,182
,27	157
,29	131
,35-38	147
,37	182
,40.41	127
,42	181
,44.46	127
,53	20
,63	181
,66	181

,69	153,171
23,1	144
,4	144
,5	181
,6-12	181
,10	181
,16	181
,18	181
,20	144
,21	181
,22	144,181
,23	181
,24.25	145
,26	141,145
,28-31	147
,28	92
,35	144
,36	145
,39-43	135
,43	135,150,151
,47	145,181
,49	141
,50-56	141
,51	131
24,6.7	146
,25.26	146
,30	151
,35	151
,39.40	151
,41-43	151
,44-46	146
,47	146
,51	164
,53	143

Apostelgeschichte

1,1-11	164
,1	163,182
,2	166
,3	170
,4	166,169
,5	127,165
,6	150,169
,7	169
,8	146,166,174
	178
,11	151
,12-26	172
,13	142
,14	165
2	127
,1-13	172
,3	128,165
,4	165
,14-20	172
,14	165
,16-21	145
,17	142,167,174

,18	167
,19	45
,20	167,170
,21	165
,22-25	165
,22	167,170
,23	145,147,175
,29-32	174
,29	172
,32	170
,33	165,166
,36-39	173
,36	145,165,174
,37-41	165,166
,37	174
,38	128,145,175
,39	145
,41	173,175
,42-47	173
,43	45,173,174
3,1-11	173
,12-26	172
,13.14	145
,17	174
,18	147
,19	173,175
,24	174
,25.26	175
4,1-7	173
,3	159
,8-12	173
,8	128
,10-12	78
,12	167
,13-17	173
,16	174
,19.20	173
,22	174
,23-37	148
,23	180
,24-31	172
,30	45,174
,31	128,172
5,1-11	142
,3-39	173
,3	128
,5	173
,9	128
,11	173
,12	173,174
,14	173,174
,16	173
,17-28	173
,18.19	159
,22.25	159
,29	175
,30-32	173
,31	79,173,175